황태자의
약혼녀

황태자의
약혼녀
The Crown prince's Fiancee
윤슬·이휘 장편소설
3
D&C BOOKS

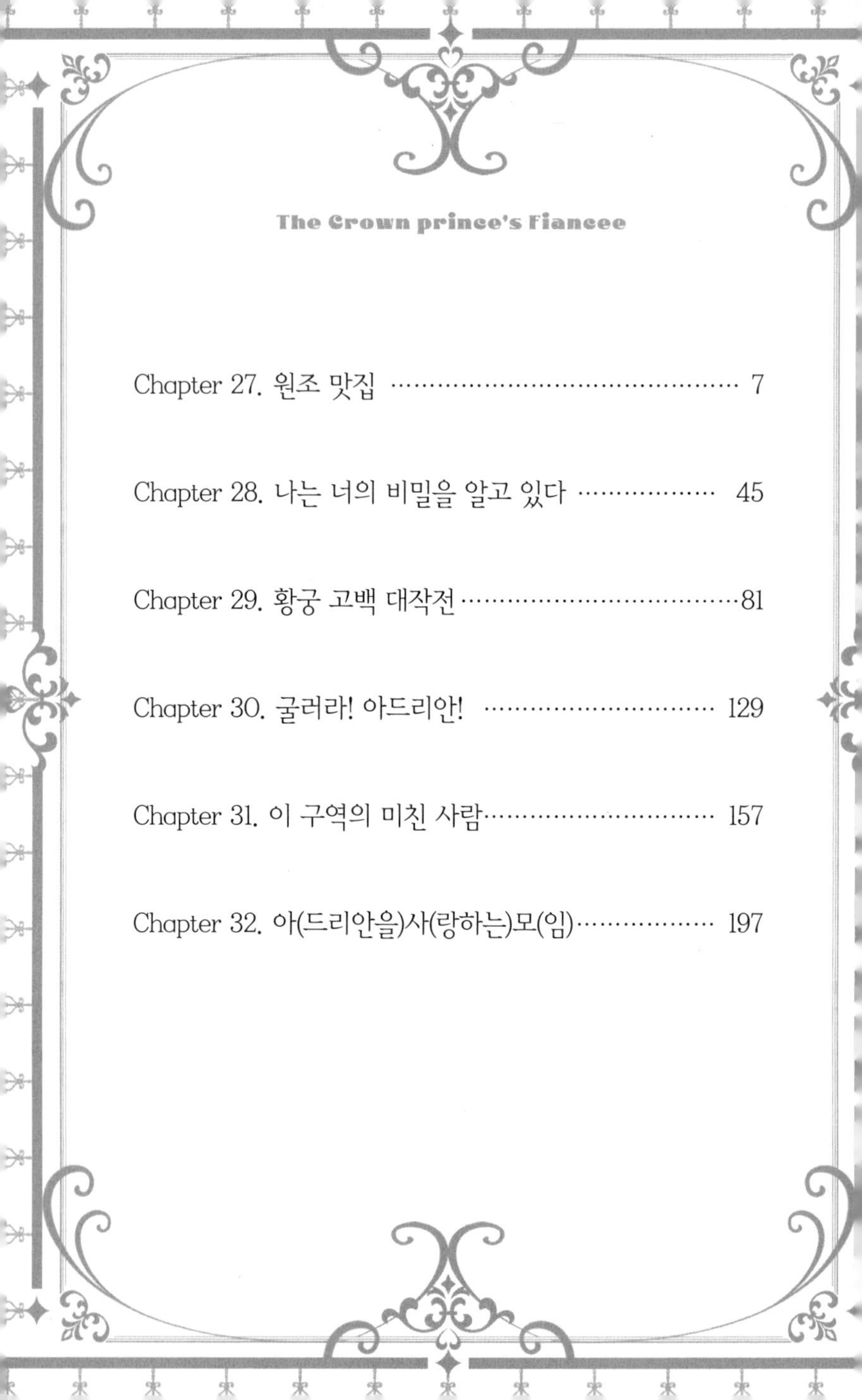

The Crown prince's Fiancee

The Crown prince's Fiancee

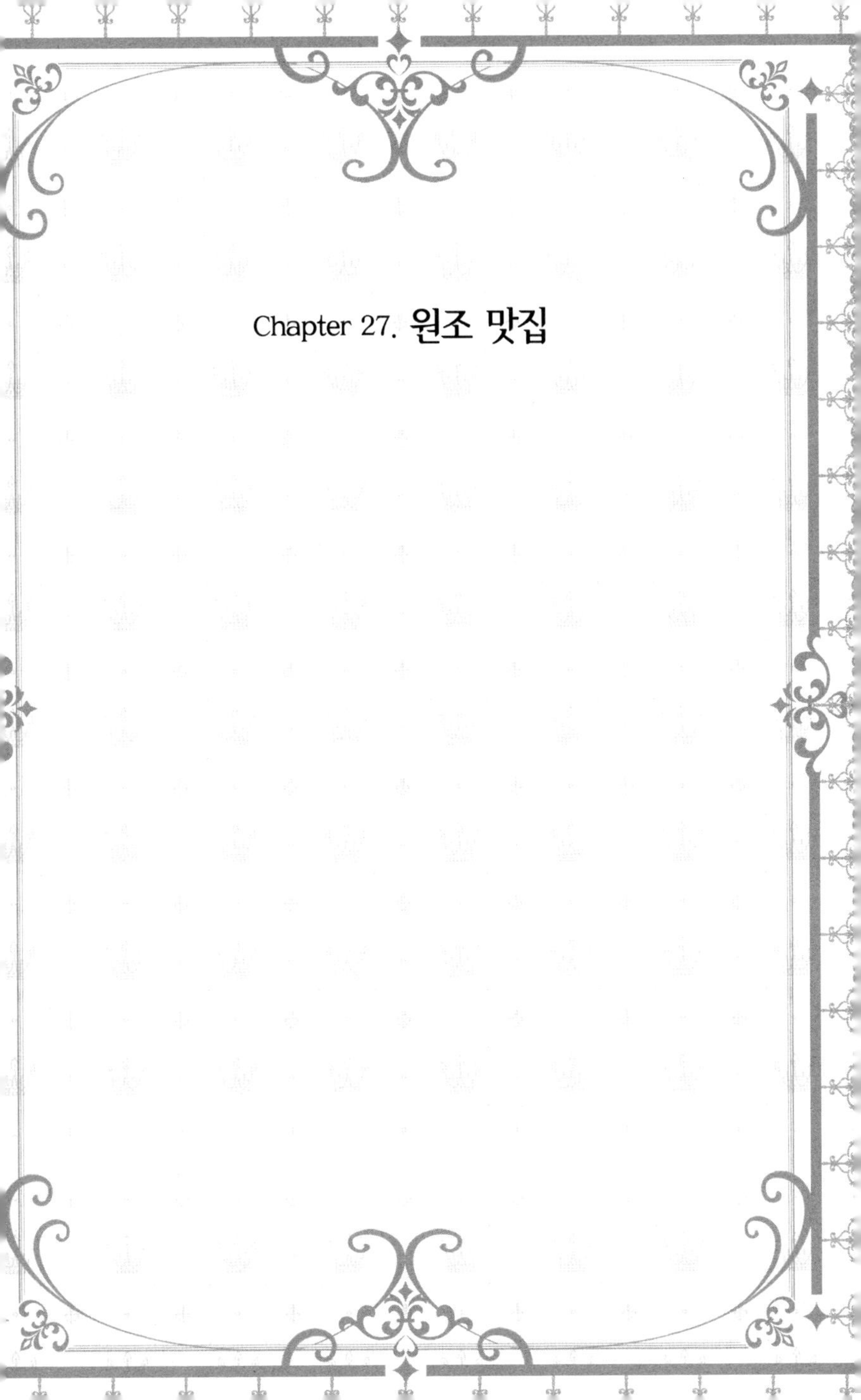

Chapter 27. 원조 맛집

Chapter 27. 원조 맛집

“앗, 곧 오빠 올 시간이네. 도망가야겠다.”

마리에가 황급히 책을 덮었다.

“왜? 만나면 안 돼?”

“몰라, 오빠 진짜 이상해. 너랑 같이 있으면 물든다고 하면서 날 잡아먹으려고 한다니까? 그건 빌려줄 테니까 다 읽으면 돌려줘. 내일 또 올게!”

그렇게 마리에가 홀연히 떠나 버렸다.

“그런데 오빠 올 시간이라니…….”

그런 시간도 정해져 있었단 말인가?

납치 사건 이후로 아드리안은 거의 릴리 궁에서 지내듯 했다.

자리를 비울 때는 급한 용무를 처리해야 할 때나 잠자리에 들 시간이 되었을 때뿐이었다.

"뭔가 착각한 것 같은데."

이 시간이면 아드리안은 포인세티아 궁 집무실에서 바쁘게 업무를 처리하고 있을 것이다.

혹시 올지도 모르는 아드리안을 기다렸지만, 역시 방문자는 아무도 없었다.

"그럼 그렇지. 책이나 읽어야지."

나는 다시 〈황태자의 마지막 고백〉을 펼쳐 들었다.

다소 유치한 부분이 없잖아 있지만 보다 보니 제법 중독성이 있었다.

특히 호수에서의 고백 장면이 달달함의 정점이었다.

"이 부분은 나중에 또 읽어야지."

마리에가 왜 에스티나를 계속 재주행 하는지 이해할 수 있을 것 같았다.

나중에 다시 읽을 부분에 책갈피를 끼워 두고 뒷내용을 읽으려던 그때였다.

"이게 뭐지?"

"……!"

깜짝 놀라 책을 확 덮었다. 그 와중에 책 제목을 가리는 것도 잊지 않았다.

아드리안이 나를 빤히 내려다보았다.

"뭔데 그렇게 숨겨?"

"아……. 별거 아니에요."

책을 숨겼지만 아드리안의 의심의 눈초리를 피할 수는 없었다.

"줘 봐."

✦ ♛ ✦

급한 일만 대충 처리하고 릴리 궁으로 돌아온 아드리안은 곧장 아티의 침실을 찾았다.

마리에가 있으면 당장 쫓아내려고 했지만 다행히 돌아간 듯했다.

미처 닫지 못했던 건지 아티의 침실 문이 살짝 열려 있었다.

'뭘 하고 있는 거지?'

열린 문 사이로 아티의 모습을 본 아드리안은 그녀를 관찰했다.

뭔가를 열심히 읽고 있는 아티는 감명을 받기라도 했는지 잔뜩 상기된 얼굴로 책갈피를 꽂았다.

저렇게 만족스러워하는 표정은 처음 보는 터라 아드리안은 좀 당황스러웠다.

그는 한창 집중하고 있던 아티에게 다가갔다.

그의 접근을 알아챈 아티가 뺨을 잔뜩 붉힌 채 후다닥 책을 숨겼다.

"줘 봐."

아티가 눈치를 보더니 마지못해 그의 손에 책을 넘겨주었다.

〈황태자의 마지막 고백〉

가볍게 책 제목을 확인한 아드리안은 고개를 갸웃하며

대충 책을 훑어보았다.

'이런 걸 좋아한단 말이야……?'

아드리안은 혼란스러워졌다. 어디서 본 것만 같은 줄거리의 러브 스토리였다.

아드리안이 심각한 얼굴로 책을 읽어 내릴수록 아티의 안색이 흐려졌다.

쥐구멍이라도 있으면 숨고 싶은 심정이었다.

'화낼 거면 빨리 화내지, 왜 계속 읽고 계시지……?'

초조한 마음도 모르고 페이지는 계속해서 넘어갔다.

뒤늦게 아티의 표정을 확인한 아드리안이 책을 덮었다.

"어……. 그래."

그는 떨떠름한 반응으로 아티에게 책을 돌려준 후 침실을 떠났다.

'그런 게…… 취향이었군.'

아주 잠깐 읽었을 뿐인데 아티가 무엇을 좋아하는지 대충은 알 것 같았다.

"이런 남자가 좋다는 건가."

한없이 다정하고 상냥한 남자. 거기다 거침없이 자신의 마음을 표현한다.

자신과 정반대의 타입이었다.

하지만 잠깐 훑어본 걸로는 정확히 어떤 타입을 선호하는지 분석이 어려웠다.

포인세티아 궁에 돌아온 아드리안은 곧장 시종장을 찾았다.

"라르고."

“예, 전하.”

“별건 아니고, 책 하나를 찾아 줬으면 하는데.”

“어떤 책입니까?”

“〈황태자의 마지막 고백〉.”

“……예?”

라르고는 귀를 의심했다.

하지만 아드리안의 표정은 더없이 진지했다.

“〈황태자의 마지막 고백〉이라고.”

“어떤 저자의…… 도서인지…….”

“모른다. 제목만 알아.”

“예, 알겠습니다…….”

라르고는 떨떠름하게 집무실을 나섰다. 그리고 곧장 명령대로 책을 찾아다녔다.

하지만 애꿎은 교양서 쪽만 뒤졌기 때문에 원하는 책은 발견할 수 없었다.

지나던 시녀가 도와주지 않았다면 그날 내로 찾지 못했으리라.

책을 겨우 구해 돌아온 라르고를 본 아드리안의 반응은 싸늘했다.

“늦었군.”

“……죄송합니다.”

아드리안은 묘한 눈길로 자신을 보는 라르고를 무시한 채 조용히 책을 탐독했다.

그는 비상한 기억력으로 아티가 표시해 둔 부분을 특히

유심히 분석했다.

'그날은 유독 날씨가 좋았다. 푸르른 하늘, 온화하게 흐르는 따뜻한 바람. 오늘도 저스틴은 그녀에게 제 마음을 고백하기 위해 초대장을 작성했다.'

또 한 번의 남자 주인공의 고백 장면.

'황성 중앙 호수 앞에서 기다리겠습니다.'

대망의 호수에서의 고백 장면이었다.

모든 대사를 샅샅이 기억한 아드리안은 오글거림에 몸서리치면서도 토씨 하나 빠뜨리지 않고 암기했다.

"이거다."

드디어 아티의 마음을 사로잡을 방법을 찾은 것 같았다.

✦ ♛ ✦

에센과 함께 산책을 다녀왔더니 테이블 위에 낯선 초대장이 하나 있었다.

"뭐지?"

황가의 문양이 그려진 고풍스러운 디자인의 초대장.

봉투의 겉면을 살폈지만 발신인이 적혀 있지 않았다.

"누가 감히 황실을 사칭했을 리는 없을 테고……."

고개를 갸웃하며 봉투를 열어 초대장을 꺼냈다. 그곳에는 단 한 줄의 문장만이 적혀 있었다.

'황성 중앙 호수 앞에서 기다리겠습니다.'

"……?"

어디서 많이 본 문장인데.

혹시나 해서 뒷면을 살펴보았지만 역시 발신인은 적혀 있지 않았다.

그리고 없는 게 또 있다면 약속 시간 정도일까. 뭔가 짚이는 것이 있었지만 확신할 수는 없었다.

아니, 확신하기 싫다고나 할까.

"그게 뭐야?"

에센이 내 손에 들린 초대장을 가져갔다.

"글씨체가 아드리안이네. 갑자기 웬 존댓말이지. 미친놈인가?"

"아……."

설마설마했는데 진짜 아드리안일 줄이야.

알고 싶지 않은 사실을 알아 버린 나는 마지못해 릴리 궁을 나섰다. 호위인 에센도 함께였다.

중앙 호수에 도착한 나는 정박 되어 있는 배 한 척을 발견했다.

두 사람이 마주 앉으면 꽉 찰 크기의 배는 호수 위에서 시간을 보낼 놀이용 배였다.

"쟤 저기서 뭐 하냐."

에센이 기가 막히다는 듯 웃었다. 그 시선이 닿은 곳에는 제복을 차려입은 아드리안이 서 있었다.

이 상황 또한 그리 낯설지 않아서 제법 당황했다.

발신인이 없는 초대장, 호수로의 초대, 그리고 준비되어 있는 배와 제복 차림의 아드리안.

'아, 아닐 거야…….'

불안한 마음을 가진 채 조심스럽게 아드리안에게로 향했다.

머지않아 나를 발견한 아드리안이 성큼성큼 걸어왔다.

"에센, 넌 돌아가."

"뭐?"

에센에게는 눈길도 주지 않고 아드리안은 내게 손을 내밀었다.

평소라면 먼저 잡았을 텐데, 상당히 의외인 행동이었다.

내가 머뭇대며 손을 올리자 아드리안이 작게 웃으며 나를 끌어당겼다.

에센이 기가 차다는 듯 바라보고 있자 아드리안이 손을 훠이 내저었다.

"대충 퇴근해."

"하……."

언뜻 '미친놈…….'이라고 중얼거리는 목소리가 들려왔다. 하지만 아드리안은 아랑곳 않고 나를 배 위에 태웠다.

"갑자기 배는 왜요?"

"그냥…… 날이 좋아서."

내 불안감이 극에 달했다. 왜냐하면 날이 좋은 날에는 꼭 무슨 사건이 터지곤 했으니까!

내가 할 수 있는 거라고는 이 불안감이 부디 나의 기우이기를 바라는 것밖에 없었다.

그와 별개로 뱃놀이 자체는 제법 신선했다. 나는 웃으며 손끝을 물에 담가 보았다.

"호수에서 배 타는 건 처음이에요."
"아, 그렇군."
"……?"
아드리안의 반응이 뭔가 이상했다. 정신이 다른 데 빠져 있는 것 같다고나 할까.
"아드리안?"
"아."
"혹시 저한테 하고 싶은 말씀이라도 있으세요?"
모른 척하려고 했는데 기다릴 수가 없었다. 뭔가 말하기 어려운 대화를 하려는 걸까.
굳이 뱃놀이라는 핑계로 에센을 떼어 놓은 것도 그렇게 생각하면 이해가 되었다.
그렇다면 아까부터 느껴졌던 묘한 기시감은 역시 내 착각이겠지?
그렇게 생각하던 그때였다.
"아티. 아니, 비올라."
"……예?"
갑자기 본명이요?
아드리안은 당황해서 굳어 버린 나를 내버려 둔 채 계속 말을 이어 갔다. 그것도 아주 진지한 목소리로.
"그대라는 작은 새가 내 품에서 달아나려 날갯짓을 해도 나는 감히 새장에 가둬 둘 수가 없습니다."
"자, 잠깐……."
역시 내가 착각한 게 아니었잖아. 이건. 이 대사는…….

"보는 것만으로도 아까운 당신이니까."

〈황태자의 마지막 고백〉의 호수 고백 장면의 대사였다!

얼굴이 화끈 달아올랐다. 활자로만 봤던 문장을 육성으로 들으니 감회가 새로웠다.

물론 부정적인 의미로.

어제 내가 읽는 책을 가져가 읽었을 때만 해도 별 반응 없었으면서 이제 와 이러는 이유는 단 한 가지였다.

'나를 놀리려고!'

수치스럽게 만들어서 나를 죽이려고 작정한 게 틀림없었다.

당황해서 어찌할 바를 모르는 사이에도 아드리안의 조롱은 계속되었다.

"그러니 내가 그대에게 할 수 있는 말은 하나밖에 없습니다."

"그, 그만……."

이다음 대사는 분명 그거였다. 사랑합니다.

"사—."

으아아악!

대망의 대사가 아드리안의 입 밖으로 나오기 전, 나는 도무지 참을 수 없어 벌떡 일어났다.

"!"

그러자 균형을 잃은 배가 크게 흔들리기 시작했다. 더불어 내 몸이 기우뚱하게 기울었다.

"아티!"

아드리안이 깜짝 놀라 내게 손을 뻗었지만, 이미 늦은 후였다.

풍덩—!

황급히 숨 쉬는 것을 멈추었지만, 당황한 나머지 나도 모르게 물을 먹고 말았다.

생각보다 물이 깊었다. 몸이 천천히 수면 아래로 가라앉았다. 흐린 시야로 일렁이는 수면이 보였다.

그리고 착각인지 현실인지 모를 손길이 나를 끌어 올리는 것도.

✦ ♛ ✦

"아티!"

아드리안은 일말의 고민도 않고 호수에 뛰어들었다.

하필 예식용 제복을 차려입은 탓에 의복이 순식간에 무거워졌다.

다급히 호수 밖으로 아티를 끌어냈지만 정신을 잃은 상태였다.

근처에서 모습을 숨긴 채 그들을 호위하고 있던 에센과 디아노까지 달려왔다.

아드리안은 그들이 다가오든 말든 전혀 신경도 쓰지 않은 채 아티의 호흡부터 확인했다.

숨을 쉬지 않았다.

"……젠장."

그는 곧바로 아티의 기도를 확보한 후 심폐 소생술을 행했다.
가슴 압박을 했지만 여전히 아티는 숨을 쉬지 않았다.
"뭐야, 어떻게 된 거야?"
에센이 당황하며 아티 옆에 무릎을 꿇었다.
당황한 것은 아드리안도 마찬가지였다.
아티가 좋아하는 소설 내용을 재현해서 환심을 사려는 계획이었는데, 어쩌다 이런 상황을 맞이하게 된 것인가.
에센이 이를 갈며 아드리안에게 외쳤다.
"인공호흡을 해, 멍청아!"
"나도 알아."
창백한 아티의 얼굴을 본 아드리안은 절박하게 그녀의 얼굴을 쓸었다.
아주 잠깐 물에 빠진 것뿐인데 몸이 너무 차가웠다.
'빌어먹을.'
아드리안은 스스로를 탓하며 아티의 입술에 제 입술을 겹쳤다.

✦ ♛ ✦

서서히 돌아오는 의식 사이로 누군가 오열하는 소리가 들렸다.
"허어어엉……. 흐어어엉…… 죽으면 안 돼……!"
'뭐지……? 누가 죽었나?'
너무 시끄러워서 일어나지 않을 수가 없었다. 나는 인상을 쓰며 천천히 눈을 떴다.

"……!"

눈을 뜨자마자 보인 광경에 나는 화들짝 놀랐다.

바로 눈앞에 떡하니 자리 잡은 네 명의 얼굴. 부담스러운 시선이 오로지 나를 향해 쏟아지고 있었다.

"뭐, 뭐, 뭐예요?"

상황 파악이 되지 않았다. 어째서 깨어나자마자 보인 것이 사인방의 얼굴들이란 말인가……!

"아티!"

테르니가 다짜고짜 나를 껴안았다.

테르니는 눈물을 펑펑 쏟으며 반항하는 나를 놓아주지 않았다.

"나 두고 죽으면 안 돼, 아티!! 흐어엉……."

……왜 이러는 걸까?

누가 이 사람 좀 말려 달라는 의미로 나머지 삼인방을 둘러보았지만, 이들도 테르니와 별반 다를 바 없는 반응이었다.

디아노는 굳은 표정으로 나를 빤히 바라보았고, 에센은 복잡한 얼굴로 그저 한숨을 내쉬었다.

아드리안은 뭔가 할 말이 있는 듯했지만 먼저 내 눈을 피했다.

나는 테르니에게 꽉 끌어안긴 채 주변을 둘러보았다. 릴리 궁의 내 침실이었다.

그러고 보니 내가 왜 침실에 있는 거지? 분명 아드리안이 불러서 호수에 갔었는데.

"아."

맞다. 나 호수에 빠졌었지…….

그 사실을 떠올리자마자 정신을 잃기 전의 일들이 한 번에 떠올랐다.

난데없이 아드리안이 책 속 내용을 재현하는 바람에 수치스러워하다가 실수로 입수해 버렸다.

지끈거리는 머리를 부여잡으며 원인 제공자를 보았다.

눈이 마주친 것 같았는데, 아드리안은 금세 고개를 돌려 버렸다.

저 인간은 또 왜 저럴까?

"하아."

깊게 고민하고 싶어도 머리가 아파서 그럴 수가 없었다.

그 와중에 테르니까지 나를 흔들며 난리를 쳐 대는 통에 마치 망치로 내리치는 것처럼 머리가 크게 울렸다.

"으으……. 잠깐만요. 머리 울려요."

"뭐야, 아티. 어디 아픈 거야?!"

테르니가 화들짝 놀라며 외쳤다.

아니, 이렇게 흔들어 대는데 당연히 어지럽지! 더 의아한 건 아드리안까지 놀라며 내 안색을 살피는 것이었다.

"아니, 고작 물에 빠져서 물 좀 먹은 것뿐인데 왜 이렇게 호들갑이에요?"

"……."

"……."

갑자기 분위기가 싸늘해졌다. 대체 왜 이러는지 이유를

모르는 나로선 환장할 따름이었다.

이것도 아드리안이 나를 놀리던 것의 연장선인가? 일리 있었다.

"도대체 왜들 이래요?"

짧은 침묵 끝에 입을 연 것은 아드리안이었다.

"……숨을 안 쉬었어."

"네?"

"아티 네가 숨을 안 쉬었다고."

내가 숨을 안 쉬었다고? 물 좀 먹은 게 아니라?

한순간 멍해진 나를 테르니가 또다시 와락 껴안았다.

"네가 물에 빠졌다고 해서 갔더니 미역처럼 젖어 있어서 이 오라버니가 얼마나 놀랐는 줄 알아?"

"그걸 제가 왜 알아야 하죠……."

"흑, 아티. 날 두고 떠나면 안 돼!"

두고 떠나고 싶다.

어쨌든 이 삭막한 분위기의 이유를 대충은 짐작할 것 같았다.

나는 여전히 내 얼굴을 똑바로 쳐다보지 못하는 아드리안을 올려다보았다.

왜 저렇게 눈을 피하나 했더니 너무 미안한 나머지 차마 면목이 없어서 그랬던 건가.

아드리안이 누군가에게 미안하다는 감정을 내보인다는 게 새삼 놀라웠다.

"전하?"

"……어."

시험 삼아 이름 대신 '전하'라고 불렀는데도 평소와 같은 격렬한 반응이 없었다.

미안해하는 아드리안이 너무 안 어울려서 보고 있는 게 심히 괴로웠다.

조금이라도 빨리 이 어색한 분위기를 박살 내든가 해야겠다.

"아드리안이 일부러 그런 것도 아니고 제가 실수로 빠진 건데 그렇게 미안해하시지 않아도 괜찮아요."

"……."

"어쨌든 안 죽었잖아요!"

싸아아—. 그렇지 않아도 어둡던 아드리안의 얼굴이 순식간에 굳었다.

나름 분위기를 가볍게 반전시키려 한 대사인데, 오히려 역효과였나 보다.

어, 어떻게 수습하지?

내가 쩔쩔매고 있을 때, 훌쩍이며 눈물을 닦은 테르니가 내 양어깨를 턱, 붙잡았다.

"그렇게 발랄하게 사람 속을 뒤집어 놓다니, 역시 내 동생이다. 대단해. 말로 사람을 죽였어!"

"아, 아니. 그게—."

"아주 훌륭해. 아드리안 저 녀석 표정 좀 봐."

바로 전까지만 해도 구슬프게 울던 테르니는 이제 아드리안을 손가락질하며 낄낄 웃었다.

아드리안이 살벌하게 테르니를 노려보았다.

테르니의 목숨이 위험해……!

하지만 아드리안은 그저 노려보기만 할 뿐 다행히 검을 뽑거나 하지는 않았다.

다행이다. 한차례 안도의 한숨을 내쉬자 미처 신경 쓰지 못한 문제가 하나 생겼다.

"음……."

깨자마자 보인 사인방의 얼굴에 너무 놀라 그때는 몰랐는데, 가만히 앉아 있자니 머리가 깨질 듯이 아팠다.

어쩐지 눈가가 뜨겁고 몸이 자꾸만 아래로 가라앉는 기분.

감기라도 걸린 걸까? 자각하고 나니 도로 눕고 싶은 마음이 간절했지만 애써 아픈 내색을 하지 않았다.

내가 아프다고 하면 그러잖아도 오열하던 테르니가 더 난리 칠 것 같으니까.

여전히 분위기는 어둡게 가라앉은 상황이었다. 그 침묵을 뚫고 누군가 문을 두드렸다.

"전하. 응접실에서 오를레앙 백작이 다섯 시간째 기다리고 있습니다."

"……?"

순간 내가 잘못 들은 건가 싶어 아드리안을 가만히 바라보았다.

다섯 시간을 기다리게 한 아드리안이나, 다섯 시간을 기다린 오를레앙 백작이나 답이 없었다.

나를 흘긋 쳐다본 아드리안이 짧게 한숨을 내쉬며 고개

를 끄덕였다.
"곧 가지."
드디어 이 지독한 호수 사건이 마무리되는구나.
혼자 감격에 겨워하고 있는데, 문가로 향하던 아드리안이 내게 도로 성큼성큼 다가왔다.
"왜요?"
"아닌 척해도 다 티나."
"……??"
아드리안은 나를 부드럽게 밀어 침대에 눕히더니 이불을 목 끝까지 끌어 올려 덮어 주었다.
마지막으로 커다란 손이 내 이마를 덮었다. 차가운 손길에 기분이 좋아졌다.
아드리안이 나를 가만히 내려다보았다. 그 시선에 나는 그저 방긋 웃었다. 그러자 아드리안이 또다시 깊은 한숨을 내쉬었다.
왜 그러지. 뭔가 또 마음에 안 드는 걸까?
그런 의문도 잠시, 앉아 있다가 누웠을 뿐인데 엄청난 졸음이 쏟아졌다.
순식간에 잠에 빠져드는 와중 소란스러운 주변 소리가 아득하게 들려왔다.
문이 열리는 소리가 들리고, 테르니가 배가 고프다며 뛰어나가는 소리가 들렸다. 그 뒤를 따르는 디아노의 발소리와 음성도.
하지만 내 옆에 있는 기척은 그 후로도 사라지지 않았다.

더더욱 졸음이 쏟아져 이내 아무 소리도 들리지 않는다고 생각될 때였다.

"에센."

"어."

"의원을 불러라."

약간 짜증 난 듯한 아드리안의 목소리가 들려왔다.

'티 난다는 게…… 아픈 게 티 난다는 거였나…….'

그런 어렴풋한 깨달음과 함께 완전히 의식이 꺼졌다.

✦ ♛ ✦

남들은 전혀 눈치채지 못했지만 취미와 특기가 아티 관찰하기인 아드리안은 그 차이를 금세 간파해 낼 수 있었다.

깨어났을 때부터 어쩐지 멍하던 아티는 평소보다 더 헤실헤실 웃더니 금세 곯아떨어졌다.

"아티가 아프다고? 아까는 괜찮았잖아. 지금은 피곤해서 잠든 거 아니야?"

"괜찮은 게 아니라, 괜찮은 척한 거다."

심각한 얼굴로 아티에게 다가간 에센이 아드리안이 그랬던 것처럼 이마에 손을 올렸다.

아드리안은 대놓고 인상을 쓸 뿐 그 행동을 말리지 못했다. 기분 나쁘지만 어쩔 수 없었다.

자신에게는 접촉을 막을 명분이 없었으니까.

에센은 아티의 이마에서 손을 떼어 내며 아드리안의 말

을 인정했다.
“네 말이 맞네.”
“그럼 이제 의원 좀 불러와. 최대한 조용하게.”
“왜?”
“부황이나 모후, 하다못해 마리에까지 알게 되면 시끄러울 테니까.”
에센이 아티엔느 역할을 할 때에는 그들 사이의 유대가 그리 깊지 않았기 때문에 가벼운 쾌차 기원 선물만 오고 갔을 뿐 병문안을 오는 일은 없었다.
하지만 지금의 아티는 모두의 관심을 듬뿍 받는 상대였다.
괜히 찾아와 수선을 피우면 저 착해 빠진 성격으로는 제대로 된 휴식을 취하지 못할 게 분명했다.
에센도 그 말에 동의했다. 그는 아무도 알지 못하게 의원을 금세 릴리 궁으로 데리고 왔다.
의원의 진찰 결과 예상대로 아티는 감기에 걸린 상태였다.
의원을 내보내고 발을 동동 구르는 라르고의 뒤를 따라가면서, 아드리안은 기묘한 불쾌감에 사로잡혔다.
“황태자 전하께서 드십니다.”
딴생각에 잠긴 채로 응접실에 들어가자 오를레앙 백작이 손수건으로 이마를 훔치며 일어났다.
“아르칸젤로의 축복이 함께하시기를. 황태자 전하를 뵙습니다.”
“앉으십시오.”
두 사람이 자리에 착석하자, 오를레앙은 기다렸다는 듯

이야기를 쏟아 내었다.

아드리안은 건성으로 그의 이야기를 들어 넘기며 아티를 떠올렸다.

열에 들떠 끙끙댈 정도면서 아무렇지 않은 척하던 모습이 마음에 걸렸다.

'역시 내가 믿음직스럽지 못한 거겠지.'

이해는 하지만 씁쓸한 것은 어쩔 수 없었다. 모두 자신의 행동에서 기인한 것이었으니.

그와 더불어 같이 호수에 빠졌는데도 감기 기운이라고는 없이 멀쩡하기만 한 자신에 자괴감이 들었다.

'대신 아파 줄 수도 없다니.'

이 얼마나 한심한 몸뚱이인가.

아티가 아픈 원인이 자신 때문이라는 사실을 떠올릴 때마다 미쳐 버릴 것 같았다.

그리고 그 호수에서의 소동이 모두 아티의 마음을 사로잡기 위한 스스로의 헛짓거리였다는 것을 떠올리면 더 환장할 노릇이었다.

"……망할."

아드리안은 작게 욕설을 지껄이며 어느새 금이 간 찻잔을 내려놓았다.

"아이고, 전하. 괜찮으십니까? 어디 다치신 곳은……."

깨진 찻잔을 확인한 오를레앙 백작이 호들갑을 떨었지만 아드리안은 그저 손을 내저었다.

'그래. 호수 사건은 그냥 덮자. 이 일에 대해서는 아무도

모르는 게 낫다.'

아드리안에게 무덤까지 가져가야 할 혼자만의 흑역사가 생긴 순간이었다.

✦ ♛ ✦

차가운 손길이 이마를 쓸었다. 아티는 눈을 감은 채 그 한기를 온전히 느꼈다.

'시원해…….'

그녀의 뜨거운 체온을 앗아 간 손길은 한참이나 닿아 있다가 떨어졌다.

그 다정한 손길이 사라지는 순간 아티는 저도 모르게 아쉬움을 느꼈다.

그러곤 다시 속수무책으로 의식을 잃었다.

느껴지는 감각이라고는 온몸이 절절 끓는 듯한 열기뿐.

'……아픈 건 어쩔 수 없는 일이야.'

언젠가 페코스의 거리를 전전했을 때부터 몸으로 깨달은 바가 있었다.

제대로 먹지도 못하는 몸으로 앓아누워도 보살펴 주는 사람 한 명도 없다는 것을.

그때부터 아티는 홀로 견뎌 내는 것에 담담해졌다.

아무리 아파도 계속해서 참으면 언젠가는 괜찮아지는 때가 왔다.

그러니까, 그때까지만 참으면 돼. ……그랬는데.

어렴풋이 정신이 든 순간 아티는 누군가가 자신을 보살피고 있다는 사실을 깨달았다.

열에 들뜬 시야 너머로 누군가의 모습이 보였다. 하지만 그 사람이 누구인지 확신을 내리기가 어려웠다.

'다정해…….'

눈물이 날 정도로 상냥한 손길이었다. 누구일까?

가장 먼저 떠오른 건 헬머 아저씨였다.

이름조차 잊은 채 페코스를 전전하던 자신을 발견하고 돌보아 준 사람.

'하지만 달라.'

헬머 아저씨가 아니다. 걱정이 가득 담긴 애정 어린 손길이지만 미묘하게 달랐다.

찬 수건을 이마에 얹고, 입가에 약을 흘려 넣는 행동이 약간은 어색했다.

'혹시…….'

혹시나 하는 기대가 싹텄다. 하지만 금세 그 기대를 접었다.

마담 루시나 다른 시녀일 거라고 생각하며, 아티는 다시 깊은 잠에 빠져들었다.

✦ ♛ ✦

에센이 쟁반을 들고 침실로 들어왔다. 그는 걱정스러운 눈으로 아티의 상태를 살폈다.

"자?"

"어. 잠깐 정신이 드는 것 같더니."

가벼운 감기인 줄로만 알았는데, 아티의 병세는 생각보다 심각했다.

아드리안은 이제는 제법 능숙해진 손길로 이마의 수건을 새로 갈아 주었다.

그런 아드리안의 정성 어린 간호를 보던 에센이 신기하다는 듯 중얼거렸다.

"처음에 수건 너무 꽉 짜서 바짝 마른 거 이마에 올렸던 거 생각나네."

"시끄러워."

차갑게 대꾸한 아드리안은 다시 아티를 살뜰하게 간호하기 시작했다.

에센은 질렸다는 얼굴로 고개를 저었다.

"너한테 안 시끄러울 때가 있긴 하냐?"

"없어."

재수 없는 친구의 행동에 인상을 찌푸리던 에센의 시선이 다시금 아티에게 향했다.

퉁명스러운 말과 행동으로 애써 감추려 했지만, 진심으로 우러나는 걱정을 숨길 순 없었다.

아티는 이틀을 꼬박 앓았다. 다행히 열이 떨어지긴 했지만 아직 완전히 낫지는 않았다.

에센이 불만스레 말했다.

"왜 이렇게 약한 거야?"

"너무 조금 먹어서 그래."

"더 먹이자."

"그래."

웬일로 두 사람의 의견이 일치했다. 아티가 알았다면 환장했을 발언이 아닐 수 없었다.

그렇게 당사자는 모르는 작당 모의를 하며 '아티 건강하게 만들기 프로젝트'를 획책하는 중이었다.

똑똑—.

"전하. 라르고입니다."

아드리안은 제 몸으로 아티가 보이지 않게 가렸다. 잠든 아티의 모습을 다른 인간에게 보여 주고 싶지 않았다.

그 후에야 아드리안이 입을 열었다.

"들어와."

문이 열리고 라르고가 들어왔다.

"오늘 황후 폐하께서 주최하신 파티 일정이 있습니다."

"아."

아드리안은 대놓고 얼굴을 구겼다.

아티를 간호하느라 일정도 잊고 있었다. 그답지 않은 실수였다.

"일전에 두 분께서 참석하신다고 말씀하셔서 불참하시면 곤란합니다. 어떻게 할까요?"

답이 정해져 있는데 왜 묻는 걸까. 아드리안은 라르고의 화법을 트집 잡으려다 말았다.

하필 앓아눕기 전, 아티가 참석 의사를 밝힌 탓에 당일에 못 간다고 하기가 곤란했다.

하필 의원도 은밀히 데려온 탓에 지금 와서 몸이 좋지 않다고 말하면 괜한 핑계로 빠진다고 그들에게 보복할지도 몰랐다.

'모후라면 그럴 분이지.'

다른 사람이라면 모를까 황후라면 가능했다. 이미 여러 번 보복을 가한 전적도 있었다.

'나는 모를까 아티는 안 돼.'

이렇다 할 결정을 내리지 못한 채 아드리안은 일단 라르고를 내보냈다.

무도회가 열리는 시간은 해가 저문 밤. 아직 시간은 충분하다.

'게다가…….'

방법이 아예 없지는 않았다.

자신에게로 향하는 아드리안의 시선을 느낀 에센이 흠칫하며 한 발짝 뒤로 물러났다.

"싫어. 싫다고 했다?"

"넌 거부권이 없어."

"싫다고, 이 개자식아!"

역시나 에센은 격렬하게 반항했다. 하지만 아드리안도 포기할 생각이 없었다.

"순순히 포기하시지. 그게 편할 텐데?"

"악독한 새끼. 너 같으면 여장하고 싶겠냐?"

"상관없어. 나는 할 필요가 없으니까."

"진짜 너는 세계 최고의 쓰레기다……."

에센의 힐난에도 아드리안은 눈 하나 꿈쩍하지 않았다. 오히려 가소롭다는 듯 웃으며 대꾸했다.

"알아."

졸지에 여장을 하게 된 에센으로서는 미치고 팔짝 뛸 노릇이었다.

아드리안은 자비 없이 에센의 멱살을 쥐었다.

"일단 벗어."

"벗긴 뭘 벗어?!"

"닥치고, 벗으라고."

이러다 정말 옷이 벗겨질 위기에 처한 에센은 두 손으로 옷자락을 꽉 쥐었다. 퍽 간절한 손길이었다.

그때였다.

"두 분…… 뭐 하세요?"

"……!"

바로 옆에서 들려온 다소 몽롱한 음성에 아드리안과 에센은 딱딱하게 얼어붙었다.

그들은 동시에 바로 전에 자신들이 했던 대화를 반추해 보았다.

벗어. 벗긴 뭘 벗어? 닥치고, 벗으라고.

"……."

"……."

아드리안과 에센은 동시에 서로에게서 떨어졌다.

아니라고 해명이 끝난 일이지만 오해의 소지가 다분한 대사였다.

이미 전적도 있지 않은가.

“왜 일어났어? 아직 일어나면 안 되니까 누워.”

아드리안은 아무 일이 없던 사람처럼 태연하게 아티를 부축했다.

“허.”

에센은 코웃음을 치며 아드리안을 삐딱하게 주시했다. 언제는 자기더러 가증스럽다더니 본인이 더했다.

‘어디까지 하나 한번 보자.’

아티는 막 잠에서 깨 정신없는 와중에도 에센과 아드리안을 번갈아 보았다.

“그런데 옷은 왜 벗으라고 했어요?”

“어……?”

잘 넘어갔다 했더니 아니었다. 아드리안은 잠깐 당황했지만 황급히 이성을 되찾았다.

충분히 오해할 만한 상황이긴 했지만, 다 이유가 있는 행동들이었으니 자신은 떳떳했다.

“오늘 모후께서 주최한 파티가 있거든.”

“네? 그건 이틀 후 아니에요?”

“오늘이야.”

아티는 혼돈에 빠졌다.

‘파티 일정이 당겨진 건가? 하지만 그건 거의 불가능할 텐데!’

갖가지 생각들이 그녀의 머릿속을 어지럽혔다.

아드리안은 예상했던 그대로 혼란스러워하는 아티가 귀

여워서 잠깐 내버려 두었다.

이해가 가지 않는 점이 한두 가지가 아니지만 일단 아티는 파티에 참여해야 한다는 사실 하나만 머릿속에 넣었다.

어쨌든 참석해야만 한다!

"그럼 얼른 준비를……."

침대 아래로 발을 내린 아티는 한 발짝 내딛자마자 휘청거리더니 풀썩 주저앉았다.

"아티!"

얼른 아드리안이 붙잡아 다치지는 않았다.

그는 옷 위로 붙잡았음에도 여전히 불덩이처럼 뜨거운 아티를 보며 쯧 혀를 찼다.

"이러고 어떻게 파티를 참석한단 말이지? 절대 못 가."

"하지만 이미 참석하겠다고 말씀을 드렸는걸요."

"그래도 안 돼. 제대로 걷지도 못할 텐데 무슨 수로 버티려고?"

"잠깐 얼굴만 보이고 오면 괜찮을 거예요."

평소라면 아드리안의 뜻을 따를 아티지만 이번만큼은 물러나지 않았다.

아드리안은 이해할 수 없었다. 몸도 제대로 가누지 못하면서 왜 이렇게 되지도 않는 억지를 부린단 말인가.

아드리안은 아티를 내려다보았다.

그에게 기대어 서 있는 것만으로도 힘든지 이마에 식은 땀이 맺혀 있었다.

"왜 이렇게 고집을 부리는 거야?"

"제가 아드리안의 약혼녀니까요. 의무를 다해야만 하잖아요."

그게 이 계약의 조건이기도 했다.

그의 곁에 있을 수 있는 유일한 이유. 아티는 이 명분을 한시도 잊은 적 없었다.

"……."

약혼녀로서의 의무. 아드리안은 그런 것 따위는 생각하지도 않았다.

그의 머릿속에는 오로지 아티에 대한 걱정밖에 없었다.

'이렇게까지 선을 그을 필요는 없는데.'

아드리안은 자조적으로 웃었다.

약혼녀로서의 의무를 다하겠다는 그 말이 왜 이렇게 가슴을 아프게 찌르는 건지.

마치 그의 곁에 있는 이유가 단지 약혼녀이기 때문이라는 의미로 들렸다. 그리고 그게 진심이겠지.

아드리안은 무감정한 표정을 덧씌워 그런 감정을 숨겨 내었다.

"네가 무슨 말을 하고 싶은 건지는 알겠는데, 어쨌든 오늘은 안 돼."

"그럴 순 없어요."

이쯤 되면 뜻을 꺾을 법도 한데 아티는 완고했다. 아드리안은 한숨을 내쉬며 고개를 돌렸다.

태평하게 언쟁을 지켜보고 있던 에센이 흠칫 놀랐다.

"차라리 에센을 끌고 갔다 올게."

또다시 불똥이 튀어 버린 에센이 한바탕 난리를 치려고 했다.

'여장이라니. 절대 싫어! 절대 안 할 거라고!'

하지만 에센은 보고 말았다. 울먹울먹한 눈으로 자신을 올려다보는 아티를.

"내가 대신 갈게. 나만 믿어."

호언장담한 에센은 말을 내뱉음과 동시에 좌절했다.

'어쩌자고 내가 그런 말을 했지?!'

하지만 이미 엎질러진 물.

그리하여 에센은 절대 하지 않겠다 맹세한 여장을 하고 파티에 참석하게 되었다.

"역시 잘 어울리네."

"닥쳐."

에센은 절망스러운 심정으로 드레스 자락을 추슬렀다. 아드리안이 황태자고 뭐고 그냥 죽여 버리고 싶은 심정이었다.

오랜만에 실력 발휘를 한 마담 루시가 기뻐하며 웃었다.

"오호호홋! 에센 경을 꾸미는 것도 역시 재미있다니까요? 굳이 따지자면 아티 님이 더 재미있지만요!"

"……."

"거울 좀 보세요. 아주 아리따운 미인이 에센 경을 보고 있을 거랍니다, 호호호!"
"됐어."
퉁명스럽게 대꾸한 에센은 신경질적으로 면사를 썼다.
얼굴을 공개한 이후 아티는 한동안 면사를 쓰고 다니다가 공식적인 자리가 아닌 경우에는 잘 쓰지 않았다.
가끔 면사를 벗고 파티에 참석할 때도 있지만, 써도 트집 잡을 사람은 없을 것이다.
"야, 아드리안. 빨리 갔다 오자."
"그래, 나의 약혼녀."
"……닥쳐."
뭐가 그렇게 좋은지 아드리안은 시도 때도 없이 에센을 놀려 대었다.
치미는 살해 욕구를 눌러 참으며 에센은 겨우 플로렌스 궁에 당도했다.
'아직 참석도 안 했는데, 돌아가고 싶다.'
하지만 몸은 착실하게 홀 안으로 들어섰다.
"위대한 아펜니노의 미래, 아드리안 황태자 전하와 그의 파트너로 참석하신 예비 황태자비 오비에도가의 영양, 레이디 아티엔느이십니다!"
그들이 입장하자 사람들의 시선이 한 번에 쏠렸다.
에센은 치밀어 오르는 짜증을 억누르며 아드리안을 구석으로 끌고 갔다.
의자에 앉은 에센이 불량하게 고개를 까딱이며 아드리안에게 명령했다.

"야. 물 좀 가져와 봐."
"네가 갖다 마셔."
"불화설 나고 싶나 보지? 아티가 슬퍼할 텐데."
에센의 협박에 아드리안은 그를 가만히 노려보았다. 이에 질세라 에센도 마주 노려보았다.
두 사람의 뜨거운 시선이 공중에서 맹렬하게 맞부딪혔다.
"어쩜, 저렇게 눈빛이 달콤하신지."
"그러게요. 약혼녀에게 눈을 떼지 못하시네요."
"오호호."
"호호."
자신들을 두고 하는 사람들의 목소리도 들리지 않았다. 짧다면 짧고 길다면 긴 눈빛 전쟁의 승리자는 에센이었다.
아드리안은 지나가던 시종을 붙잡아 음료를 강탈하듯 건네받아 에센의 앞에 두었다.
"마셔."
"말고. 물 마시고 싶은데."
"죽고 싶냐?"
제2차 눈빛 전쟁이 발발하려던 때였다. 한 무리의 사람들이 다가와 아드리안에게 인사했다.
그중 한 귀부인이 귀엽다는 듯 아티를 눈짓하며 우아하게 웃었다.
"여전히 서로에게 다정하시네요, 두 분께서는."
"누가 이……!"
발끈한 나머지 큰 소리를 내던 에센이 황급히 입을 다물었다. 순간 처한 상황도 잊고 본래 목소리를 내고 말았다.
"어머나, 부끄러우신가 보다. 호호."
"……."
너무 어이가 없으면 오히려 할 말이 없어지는 법. 에센은 그냥 입을 닫았다. 그건 아드리안도 마찬가지였다.
그때, 한 영애가 에센에게 말을 걸어왔다.
"그러고 보니 레이디 오비에도."
"……?"
"정말 오랜만에 면사를 쓰셨네요!"
"아……. 네."
에센은 떨떠름하게 고개를 끄덕였다. 할 말이 없을 땐 말을 말자가 그의 신조였다.
하지만 호기심 많은 영애들에게는 상관할 문제가 아니었다.
"키가 갑자기 크셨어요."
"높은 굽의 구두를 신어서……."
"오늘따라 목소리가 상당히 낮으신 것 같아요. 제 착각일까요?"
"몸이 좋지 않아서 그런가 보네요."
덤덤하게 대답을 하고 있지만, 에센의 심기는 아주 불편했다.
처음에는 나름 성실하게 약혼녀 역할에 몰두하던 에센의 인내심이 점점 사라지기 시작했다.
시간이 점점 지나자 에센은 대답은커녕 말을 거는 사람들을 노려보며 아드리안의 장식 검 손잡이를 쥐었다 놓았다를 반복했다.

덜그럭, 덜그럭…….

아드리안은 언제 터질지 모르는 에센을 보며 생각했다.

'……아티 보고 싶다.'

아티의 소중함을 뼈저리게 느낄 수 있었다.

불성실한 에센의 태도는 예전과 다를 바 없었지만 아드리안은 이미 아티에게 익숙해진 후였다.

아티는 마음에 안 든다고 사람들을 노려보지도, 자신의 장식 검을 뽑을까 말까 고민하지도 않는다.

사람들은 자신들의 목숨이 위협받고 있다는 것도 모른 채 계속해서 에센에게 말을 걸었다.

덜그럭, 덜그럭, 덜그럭.

바쁜 장식 검과 에센의 손을 뒤로한 채 아드리안은 아티 생각에만 골몰했다.

'더 잘해 줘야지. 여기서 나가면 당장 얼굴을 봐야겠군. 몸은 좀 괜찮아졌을까.'

아드리안이 아티를 애타게 그리워하고 있을 그때, 사람들을 가르며 누군가 모습을 드러냈다.

"아르칸젤로의 축복이 함께하시기를. 황태자 전하를 뵙습니다. 오랜만이에요, 아티엔느 양."

부채를 흔들며 등장한 사람은 다름 아닌 가브리엘이었다.

그리고 그 순간, 나름 잘 참고 있던(?) 에센이 가브리엘을 노려보며 검 손잡이에 힘을 주었다.

금방이라도 뽑을 기세로.

'이 미친놈이.'

아드리안은 에센의 손을 꾹 누르며 가브리엘의 인사를 받았다.

"그래, 오랜만이군."

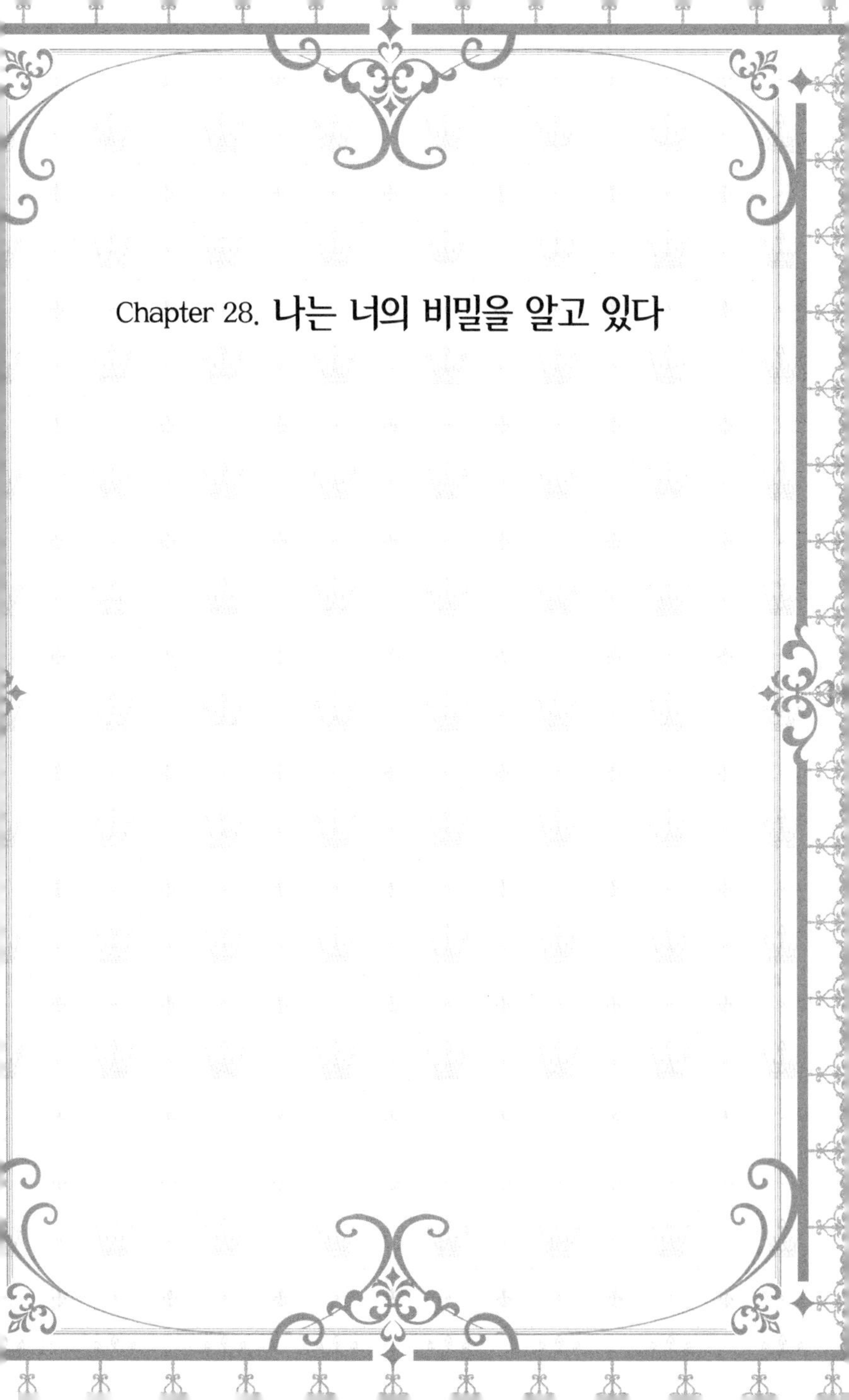

Chapter 28. 나는 너의 비밀을 알고 있다

Chapter 28. 나는 너의 비밀을 알고 있다

"늘 저를 반갑게 맞이해 주시니 기쁘기도 하고 부끄럽기도 하네요. 오늘도 저를 향한 전하의 마음이 뜨겁군요! 후후."

덜그럭……. 이번에는 아드리안이 검 손잡이를 세게 쥐었다.

에센은 말리지 않았지만 아드리안은 엄청난 인내심으로 손을 떼어 냈다.

가브리엘의 성격을 익히 아는 사람들은 서로 눈치를 보더니 슬금슬금 멀어지기 시작했다.

"그럼 이만 물러가 보겠습니다……."

"저도……."

사람들이 썰물처럼 빠져나가자 남은 것은 가브리엘뿐이었다. 본의 아니게 사람들을 내쫓은 가브리엘은 기분이 좋았다.

"모두가 전하와 제가 단둘이 있기를 바라네요~!"
졸지에 에센은 없는 사람 취급당했다.
"또 시작이군."
아드리안은 급격히 몰려오는 피로에 이마를 짚었다.
차라리 사람들이 바글거려 에센에게 질문 공세를 퍼부을 때가 나았다.
한참 아드리안에게 말을 걸던 가브리엘은 그가 아무 대답이 없자 목표물을 에센으로 바꾸었다.
"저 아까 사람들이 하는 흥미로운 이야기를 들었답니다."
에센은 대답 대신 가브리엘을 빤히 바라보았다. 무시하는 듯한 에센의 태도에 가브리엘은 고개를 갸웃했다.
"아티엔느 양의 분위기가 평소와 다르다고요. 흐음. 역시 그 말이 틀리지는 않은 것 같네요……?"
가브리엘이 의심스럽다는 듯 눈을 흘겼다.
하지만 에센은 별다른 반응을 보이지 않았다.
어차피 면사로 얼굴을 가린 이상 남들이 자신이 기사 에센이라는 것을 알아차릴 가능성은 없었다.
더 부주의하게 행동했던 전 아티엔느 시절에도 아무도 눈치 못 챘으니까.
하물며 상대는 가브리엘이라 조심할 가치도 없었다. 에센은 가브리엘을 무시하며 아드리안의 팔을 툭 쳤다.
"전하. 저 좀 피곤."
"그래."
이 장소를 벗어나고 싶다는 생각을 한 것은 아드리안도

마찬가지였다.

"그럼 이만."

가브리엘에게 형식적으로 짤막한 인사를 남긴 아드리안은 에센을 데리고 장소를 벗어났다.

꽤 오래 파티에 얼굴을 내비쳤으니 이제 궁으로 돌아가도 될 것이다.

"하."

"좀 참아."

"개새끼……."

연신 욕설을 중얼거리는 에센을 진정시키며 아드리안은 플로렌스 궁을 빠져나왔다.

나오자마자 차가운 밤바람이 그들의 머리칼을 흩뜨렸다.

주위에 사람이 없다는 것을 확인한 에센은 신경질적으로 목에 감겨 있던 스카프를 풀어내었다.

"대체 과거의 나는 이 짓거리를 어떻게 해 온 거지?!"

"넌 제법 괜찮은 약혼녀였어. 도망만 안 갔어도."

에센은 아드리안을 노려보았다. 아드리안은 그런 에센을 비웃었다.

"그 모습을 보면 아티가 좋아할 것 같은데. 같이 가지?"

"입 다물어!"

아드리안에게 스카프를 던진 에센은 혼자 릴리 궁으로 걸어가기 시작했다.

아드리안은 웃으며 그 뒤를 따랐다.

'역시 에센 자식 놀리는 게 제일 재밌군.'

아드리안은 에센이 들었다면 격분했을 생각을 했다.
'가끔 아티가 피곤할 때 대역으로 써먹어도 괜찮겠는데.'
굴러온 돌이 박힌 돌을 빼는 순간이었다.

✦ ♛ ✦

약을 먹고 잠을 푹 자고 났더니 열이 많이 떨어진 후였다. 눈을 뜨니 어느새 해가 진 후였다.

어질어질한 머리를 부여잡으며 상체를 일으키는데, 누군가 침실 안으로 들어왔다.

"몸은 좀 어때?"

에센이 다정하게 물으며 내 손에 물컵을 쥐여 주었다.

"훨씬 나아졌어요."

"다행이네. 일단 물부터 마셔. 땀 많이 흘렸으니까 마셔 줘야 해."

에센의 말대로 물을 마시자 갈증이 어느 정도 가셨다. 그러고 나니 문득 에센의 차림새가 눈에 들어왔다.

"옷은 갈아입으셨네요?"

"어? 어……."

"아쉬워요. 드레스 입은 에센 님 나도 꼭 보고 싶었는데."

"그런 건 봐서 뭐 하게?"

"그런 거라뇨! 에센 님이 여장한 모습은 정말 엄청났다고요. 아직도 잊을 수 없어요. 처음 만났을 때 보았던 에센 님의 모습을요!"

“제발 잊어 줘…….”

절망하며 한 손으로 얼굴을 가리는 에센의 모습을 보며 나는 쿡쿡 웃었다.

에센 님은 정말로 여장하는 걸 싫어하는구나.

“그래서 오늘 어땠어요?”

“뭐, 똑같지. 다 귀찮고 성가시고 시끄럽고.”

“무슨 일은 없었죠?”

“없었어. 잘하고 왔으니까 걱정할 필요 없어. 다들 의심하나도 안 하더라니까?”

온화하게 웃으며 말하는 에센의 모습을 신뢰하지 않을 수 없었다.

분명 에센이니까 아주 완벽하게 약혼녀가 되어 연기했을 게 분명해!

두 손을 맞잡고 선망의 눈길로 에센을 보고 있을 때였다. 또다시 문이 열렸다. 아드리안이 안으로 들어왔다.

“언제 일어났지?”

“금방.”

대답한 건 에센이었다. 아드리안이 인상을 찌푸렸다.

“너한테 안 물어봤어.”

“대답 좀 대신 해 줄 수도 있지, 왜 이렇게 예민하게 굴어?”

“예민? 말 다 했나? 죽고 싶어?”

“아니, 덜 했는데.”

어쩐지 평소보다 더 으르렁대는 것 같은 건 단지 내 착각일까.

나는 서둘러 그들을 중재했다.

"두 분 다 그만하세요!"

"……."

두 사람이 동시에 입을 다물었다. 나는 아드리안에게 말했다.

"아드리안, 오늘 여러모로 힘드셨을 텐데 에센 님한테 그러시면 안 돼요."

"……뭐?"

"에센 님께서 완벽한 약혼녀 연기를 하셨다고 그랬어요. 그러니까 화를 내는 대신에 칭찬을 하셔야죠."

"완벽? ……저 자식이?"

아드리안이 기가 차다는 듯 웃었다. 나는 그 반응을 이해할 수가 없었다.

아드리안을 노려보던 에센이 나와 눈이 마주치자마자 천사처럼 예쁘게 웃었다.

나는 결심했다. 전 아티엔느의 이름에 누가 되지 않도록 더 열심히 노력해야지!

✦ ♛ ✦

며칠 후, 어느 정도 컨디션이 회복되었기에 아드리안과 함께 파티에 참석했다.

아직 몸이 다 낫지 않았다며 또 에센을 여장시키려 드는 통에 말리느라 고생 좀 했다.

고작 한 번 빠졌을 뿐인데 오랜만에 파티에 참석하는 기분이 들어 묘했다.

"위대한 아펜니노의 미래, 아드리안 황태자와 그의 파트너로 참석하신 예비 황태자비 오비에도가의 영양, 레이디 아티엔느이십니다!"

익숙한 소개와 함께 파티장 안으로 들어서는데 다른 때와 달리 사람들이 나를 보며 자기들끼리 웅성웅성했다.

뭐지, 이 상황은?

기분 탓이 아니었다. 사람들의 시선이 나를 향하고 있었다.

목소리를 낮춰 말하는 통에 무슨 이야기를 나누는지 내게 들려오지 않았지만 왠지 모를 불길함이 엄습했다.

이 상황에 의아함을 느낀 것은 나뿐만이 아니었다.

"무슨 일이지?"

아드리안의 질문에 어떤 사람이 눈치를 보며 조심스럽게 답을 했다.

"가브리엘 양께서…… 중대 발표를 하실 게 있다고 하셨습니다."

"중대 발표?"

또 무슨 헛짓거리를 하려는 거냐며 아드리안이 중얼거렸지만 그 말은 이미 내 귀에 들어오지 않았다.

중대 발표를 할 게 뭐가 있단 말인가?

"……아."

문득 납치 사건 전에 가브리엘이 내게 했던 말이 떠올랐다.

"저는 아티엔느 양의 비밀을 알고 있답니다."

묘한 미소를 지으며 속삭였던 말.

한동안 다른 일에 정신이 팔려 있어서 잊고 있었지만 가브리엘은 분명 내게 그런 말을 했었다.

'위험해.'

내가 가짜 아티엔느라는 사실이 들킨 걸까? 내게 비밀이라고 할 만한 것은 그것밖에 없었다.

어디서 정보가 새어 나갔는지는 알 수 없지만 이대로 여기 있는 건 위험하다는 판단이 들었다.

"전하, 제가 아직 몸이 좋지 못해서 자리를 오래 지킬 수 없을 것 같아요."

"뭐? 어디가 아픈데?"

아드리안이 사색이 되어 나를 살폈다.

아니, 몸이 진짜 아픈 게 아니라 이 장소를 벗어나기 위한 변명인데, 눈치껏 인사만 하고 어서 들어가서 쉬자고 말해야 할 아드리안이 내 몸을 살피느라 여념이 없었다.

"괜찮은 것 같은데? 열이 있나?"

아드리안이 손을 들어 내 이마를 만졌다. 나는 더 초조해졌다.

"오호호호호."

그때 사람들을 가르며 가브리엘이 혜성같이 등장했다.

"오랜만에 뵈어요, 아드리안 전하."

"저번에도 보지 않았나?"

"아이, 참. 전하는 매일매일 뵐 때마다 새로우니까요!"

"어, 그래."

아드리안의 딱딱한 대답에도 개의치 않고 가브리엘이 기분 좋은 미소를 지었다. 그리고 내 앞에 섰다.

"오랜만에 보는군요, 아티엔느 양."

"오랜만에 보네요, 가브리엘 양."

부채를 펼쳐서 느릿하게 부치던 가브리엘이 승리의 미소를 지었다.

"제게 하고 싶은 말씀은 없으신 건가요?"

"제가 무슨 말을 해야 하죠?"

느닷없는 가브리엘의 말에 불쾌감을 표하니 가브리엘이 고개를 갸웃하며 옅게 미소 지었다.

일련의 행동과 표정이 얄밉기 그지없었다.

"저를 속인 것도 모자라, 우리 아드리안 전하를 속이고 나아가 두 분 폐하를 속였는데, 할 말이 없다고요?"

입 안이 바싹 말랐다. 아드리안이 나를 보았다.

눈이 마주쳤지만 이렇다 할 말을 나눌 수 있는 시간은 없었다.

나는 일단 가브리엘의 주장을 부정하고 보았다.

"무슨 말씀을 하시는지 모르겠네요."

"이렇게 잡아떼시겠다?"

가브리엘이 고개를 가로저었다. 우리를 주목하는 사람들의 시선이 더 쏠렸다.

"어쩔 수 없이 사람들 앞에서 당신의 비밀을 밝혀야겠군요."

어깨가 굳었다. 여기서 어떻게 빠져나가야 할지 감이 잡히지 않았다.

그저 모르쇠로 일관할 수밖에 없는 상황.

가브리엘이 내게 척하니 삿대질을 하며 말했다.

"사실 아티엔느는 남자예요!"

"……?"

두 눈을 질끈 감았다가 놀라서 부릅떴다.

쟤가 지금 뭐라고 말을 한 거야?

"……?"

모두 다 나와 똑같은 상태였다. 누가 봐도 여자인 나를 두고 외친 소리에 웅성거리는 소리가 커졌다.

뭐야, 그 비밀이 그 비밀이었어?

나는 안도했다.

에센이 아티였으면 그 무엇보다도 큰 비밀이었겠지만, 아티가 하필이면 나라서 소용없는 비밀이었다.

다행이다. 에센이 아니라 나일 때 이런 소동이 벌어져서.

아드리안이 인상을 찡그리며 가브리엘의 말을 추궁했다.

"그게 무슨 소리지, 가브리엘."

"아드리안 전하, 놀랍게도 전하의 약혼녀인 저 아티엔느 양이 사실은 남자라는 걸 제가 알게 되었답니다."

가브리엘이 나를 보며 말했다.

"증거 있나요?"

이럴 때일수록 기세에서 밀려선 안 되었다.

내가 말을 꺼내니 가브리엘이 당황스러운지 인상을 찡그

렸다. 얌전히 있어야 할 내가 나선 것이 의외인 눈치였다.

"당연히 증거 있죠. 누구보다 본인이 제일 잘 아실 텐데요."

"왜 제가 남자라고 생각하죠?"

가브리엘이 여유롭게 웃으며 말했다.

"아티 양이 가끔 목 가리셨잖아요. 목젖을 가리기 위해서 말이에요."

모두의 시선이 나의 목으로 향했다. 하지만 드러난 내 목은 매끈했다.

오늘은 목 장식도 하지 않아 매끈한 살결이 더욱 도드라졌다.

웅성웅성—.

동조하는 사람들이 예상보다 적자 가브리엘이 목소리를 높였다.

"그리고 목소리! 가끔 목소리가 무척 다르단 말이죠."

가브리엘의 말에 그제야 사람들은 하나둘 고개를 끄덕였다. 평소에 그렇게 생각하던 사람이 적지 않은 듯했다.

자신감을 얻은 건지 가브리엘이 싱긋 웃으며 부채를 펴들었다.

"키도 저번보다 작아지신 것 같기도 하고 말이에요."

에센의 키가 큰 건 어떻게 할 수 없는 문제였다. 굽 없는 신발을 신어도 높은 굽을 신은 나보다 컸다.

가브리엘이 호호 웃으며 부채질을 했다.

"아티엔느 양이 면사로 얼굴을 가리고 다닌 것도 사실 남자인 걸 숨기고 다니기 위해서가 아니었나요?"

제법 예리한 가브리엘의 지적에 아드리안이 참지 못하고 나섰다.

"헛소리를 논리적인 척하며 하는군."

꽉 쥔 주먹엔 혈관이 도드라져 있었다. 나는 아드리안이 사고를 치기 전에 선수를 쳤다.

"너무하시네요, 가브리엘 양. 이런 식으로 저를 모욕하시다니 참을 수 없어요."

"뭐예요?"

가브리엘이 인상을 찌푸렸다. 나는 차분하게 가브리엘을 바라보았다.

"가브리엘 양이 절 마음에 들어 하지 않는다는 것 정도는 알고 있어요. 하지만 제게 이런…… 오명을 씌우실 줄은 몰랐네요."

"오명이라니요, 말조심하세요! 그 말에 책임지실 수 있는 건가요?"

"당연하죠. 가브리엘 양이야말로 본인의 발언을 책임지실 수 있나요?"

"당연하죠!"

우리는 서로를 마주 보며 대치했다.

사람들이 모두 웅성거렸다. 누구 말이 맞는지 모르겠다는 반응으로 의외로 많은 사람이 내 편을 들어 주었다.

나는 누가 봐도 여자니까.

자신이 원하던 그림이 나오지 않자 가브리엘이 초조하게 입술을 깨물었다.

“도대체 어떻게 남자가 아니라는 걸 증명하겠다는 거죠? 옷이라도 벗을 생각인가요?”

“벗어서 증명할 수 있는 문제라면 벗어야죠.”

내 말에 반응한 건 아드리안이 더 먼저였다. 아드리안이 인상을 찡그리며 난입하려고 하자 내가 그의 팔을 붙잡았다.

지금 아드리안이 끼어들면 끝난다. 이 상황을 망치고 싶지 않았다.

그 모습을 본 가브리엘이 더 인상을 찡그렸다.

“대단한 연기네요. 좋아요. 그럼 한번 벗어 보시죠.”

“모두 앞에서 벗으라는 말씀은 아니겠죠? 가브리엘이 믿을 만한 귀부인분들을 보내 주세요.”

“알겠어요.”

가브리엘이 자신의 편에 있는 레이디를 보냈다. 귀부인들이 나를 보며 어색하게 웃었다.

다른 사안 같으면 이렇게까지 가브리엘에게 선택권을 주지 않겠지만 이 문제는 너무 명백하니까.

오히려 인정할 수밖에 없는 상황을 만들어 줘야 입을 다물 것이다.

“자, 그럼 가 보시죠.”

귀부인들과 함께 나는 안쪽에 마련된 휴게실로 향했다.

아드리안은 현재 무척이나 분노한 상태였다.

파티 홀은 난데없이 아티가 남자인지 여자인지 진위 여부를 가리는 문제로 떠들썩해졌다.

모두가 귀부인들과 아티엔느가 돌아오길 기다리고 있는 와중에 아드리안의 노골적인 눈빛은 가브리엘에게 꽂혀 있었다.

"전하, 왜 그렇게 화가 나셨어요?"

"……."

가브리엘은 자신에게 이토록 차가운 아드리안이 원망스러웠다.

그 여자만 관련되면 아드리안은 이상해졌다.

가브리엘은 놀라서 아드리안의 팔을 붙잡았다가 차갑게 쳐 내는 손에 입술을 꾹 깨물었다.

"네가 지금 무슨 일을 벌인 건지 누구보다 잘 알고 있을 거라 믿는다."

싸늘한 경고에 가브리엘이 숨을 들이마셨다.

"전하께서 오히려 제게 고마워하게 될 거예요."

"글쎄? 과연 그럴까?"

파티장의 분위기가 점점 더 살벌해지고, 다른 사람들은 숨죽인 채 결과가 나오기만을 기다렸다.

오래 지나지 않아 휴게실에서 귀부인들과 아티가 돌아왔다.

"어때요? 제 말이 맞죠? 그렇죠?"

가브리엘이 귀부인에게 들러붙어 물어보았다. 귀부인이 어색한 미소를 지었습니다.

"결과를 발표하겠습니다."

파티장 안에 모인 사람들이 전부 귀를 기울였다.

"어서 말씀하세요! 남자가 맞죠?!"

"아티엔느 양은 여자입니다."

"뭐라고?!"

놀란 것은 가브리엘뿐이었다. 모두 당연하다는 듯 고개를 끄덕였다.

가브리엘은 믿을 수 없는 현실에 아티를 바라보았다. 아티는 당연하다는 듯 미소 지어 보였다.

"자, 이제 가브리엘 양이 얼마나 터무니없는 주장을 하고 있는지 잘 아시겠죠?"

"말도 안 돼! 믿을 수 없어!"

가브리엘이 소리쳤다.

"정말? 정말이라고?!"

아티에게 달려든 가브리엘이 옷을 벗기려고 했다.

아티가 인상을 찡그리며 물러나자 그 사이를 아드리안이 가로막았다.

"이쯤 하면 되지 않았나?"

싸늘한 목소리에 가브리엘이 몸을 움츠렸다. 아드리안은 지금 이성의 끈이 끊어지기 일보 직전이었다.

"아직 결혼도 하지 않은 내 약혼녀를 이렇게 욕보여서 기쁘겠군, 가브리엘."

"전하. 그게 무슨 말씀이세요. 이 가브리엘이 그럴 리가 없잖아요."

"그럴 리가 없다고?"

아드리안이 이를 갈았다. 아드리안이 내뿜는 엄청난 기

세에 가브리엘이 아무 말도 못 하고 움츠러들었다.

“그럼 이 상황은 뭐지? 내 약혼녀를 모욕하고 싶어 안달난 네가 벌인 짓이 아닌가?”

“아, 아니에요. 절대 아니에요. 저는 그저……. 이건 뭔가 잘못됐다고요!”

“이런 상황에서도 잘못됐다는 말이 나오다니, 대단하군.”

냉소적인 아드리안의 반응에 가브리엘이 입술을 깨물었다.

“그럼 내 약혼녀가 모욕을 받은 건 어떻게 해결할 거지, 가브리엘?”

“그, 그건…….”

“어중간하게 빠져나갈 수 있을 거라 생각하지 마라. 오늘 이 모든 일은 네가 자초한 거니까.”

아드리안이 가브리엘에게 경고했다. 가브리엘이 울먹였다.

두 눈 가득 눈물이 차올랐는데도 아드리안의 반응은 차가웠다.

“괜찮아요, 아드리안.”

아티가 아드리안의 손을 잡았다. 그리고 가브리엘을 슬쩍 보고서는 미소 지었다.

“황당한 오해였지만 제 결백도 밝혀졌고 가브리엘 양도 이제 자신의 잘못을 알고 뉘우치고 있겠죠.”

언뜻 가브리엘을 감싸는 말에 아드리안이 불만스러워 인상을 쓰는데 아티가 말했다.

“가브리엘 양이 제게 잘못한 것에 대해선 제가 원하는 요구를 해도 될까요?”

가브리엘의 인상이 확 구겨졌다.
아드리안은 여전히 불만스러웠지만 아티가 이렇게 나오는데 어떻게 할 수 없었다.
"가브리엘 양, 혹시 싫으신가요?"
아티의 질문에 가브리엘이 황급히 고개를 가로저었다.
본능적으로 지금 기회를 놓치면 큰일 날 거라는 걸 알았다.
"아, 아니에요. 말씀하세요. 제가 잘못한 만큼 확실하게 갚아 드리죠."
"어머, 그래 주신다면야 감사하죠."
아티가 빙그레 웃었다.
"그럼 나중에 원하는 바를 말해도 될까요?"
"나중이요?"
"네. 곤란하실까요?"
가브리엘은 아티가 어떤 요구를 해 올지 불안한 표정이었다.
"곤란하신가요?"
재차 아티가 되묻자 가브리엘이 굳은 표정으로 고개를 가로저었다.
"아니요. 편하신 대로 말씀해 주세요."
"그럼 그럴게요."
어느 정도 대화가 마무리된 듯싶자 아드리안이 아티의 손을 꽉 쥐었다.
"이만 돌아가지."
이런 상황에서 파티를 즐긴다고 해도 이미 그럴 수 없는 상황.

아티도 선선히 고개를 끄덕이며 아드리안의 뒤를 따랐다.

나가는 그 순간까지도 뒤통수에 날카롭게 내리꽂히는 가브리엘의 시선이 느껴졌다.

아티는 혹시 가브리엘이 무슨 사고라도 치는 건 아닌가 걱정했지만 금세 신경을 껐다.

'애초에 건들지만 않았어도 벌어지지 않았을 일이잖아?'

가만히 있던 자신을 때린 건 가브리엘이고, 그에 더도 덜도 말고 딱 그 정도 되돌려 줬을 뿐이니까.

✦ ♛ ✦

"아아악!"

가브리엘의 고함에 그렇지 않아도 살얼음판을 걷는 듯 위태롭던 네벨가의 분위기가 더욱 살벌해졌다.

쨍그랑—.

분을 이기지 못해 그녀가 내던진 찻잔이 벽에 맞아 깨졌다. 하녀들은 조용히 달려가 찻물과 찻잔을 치웠다.

"정말 이건 말도 안 돼……. 내가, 내가 분명히 봤단 말이야."

혼란스러운 나머지 가브리엘은 고개를 푹 숙인 채 하염없이 중얼거렸다.

사용인들은 행여나 자신들에게 불똥이 튈까 숨소리마저 죽였다.

"짜증 나!"

가브리엘은 또다시 찻잔을 내던졌다. 이번에 던진 찻잔은 문에 맞아 산산조각이 났다.

마침 안으로 들어서던 미카엘이 표정을 굳혔다.

"가브리엘."

"오라버니, 제 얘기 좀 들어 보세요!"

"……휴."

어차피 말해 봤자 듣지 않을 게 뻔해서 미카엘은 가브리엘을 타이르는 것을 포기했다.

이미 떠도는 소문으로 오늘 가브리엘이 한 짓을 알고 있던 미카엘은 어떤 말부터 꺼내야 할지 선불리 고를 수가 없었다.

"가브리엘. 이번 일에 대해서는―."

"분명 제가 당한 거예요!"

미카엘의 말을 끊으며 가브리엘이 분에 차 소리쳤다. 미카엘은 철없는 동생의 행동에 한숨을 내쉬었다.

"가브리엘. 네가 황태자 전하를 오래전부터 연모해 왔다는 것은 알지만, 그렇다고 그게 아티엔느 양을 근거 없는 소문으로 끌어내리는 명분이 되지는 못한다."

"아니에요. 아니라고요! 분명 아티엔느 양은 남자가 맞아요. 제가 봤단 말이에요!"

가브리엘의 주장에 미카엘은 의구심을 가졌다.

아무리 가브리엘이 아티엔느를 싫어한다고 해도 아무 증거도 없이 남자라고 몰아가는 멍청한 짓을 저지를 리가 없었다.

이렇게까지 억울해하는 걸 보면 정말 무언가를 보았다는

것일 텐데.

“오라버니. 오라버니도 저를 못 믿으세요? 제가 거짓말 하는 것 같냐구요!”

가브리엘은 미카엘을 붙잡고 하소연을 했다. 진심으로 가브리엘은 이 상황이 억울했다. 그녀는 보았으니까.

때는 얼마 전의 황후 주최 파티.

몇 마디 나누지도 않고 황태자가 약혼녀를 데리고 나가 버린 탓에 가브리엘은 심통이 나 있었다.

그 때문이었을까. 충동적으로 그들을 따라 플로렌스 궁을 나선 것은.

저 멀리 다정하게 이야기를 나누며 걸어가는 황태자와 아티엔느의 모습이 보였다.

가브리엘은 멀찍이 떨어져 그들의 뒤를 밟았다. 멀어서 대화 내용은 들리지 않았다.

갑자기 아티엔느가 목에 두르고 있던 스카프를 벗어 황태자에게 내던지더니 먼저 휑하니 가 버렸다.

‘싸운 걸까?’

가브리엘은 호기심이 동해 아티엔느의 뒤를 밟았다. 릴리 궁으로 들어서는 아티엔느의 위로 달이 밝게 빛났다.

그 순간 가브리엘은 보고 말았다. 두드러지는 목젖을!

절대로 그건 잘못 본 게 아니었다!

“정말로 목젖이 있었어요. 진짜라고요!”

“일단 진정해라, 가브리엘.”

“오라버니라면 진정하게 생겼어요? 아티엔느 양이 어떤

요구를 할지 몰라서 무섭단 말이에요!"

원래도 가브리엘은 아티를 상당히 수상하게 생각하고 있었다.

매번 말을 잘 하지 않는 점이나, 높은 굽을 신고 오는 점. 그리고 늘 목을 가리는 점들이 수상해서 지켜보다가 남자일 것이라고 추측했다.

하지만 결정적인 증거가 없어서 일전에 네벨 저택에서 한번 찔러보았지만 반응은 영 미미했다.

그 이후로 그 일은 잊히는 듯했지만 마침내 결정적인 증거를 보고 만 것이다.

미카엘은 징징대며 달라붙는 가브리엘을 보며 한숨을 내쉬었다. 그런 한편으로 의구심이 깊어졌다.

'내가 본 라라에게는 목젖이 없었어.'

공식적으로도, 비공식적으로도 수없이 만나 온 그들이었다. 그러니 아티엔느는 틀림없는 여자였다.

'하지만.'

뭔가 석연찮았다. 가브리엘의 말을 신뢰하는 것은 아니었다.

하지만 말로 설명할 수 없는 느낌이 아티엔느에게 무언가 있다고 말해 주고 있었다.

아드리안은 가만히 아티를 바라보았다.

어제 그런 일이 있었지만 아티는 오히려 더 즐거운 기색이었다.

'남자라고 오해받는 게 즐거웠나?'

낯선 사람들 앞에서 옷까지 벗어야 했을 텐데, 아드리안은 도무지 아티를 이해할 수가 없었다.

심지어 아티는 콧노래까지 부르고 있었다.

"전하."

"어?"

"괜찮으세요?"

턱을 괸 채 아티만을 바라보고 있다가 눈이 마주쳤다. 아티가 찻잔을 들고 두 눈을 동그랗게 떴다.

오랜만에 갖는 티타임.

아드리안은 대답 대신 자신의 앞에 있는 찻잔을 들어서 뜨거운 차를 마셨다.

'그러고 보니 또 전하라고 불렀군.'

일부러 그러는 건지는 알 수 없지만, 아드리안은 아티가 자신을 전하라고 부를 때마다 거리를 두는 것 같아서 참을 수 없었다.

"아티."

"네?"

아드리안이 다소 심각하게 아티를 보았다.

"어제 일 말인데……."

아티가 고개를 끄덕였다. 아드리안이 신중하게 단어를 골랐다.

"어제…… 애썼다."

"네! 감사해요."

간신히 꺼낸 말에 아티가 활짝 웃으며 고개를 끄덕였다.

아티가 싫어하는 것 같지는 않은데 아드리안은 뭔가 찝찝했다.

아티는 그저 그동안 마음을 무겁게 했던 가브리엘이 알고 있다는 '비밀'이 자신의 것이 아니었다는 게 밝혀져 홀가분해서 신이 난 것이었지만 아드리안의 눈에는 다르게 보였다.

'나를 떠날 생각이라도 하고 있는 것인가.'

처음 만났을 때는 겁에 질려 덜덜 떨던 시녀일 뿐이었는데, 어느새 아티가 떠날까 봐 떠는 건 자신이었다.

아드리안은 깊은 한숨을 내쉬었다.

"그런데 가브리엘 양이 왜 저를 남자라고 생각하셨을까요?"

"그러게."

아드리안이 입을 다물었다. 다른 일에 정신 팔려 깊이 생각해 보지 않았던 부분이었다.

"가브리엘 양이 다소 무례하고 경황없고 자기 마음대로이긴 해도 체면을 중시하는 만큼 그렇게 돌연 황당한 짓을 벌이진 않을 텐데 말이에요."

"내가 한번 알아보지."

짚이는 곳은 있었다. 에센이 아티 대신 파티에 갔기 때문에, 그날 무슨 일이 있었을지도 몰랐다.

하지만 아드리안은 그런 것보다 역시 다른 게 더 신경이 쓰였다.

표정이 어두운 아드리안을 보고 아티가 조심스럽게 질문했다.

“전하, 무슨 걱정이라도 있으세요?”

쿠키를 하나 집어 먹으며 아티가 물었다. 아드리안은 인상을 썼다.

“아티.”

“네? 아, 맞다. 이름. 미안해요, 아드리안.”

아티가 잊고 있었다는 듯 굴자 아드리안은 화를 내야 하는 건지 서운해해야 하는 것인지 감을 잡을 수 없었다.

아티가 웃으며 차를 건넸다. 아티가 친히 차를 따라 주자 아드리안은 기분이 조금 나아졌다.

“표정이 안 좋으셔서 걱정돼요.”

“네가 나를 걱정한다고?”

“당연히 걱정하죠.”

“흐음.”

아드리안의 표정이 조금 누그러졌다.

아티의 관심을 받고 기분이 나아진 아드리안이 찻잔을 들었다.

“뭐 하나 물어보고 싶은 게 있는데.”

“……?”

신중한 말에 아티가 고개를 갸웃했다.

아드리안은 별말이 아닌데도 입이 타는 기분이 들어 찻물을 들이켰다.

"아, 혹시 가브리엘에게 무슨 요구를 할지 궁금하신 거예요?"

"뭐?"

전혀 아니었지만 아드리안은 반사적으로 고개를 끄덕이고 말았다.

"뭐, 그렇지. 궁금할 만하잖아."

"역시 그런 거였군요!"

아드리안의 속이 또다시 타들어 갔다. 아티가 생긋 웃었다.

"저도 고민 중이에요. 가브리엘 양이 무척이나 속이 쓰릴 만한 그런 요구를 하고 싶거든요."

도대체 무엇을 요구하는 것이 좋으려나, 아티가 중얼거리는 걸 듣던 아드리안은 저도 모르게 질문했다.

"왜 그런 걸 하겠다고 한 거야?"

"네?"

"그냥 그 자리에서 다른 벌을 내려도 됐다. 너는 예비 황태자비니까 황족 모욕죄로 집어넣는 것도 가능했어."

아드리안은 정말로 그럴 작정이었다.

자신도 못 본 아티의 몸을 다른 사람이 봤다는 사실—설령 그것이 결혼한 여자들이라 할지라도—이 용서되지 않았다.

아티가 작게 웃었다. 아드리안은 이 상황에서 아티가 웃는 것이 이상했다.

"그렇게 보지 마세요. 아드리안이 저를 위해 화를 내 주시는 것이 고마워서 웃은 거예요."

"그래? 뭐, 그렇다면야……."

아드리안이 머쓱해져서 고개를 끄덕였다.

아티가 옅은 미소를 띤 채로 맑은 홍차가 담긴 찻잔을 잡았다.

"그 상황에서 아드리안이 제 편을 들어 가브리엘을 구금했으면 정말 통쾌했겠죠. 아마 가브리엘도 철렁했을 거예요."

"그래, 그런데 왜……."

하지만 그렇게 하지 않은 이유가 있었다.

"가브리엘은 네벨 재상의 딸이잖아요."

"……."

총명한 아드리안은 아티가 하려는 말을 금세 눈치챘다.

"……구금되더라도 금방 빠져나올 거라는 소리로군."

아티가 고개를 끄덕였다.

"자신의 고명딸이 그 험한 감옥에서 고생하는 걸 볼 수 없겠죠. 분명 네벨 재상이 손을 쓸 거예요."

네벨가의 위세는 시녀가 되기 전부터 귀에 딱지가 앉도록 들어왔다.

아드리안은 아무 말도 하지 않았지만 아티는 알았다. 구금되더라도 가브리엘은 하룻밤 정도만 감옥에서 보낼 뿐 바로 풀려날 것이라는 걸.

재상이 그렇게 만들 것이다.

"그래서 어차피 쉽게 풀려날 감옥에 넣는 방법 대신 다른 방법을 선택했어요."

아티가 생긋 웃었다.

"본인이 어떤 요구라도 받아들이겠다고 공언했으니 쉽게 거절하거나 움직이진 못하겠지요."

그렇게 보여도 가브리엘은 꽤 체면을 중요시했다.

"그러니까 제가 요구를 하기 전까진 엄청 불안하지 않겠어요? 어떤 요구를 할지 모르니까."

아티가 소리 내어 웃었다. 아드리안은 아티가 즐거워하는 것이 낯설어 멍하니 보았다.

"그러니까, 일부러 그런 거라고?"

"네."

아티가 고개를 끄덕였다. 다른 건 몰라도 한동안 가브리엘은 나대지 못할 것이다. 그 생각만 하면 속이 시원했다.

아드리안이 허허 웃었다. 언제 이렇게 아티가 능수능란해진 것인지 놀라울 따름이었다.

"이것도 다 마담 루시가 가르쳐 준 덕분이에요!"

"그래?"

아드리안은 좋아해야 하는 건지, 싫어해야 하는 건지 도통 감을 잡지 못했다.

"아드리안은 뭐 요구하고 싶은 거 없어요?"

아티가 눈을 반짝이며 물어보았다. 반사적으로 '너'라고 답할 뻔했다.

"글쎄. 지금으로선 모르겠군."

"하고 싶은 게 생기면 언제든지 말씀해 주세요. 제가 특별히 아드리안에게 기회를 넘겨 드릴게요."

아드리안이 저도 모르게 실소를 터뜨렸다. 아티가 눈을

동그랗게 떴다.

"아니, 고마워서."

이전이었다면 당장 가브리엘의 황궁 출입 금지를 요청했겠으나 지금 아드리안은 그딴 것에 신경 쓸 여력조차 없었다.

'아티의 마음에 들어가는 것.'

에센의 경고가 머리에서 떠나지 않았다.

'내가 집중해야 할 상대…….'

아드리안의 붉은 눈동자가 오직 한 사람을 담고 있었다.

✦ ♛ ✦

아드리안과 세 명의 측근은 모두 집무실에 모였다. 그간 여러 사건이 터져 미뤄 왔던 일을 해야만 할 때였다.

그것은 바로 일전에 네벨가에 갔을 때 디아노가 잠입하여 가져온 자료들을 살펴보는 일이었다.

"이것들이 전부 네벨가에서 훔쳐 온 자료들입니다. 시간이 없어서 일단 손에 잡히는 대로 싹 쓸어 왔습니다."

디아노가 칭찬해 달라는 듯 아드리안을 보며 두 눈을 초롱초롱 빛냈다.

하지만 아드리안은 눈길도 주지 않았다.

"쓸모없는 자료만 있으면, 대련 금지다."

"저, 전하! 그것만은!"

아드리안은 애절하게 매달리는 디아노를 단칼에 무시하며 자료를 살폈다.

"어디 나도 한번 봐 볼까!"

테르니도 한자리 차지하고 앉아 서류 뭉치를 들었다. 테르니는 예의상 에센에게도 서류를 내밀었다.

"너도 볼래?"

"내가 그걸 왜 봐?"

에센은 관심 없다는 듯 팔짱을 낀 채 소파에 몸을 파묻었다.

테르니는 어깨를 으쓱하더니 서류를 팔랑팔랑 넘기기 시작했다.

테르니가 서류를 보는 속도는 아드리안이 보는 속도의 두 배였다.

심드렁하게 앉아 자리를 지키던 에센이 질린다는 듯 고개를 저었다.

테르니는 대충 보는 듯하면서도 엄청난 집중력으로 서류 뭉치를 독파하는 중이었다.

"난 쟤 저럴 때 좀 낯설어."

"저도 그렇습니다."

디아노도 조용히 공감했다. 평소에는 나사 하나 빠진 것처럼 굴면서도 일 처리 하나는 기가 막혔다.

그런데 서류를 보는 테르니의 표정이 심상치 않았다. 그건 아드리안도 마찬가지였다.

동시에 서류를 내려놓은 두 사람의 눈이 마주쳤다. 테르니가 헛웃음을 내뱉으며 물었다.

"아드리안. 내가 본 서류만 이런 거 아니지?"

"내가 본 부분도 다 같은 주젠데."

두 사람은 혼란스러운 눈으로 손에 쥔 서류를 보았다. 테르니가 가만히 중얼거렸다.

"엘라디스토."

"그래, 그거."

디아노가 가져왔다는 서류는 모두 엘라디스토 가문에 대한 것이었다.

우연히 엘라디스토 가문과 관련된 문서만 가지고 왔을 가능성을 제시했지만 디아노가 단호하게 고개를 저었다.

"일부러 들키지 않도록 여기저기서 가지고 온 겁니다. 흩어져 있던 서류가 우연히 한 가문의 서류일 가능성은 거의 없습니다."

그것을 차치하고서라도 네벨 재상이 엘라디스토 가문에 지대한 관심을 가지고 있다는 것만은 확실했다.

문서 속에는 엘라디스토 가문의 시시콜콜한 비화까지 모두 적혀 있었으니까.

테르니는 기억을 더듬더듬 떠올렸다. 엘라디스토, 엘라디스토라.

"아! 엘라디스토 가문. 여기 반역으로 몰락한 곳 아니야? 다 사형당했잖아. 한참 떠들썩했는데."

"옛날에 그랬던 것 같기도 하고."

에센이 고개를 끄덕였다.

아주 어릴 때 벌어진 사건이라 정확한 사정은 모르지만 세상이 어떻게 돌아가는지 관심이 없던 어린 에센의 기억에 남아 있을 정도면 꽤나 큰 사건이었을 터.

아드리안 또한 그 사건을 기억하고 있었다. 반역 사건에서 황실을 떼어 놓고 말할 수가 없으니까.

엘라디스토 가문의 영향력은 그렇게 크지 않았지만 제법 건실하게 자리를 지켜 온 가문이라 사람들의 충격은 더욱 컸었다.

그는 서류를 내려놓으며 물었다.

"왜 하필 엘라디스토 가문이지? 이미 몰락해서 영지도 몰수당한 가문인데."

"그거야 이제부터 알아보면 되겠지~!"

수상한 냄새를 맡은 테르니가 방긋 웃었다.

"나한테 맡겨!"

이렇게 구린 부분을 캐는 것이 바로 테르니 전문이었다. 신나서 웃는 모습이 마치 물 만난 물고기가 따로 없었다.

✦ ♛ ✦

요즘 아드리안의 상태가 이상했다.

툭하면 나를 노려보고 있다가 내가 눈을 마주치거나 고개를 돌리면 헛기침을 하며 시선을 돌렸다.

참으로 이상한 일이었다.

"내가 뭘 또 잘못했나?"

아무리 곰곰이 생각해 봐도 특별히 잘못한 일은 없었다.

"아, 설마!"

저번의 호수 사건 때문인가?!

잔뜩 안개가 낀 머리에 한 줄기 광명이 내려왔다.

호수에 빠지는 바람에 어영부영 넘어갔는데, 이후 가브리엘의 일로 다시 한번 정신이 팔려 꺼내기 힘든 이야기가 되어 버렸다.

"역시, 그것밖에 없다."

나는 확신에 가득 차서 두 손을 꽉 쥐었다.

"아, 나는 또 뭐라고."

아드리안이 그러지 않아도 절대 평생 누구에게도 그 이야기를 하지 않을 생각이었다.

놀림당한 건 나였으니까…….

"나를 놀리려고 그렇게까지 하다니."

나름대로 아드리안과 가까워졌다고 생각했는데 아닌 모양이었다.

마치 모두가 나를 황태자비라고 생각하지만 그게 사실이 아닌 것처럼.

이 생활에 익숙해져서 나조차도 가끔 잊어버리고 외면한 사실이 무겁게 나를 짓눌렀다.

"그래, 나는……."

아직도 임시 황태자비였지.

황태자비 자리에 미련이 있는 건 아니었다.

다만, 아드리안의 옆에 설 수 있는 사람이 나뿐이라는 게 좋았다.

'비록 나 혼자만의 마음이라고 해도.'

이전엔 내가 오해를 해서 아드리안과 에센이 서로 사랑

하는 사이니까, 나 혼자 좋아하게 된 거라 이 마음은 버려질 수밖에 없다고 생각했다.

하지만 그게 오해라고 밝혀진 지금은?

언제 생긴 건지 모를 욕심이 어느새 내 안에 커다랗게 자리를 잡고 있었다.

"3년이랬지."

벌써 반년이 흘렀다. 남은 시간은 고작 2년 반.

'2년 반 안으로 가능할까?'

이 마음을 접고 원래 자리로 돌아가는 것.

언젠가 떠날 수밖에 없다는 걸 알면서도 미련하게 욕심이 자꾸 생겼다.

아드리안이 잘해 줄수록, 모두가 잘해 줄수록 그 욕심은 더 커졌다.

어쩌면, 이대로도 좋으니 계속 있어도 되지 않을까 하는 그런 마음.

"아냐, 정신 차리자."

지금 이대로도 충분히 욕심을 부리고 있는 거잖아.

"여기서 더 욕심을 부려선 안 돼."

동화책에서 자주 보지 않았던가? 탐욕을 부리던 사람이 어떤 결말을 맞이하는지는.

앞으로 떠날 순간을 생각하니 가슴 한가운데가 뻥 뚫린 것 같은 공허함을 느꼈다.

'그럼 언젠가 누군가가 진짜 아드리안 황태자의 황태자비가 되는 건가.'

그게 에센이라고 생각할 때는 참을 수 있었다.
하지만.
"싫어."
치솟는 거부감에 표정이 일그러졌다.
자신이 아닌 다른 누군가가 아드리안 황태자의 옆에 서고 함께 웃고 입 맞출 거라고 생각하니 참을 수가 없었다.
생전 처음으로 느껴 보는 검은 감정이 심장을 삼켰다.
'……이런 질투를 하는 나 자신도 싫다.'
자기 자신이 추하게 느껴져서 참을 수 없었다.
"마음 다잡자."
어차피 받아들여야 하는 현실이었다.
"울며 매달려도 아무것도 바뀌지 않을 거야."
아드리안 황태자가 어떤 사람인지 누구보다 잘 알지 않는가?
차라리 그럴 거면 깔끔하게 사라지자. 누구보다 환하고 예쁜 모습으로 웃으면서 떠나 주자.
두 눈을 감고 목 끝까지 차오른 감정을 간신히 삼켰다.
"괜찮아, 비올라."
아티라는 이름에 너무 익숙해진 나머지 타인의 이름처럼 낯설어진 자신의 이름을 부르며 마음을 다잡았다.
"할 수 있어."
할 수 없어도 해내야 해.
이 달콤한 꿈에 취해 현실을 잊지 않도록.

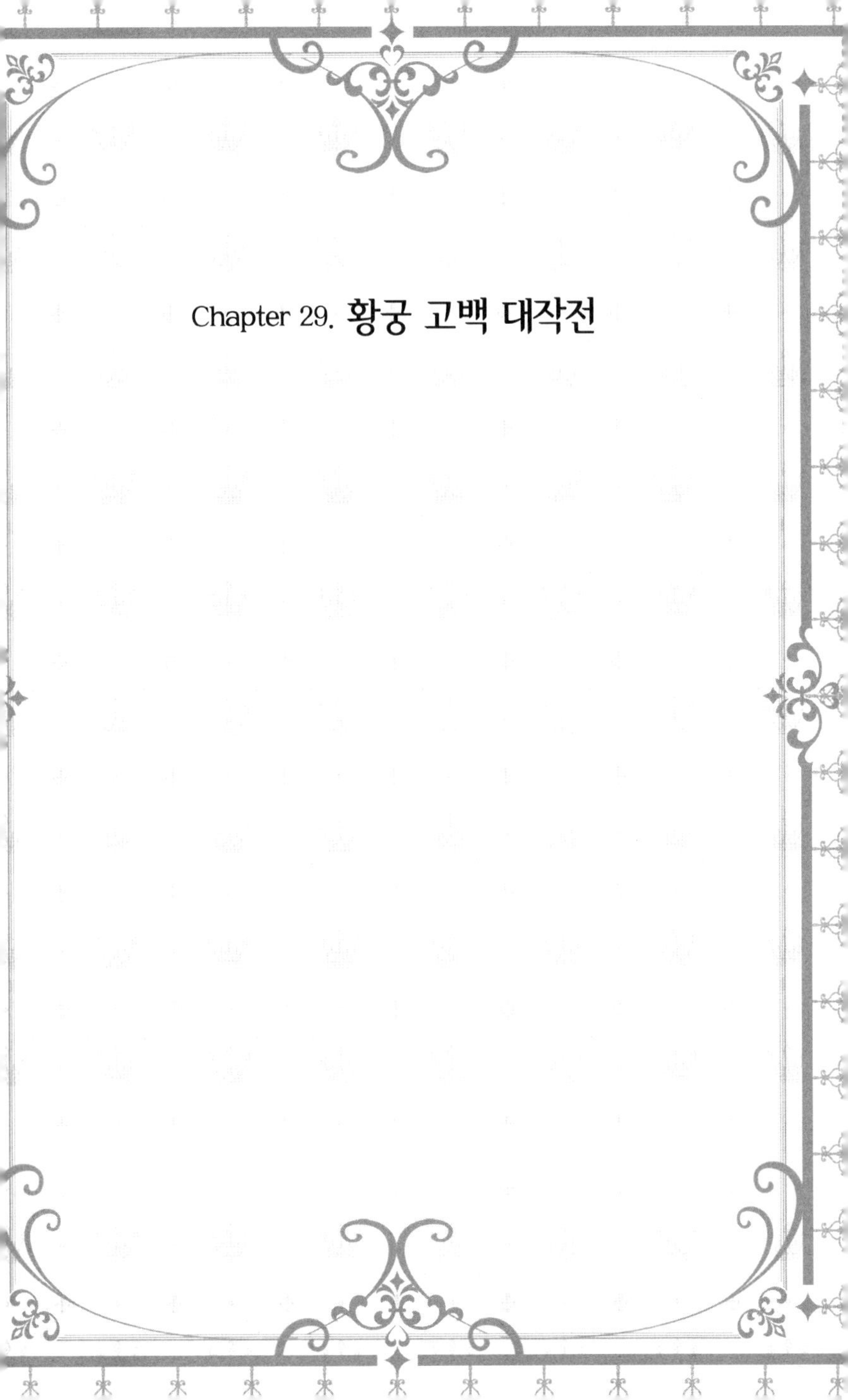

Chapter 29. 황궁 고백 대작전

Chapter 29. 황궁 고백 대작전

아드리안은 요즘 고민이 깊었다.

아티의 마음을 대체 어떻게 사로잡아야 한단 말인가?

저번의 시도는 무참히 실패했다. 아드리안은 이제 다시는 그런 짓을 하지 않겠다고 다짐했다.

"어떻게 해야 하지?"

그의 인생 통틀어 뭔가가 이렇게 고민이 된 적은 없었다.

숙적이라고 해도 좋을 만한 가브리엘에 대해서도 이렇게까지 고민해 본 적 없었다.

자신도 모르게 죽이게 될까 봐 없는 인내심을 끌어모으느라 곤욕스러운 게 전부였다.

애초에 그의 인생에 고민이랄 것이 무엇이 있겠는가?

감히 누구도 황태자인 아드리안을 거스를 수 없었다. 그의 가족들을 제외하고.

"하……."

한숨이 깊어졌다.

그의 인생에 이런 고민은 처음이었다. 누군가의 마음을 잡고 싶어 애를 쓰다니.

언제나 다른 누군가가 그의 마음에 들고 싶어 애쓰는 인생을 살아왔다.

그런데 지금은 그가 생전 처음으로 누군가의 마음에 들고 싶어 애라는 걸 써 보고 있었다.

"대체 어떻게 하는 건데, 그게."

답이라도 있다면 좋겠건만, 그런 것은 존재하지 않았다.

깊은 고민에 빠져 있는 그의 옆에 거대한 등이 나타났다. 커다란 막대 사탕을 빨아 먹던 테르니가 알짱댔다.

"아드리안, 내가 보기엔 넌 가망이 없어."

"헛소리할 거면 꺼져."

"그러니까~ 네 그런 점이 가망이 없다는 거야."

아드리안의 날카로운 시선이 테르니를 찢어 놓을 듯 노려보았지만 테르니는 고개를 가로저으며 손가락을 까딱였다.

"잘 봐. 이 형님을 봐 봐. 이 세상에 날 싫어하는 인간은 없다."

"……."

테르니의 넘치는 자신감에 아드리안이 할 말을 잃었다. 아드리안의 침묵을 동의로 받아들인 테르니가 낄낄 웃었다.

"그리고 나도 싫어하는 사람이 없지!"

"가브리엘."

"아, 개는 싫어."

"……."

테르니의 정색을 보면서 아드리안은 깊은 한숨을 내쉬었다. 테르니 때문에 기분만 더 심란해졌다.

괜히 실랑이를 하느니 아예 무시하자고 결정한 아드리안의 옆을 맴돌며 테르니가 계속 깝죽였다.

"아드리안, 너는 그게 문제야. 너는 애초에 사람을 싫어하잖아."

갑자기 그 이야기가 왜 나오는지 모르겠다.

"아드리안, 솔직히 말해 봐. 내가 좋아?"

"아니."

"에센은?"

"마음에 들 거 같냐?"

"디아노는?"

"……."

아드리안은 답하지 않았지만 그것 자체가 충분한 대답이었다. 테르니가 혀를 찼다.

"우리도 이러는데 다른 사람은 오죽하겠냐고. 어? 우리니까 너랑 놀아 주는 거야."

"죽고 싶으면 계속 떠들어 봐."

아드리안의 손이 검 손잡이로 향하자 테르니가 기겁을 하며 거리를 벌렸다.

얌전해진 테르니의 입을 보며 아드리안이 만족스럽게 웃었다.

"저 폭군의 씨앗……."

테르니가 중얼거렸지만 사실 뭐라 떠들든 상관없었다.

지금 이 순간에도 아드리안의 신경은 온통 '어떻게 하면 아티의 마음을 사로잡을 수 있을까'에 쏠려 있었으니까.

테르니가 입술을 삐죽였다.

"아드리안, 왜 그렇게 인간을 싫어해?"

"싫으니까."

싫은데 뚜렷한 이유는 없었다. 깊게 생각해 본 적도 없었다.

아마도 어렸을 때부터 많은 사람들의 사이에서 치여 살아온 반작용이 아닐까 어렴풋이 짐작해 볼 뿐.

"넌 가족도 별로 안 좋아하잖아."

"……."

테르니의 말에 아드리안이 뚜렷한 답을 내놓지 않았다. 턱을 괸 아드리안이 시선을 내리깔았다.

가족을 사랑하지 않는 건 아니지만 애틋한 감정 같은 건 없었다. 하지만 아드리안은 이게 나쁘다고 생각해 본 적 없다.

"황실이란 그런 거다."

황족으로 태어나 유모의 손에 자라면서 가장 먼저 배우는 건 부황과 모후에 대한 예절이었다.

어머니와 아버지이기 이전에 황후와 황제라는 사실이 언제나 먼저였다.

마리에는 막내라는 이유로 그 경계선이 모호했지만 태어나자마자 황태자가 되었던 아드리안에겐 언제나 뚜렷한 경계선이었다.

결국 이렇게 다른 누군가를 신경 쓰지 않고 자란 것도 결국 그놈의 제왕학의 결과물이었다.

"뭐, 난 그래서 네가 황제가 되어야 한다고 생각했어."

아까까지만 해도 그게 문제라고 하던 주제에 테르니가 헤실 웃으며 말했다.

"가장 높은 자리의 고독함을 넌 알지 못할 테니까."

기대를 받는 입장인데 아드리안은 그저 짜증스러울 뿐이었다.

꽃받침을 하며 자신을 보며 웃고 있는 테르니의 얼굴을 치우고 아드리안이 일어났다.

"아아아아—! 내 얼굴! 내 쩌는 얼굴에 뭐 하는 짓이야!"

"치워."

테르니를 치우고 아드리안은 거침없이 방을 나왔다. 결국 혼자 고민하는 건 한계가 있었다.

✦ ♛ ✦

당연하지만 아티의 인간관계는 매우 좁았다.

늘 함께 있는 마담 루시 외에 그녀가 자주 만나는 것은 마리에와 아카시아 이렇게 단둘뿐.

아카시아는 입궁을 해야 볼 수 있었지만 아드리안에게 그 정도는 손바닥 뒤집는 것보다 쉬웠다.

"대련해 줄게."

고작 그 한마디에 디아노가 사랑하는 막냇동생을 무시무시한 용의 앞에 데려다 놓은 것이었다.

무도회에서는 자주 뵈었지만 따로 독대하는 건 처음인지라 아카시아는 낯선 분위기에 몸을 움츠렸다.

"아카시아, 걱정 마. 이 오빠가 너와 함께 있잖아."

"으, 응."

무엇 때문인지는 몰라도 무척이나 신이 난 오라버니는 그다지 의지가 되지 않았지만, 아카시아는 사랑하는 오라버니를 위해 이 사실을 묻어 두기로 했다.

"자, 인사드려."

"아, 안녕하세요, 황태자 전하."

긴장한 탓에 아카시아가 인사말을 잘못 읊었다. 디아노가 정정해 주려는 순간, 아드리안이 손을 내저었다.

아드리안은 그런 자잘한 거에 시간을 낭비하고 싶지 않았다.

"묻고 싶은 게 있어서 불렀다."

"황태자 전하께서 제게요?"

아카시아가 눈을 동그랗게 떴다. 황태자 전하가 대체 자신에게 물어볼 것이 무엇이 있는 걸까?

아드리안이 잠깐 입을 열었다가 다물었다. 그리고 이마를 한번 짚더니 다시 아카시아를 바라보았다.

"평소 아티가 어떤 사람을 좋아하는지 아는 바가 있나?"

"……?"

아카시아가 의아함에 고개를 갸웃하다가 활짝 웃었다.

“저요!”

“너 말고.”

아드리안은 저 당당한 자신감이 부러웠지만 내색하지 않으려고 무척이나 애를 썼다.

“저 말고는…….”

아카시아가 고민에 빠졌다. 디아노는 가만히 아카시아와 아드리안을 번갈아 보았다.

전혀 낄 수 없는 문답이 오고 갔다.

“아, 생각났다.”

“……!”

아카시아가 손뼉을 치자 아드리안의 표정이 일순 희망적으로 변했다.

“인성과 인류애가 있는 사람이요!”

언젠가 아티가 자신에게 강조했던 말을 잊지 않은 아카시아가 자신 있게 대답했다.

아드리안은 아무 말도 하지 않았다.

갑자기 싸해진 분위기에 디아노가 눈치를 보자 눈이 마주친 아드리안이 턱짓을 했다.

“자, 아카시아. 이제 아티 님을 보러 가자.”

“와아, 좋아!”

“…….”

아카시아가 예의 바르게 인사하고 나가자, 그제야 아드리안이 깊은 한숨을 내쉬었다.

“후…….”

역시 어린애의 대답 따위 하나도 도움이 되지 않았다.

✦ ♛ ✦

“호호. 그런 건 아드리안 전하께서 제일 잘 알고 계셔야죠.”
마담 루시가 화사한 미소를 뽐내며 대답을 회피했다.
아티의 마음에 들려면 어떻게 하는 것이 좋을까라는, 숨길 것도 없는 직설적인 질문에 대한 답이었다.
예상은 하고 있었지만 마담 루시는 언제나 그렇듯 아드리안에게 도움이 되는 말을 해 주지 않았다.
“이 상황이 즐거운 거지?”
“호호호홋.”
이번에도 대답을 회피하며 마담 루시가 웃었다.
아드리안은 의욕을 잃었다. 마담 루시가 이렇게 나온다면 그가 원하는 답을 알아내긴 힘들었다.
“많이 성장하셨네요, 전하.”
“뭐?”
마담 루시의 헛소리에 아드리안이 인상을 찡그렸다.
“언제 이렇게 자라셨을까?”
“무슨 헛소리야?”
아드리안이 인상을 찡그렸지만 아들을 바라보는 듯한 다정한 눈길은 사라지지 않았다.
마담 루시가 흐뭇하게 웃었다.
“좀 더 고민하세요. 본인이 직접 답을 알아내야지 다른 사람을 통해서 알아내는 건 반칙 아닙니까?"
"모르니까 물어보는 거잖아."
"그러니까 그걸 배워야죠."
마담 루시가 단호하게 말했다.
"세상 모든 것이 전하께 친절하지 않답니다."
갑자기 여기서 왜 그런 이야기를 하는 거냐는 듯, 아드리안이 인상을 썼지만 마담 루시에겐 통하지 않았다.
"호호호호홋. 한번 경험해 보세요. 스스로 노력해서 얻는 것에 대한 성취를."
"그냥 나를 골탕 먹이고 싶은 거라고 해."
"뭐, 그것도 있고요."
깔끔하게 마담 루시가 인정했다.
아드리안은 어이가 없었지만 웃고 있는 마담 루시가 너무 당당해서 항의할 의욕도 잃어버렸다.
"호호호호, 그럼 힘내 보세요. 전하 파이팅!"
"……."
응원을 하는 건지 정성스럽게 엿을 먹이는 건지 모르겠다. 아드리안은 끓어오르는 감정에 주먹을 꽉 쥐었다가 다시 폈다.
그놈의 정체도 모르는 그거, 내가 반드시 알아낸다.

굳세게 다짐을 해 봤으나 그게 그렇게 쉽게 되는 일은 아

니었다.

애초에 인간이 싫은 아드리안에게 '인간관계'라는 것은 평생 생각해 본 적도 없고 해 볼 거리도 안 되는 문제였다.

"인간관계……."

생소한 단어였지만 살아 있는 인간이라면 누구나 한 번은 고민한다는 문제.

덕분에 아드리안은 도서관에서 인간관계에 대한 진솔하고 엄청난 교훈들이 남긴 책들을 찾을 수 있었다.

〈여자를 사귀고 싶은 당신, 지금 당장 이걸 펴 보아라〉

〈남자가 사랑할 때〉

〈불에서 태어난 남자, 쇠에서 태어난 여자〉

황실 도서관에 이렇게 유용한 책들이 소장되어 있는 줄 이전에는 미처 몰랐다.

아드리안은 만족스러워하면서 커다란 서가를 둘러보았다.

책은 지식의 보고라고 했다.

분명 이 안에 자신이 찾는 내용이 있을 것이다. 아드리안의 붉은 눈동자가 영민하게 빛났다.

"여기에 분명 인간관계의 달인이 썼다는 인간관계론이 있을 텐데."

서가 2층에서 책을 찾아 집중할 때였다.

탁—.

일순 팔에 부딪힌 누군가 때문에 아드리안이 들고 있던 책들이 우수수 떨어졌다.

"앗! 죄송해요!"

익숙한 목소리가 들렸다. 불길한 예감에 옆을 돌아본 아드리안은 그대로 자신과 똑같은 붉은 눈을 보고 멈췄다.

"어?"

떨어진 책을 보고 미안한 표정을 짓던 마리에가 아드리안을 보더니 고개를 갸웃했다.

"뭐야, 오라버니가 여긴 웬일이야?"

"너야말로 여긴 웬일이냐, 마리에."

아드리안의 싸늘한 반응에도 불구하고 마리에는 일말의 서운함도 느끼지 않았다. 마리에가 빙그레 웃었다.

"무슨 소리를 하는 거지, 이 집안에서 제일 책을 많이 읽는 사람에게!"

"쓸데없는 책을 많이 읽는 거겠지."

"아니거든!"

마리에가 인상을 썼다.

"그러는 오빠는 얼마나 쓸모 있는 책을 읽는지 보자!"

아드리안이 먼저 회수하려 했지만 마리에의 손길이 더 빨랐다.

마리에는 주워 든 책의 제목을 보고는 제 눈을 의심했다.

"……."

마리에의 손이 떨렸다.

불신의 눈초리가 아드리안에게 향하자 아드리안은 서둘러 자신이 먼저 집어 든 책들을 숨겼다.

"……."

둘 사이에 침묵이 도래했다. 마리에는 주워 든 책 제목과 아드리안의 얼굴을 번갈아 보았다.
"〈여자를 사귀고 싶은 당신, 지금 당장 이걸 펴 보아라〉……?"
"……."
설마 그 책 제목을 눈앞에서 읊을지는 몰랐던지라, 아드리안은 조용히 고개를 돌렸다.
당연히 그걸 가만히 놔줄 마리에가 아니었다.
"오빠, 그렇게 급했던 거야?"
장난기 어린 목소리에 아드리안은 직감했다.
이건 평생 놀림감이 될 것이라고. 그리고 그 예감은 정확히 적중했다.
책을 든 마리에가 푭 웃음을 터뜨리더니 그대로 참지 못하고 깔깔 웃었다.
"그만해라."
아드리안이 경고해 봤지만 이미 그 목소리엔 위엄이 없었다.
"아, 이걸, 이걸 어디에다 박제해 놔야 하는데!"
"그만하라고 했다."
아드리안의 목소리에 노기가 어려 있었지만 마리에는 그만두지 않았다.
"오빠가 이렇게까지 해서 꼬시고 싶은 사람이 과연 누굴까?"
아드리안은 답하지 않았다. 침묵에도 불구하고 마리에는 제 스스로 답을 찾았다.
"아티구나!"
"……."

이렇게 빨리 알아차릴 거면 왜 물어본 것이란 말인가.

아드리안이 불만으로 가득 찬 눈빛을 보냈지만 마리에는 가뿐히 무시했다.

"우리 오라버니가 그렇게까지 새언니를 사랑하는지 몰랐는데?"

"좀 가라."

이 악물고 말해 봤지만 이미 아드리안의 약점을 잡은 마리에에겐 들리지 않았다.

"약혼까지 했으면 됐지, 뭘 또 이런 걸 찾아보고 있어? 설마 아티가 도망이라도 칠까 봐?"

"……하."

"맞구나? 그거구나?"

아드리안의 싸늘한 시선이 마리에에게 향했다.

다른 사람이라면 바로 입을 다물고 눈치를 봤을 텐데 상대가 좋지 않았다.

"와, 오빠가 이럴 줄은 몰랐는데. 오빠 좀 의처증인 거 아냐?"

"다물어라."

어렸을 때부터 아드리안 알기를 옆집 개만도 못하게 알던 마리에가 빙그레 웃었다.

"그렇게 아티가 좋아? 오라버니가 이러는 거 처음 봤는데."

아드리안은 이제 마리에가 뭐라고 떠들든 무시하기로 했다.

마리에의 손에서 책을 채 간 아드리안이 몸을 돌렸다. 전부 돌아가기 위한 행동이었는데—.

"내가 도와줄까?"

마리에의 나직한 제안에 움직이려던 아드리안의 발걸음이 멈췄다.

"내가 도와줄 수 있어!"

마리에가 웃음을 참는 목소리로 제안했다. 아드리안이 불신 가득한 시선을 보냈다.

마리에가 자신만 믿으라는 듯 가슴을 치며 다가왔다.

"내가 이런 쪽 전문가잖아! 날 믿어."

"소설로 얻은 지식 말인가?"

"로맨스 소설 무시하지 마라. 오빠가 참조하려는 그 죽은 지식보다 훨씬 유용할 테니까."

자신만만한 마리에의 말에 아드리안은 자신이 찾아낸 책들을 가만히 내려다보았다.

결국 거래는 성사되었다.

✦ ♛ ✦

남매가 작당을 한 지도 벌써 사흘 후.

"아드리안."

아티가 활짝 웃으며 다가왔다. 아드리안은 내색하지 않았지만 속으로 긴장했다.

오늘은 황후가 여는 작은 가든파티에 참석하는 날이었다.

섬세하게 틀어 올린 머리와 산뜻한 드레스 차림의 아티를 보며 아드리안이 입을 열었다.

“오랜만에 보는군.”

“네?”

아티는 아드리안이 무슨 소리를 하는가 싶었다.

하루에 한 번은 얼굴을 꼭 봤는데 아드리안이 오랜만이라고 하니까 의아했다.

“……그렇죠. 오랜만에 뵈어요.”

지나가다 한 번 본 정도라서 아드리안이 잊은 모양이었다.

아티는 그렇게 자신이 존재감이 없나 싶어서 시무룩했지만 버릇처럼 웃었다.

‘남자는 매너! 무조건 매너! 매너가 사람을 만든다. 알겠지?’

아드리안은 마리에가 백 번도 더 강조한 말을 떠올렸다.

저번엔 로맨스 소설을 독학해서 실패했지만 이번엔 전문가와 함께이니까 좀 다르지 않을까?

그런 기대를 하며 아드리안이 신중하게 입을 열었다.

“오늘 가든파티는 모후의 취미 생활일 뿐이니 원하면 인사만 하고 돌아가도 돼.”

“아, 네…….”

아티는 왜인지 아드리안이 평소보다 딱딱하다고 생각했다. 그래도 요즘은 많이 부드러워졌었는데.

‘왜 날 일찍 돌려보내려 하시려는 거지?’

역시 저번 파티에서 가브리엘의 의심을 샀던 일이 문제였던 모양이었다.

‘내가 믿음직스럽지 못한 건가.’

아티의 기분이 곤두박질쳤다.

한편 아드리안은 고요한 아티의 안색을 살피며 흡족해하고 있었다.

'이 정도 배려했으니 기쁘겠지.'

아티가 조용한 것이 나쁜 신호인지도 모르고 아드리안은 마리에의 지시를 정확히 이행한 것에 만족했다.

마리에의 강력한 주장에 따라 매너 있는 남자의 기본으로 아드리안이 절대 아티에게 닿지 않고 에스코트를 하고 있는데, 정작 아티의 표정은 점점 더 어두워졌다.

'나를 피하는 건가? 그렇게 닿고 싶지 않을 정도인 거야……?'

평소 아드리안이라면 손을 잡고 무심하게 에스코트했을 것이다.

며칠 만에 달라진 태도에 아티는 혼란스러웠다.

"어서 오너라, 아이들아."

가든파티에 맞춰 우아한 드레스를 입은 루드밀라 황후가 두 사람을 환대했다.

"초대해 주셔서 감사합니다, 황후 폐하."

"어머, 무슨 말이니. 새아가. 당연히 초대를 해야지."

그레이스 궁의 거대한 정원에서 열린 가든파티는 황후가 자신이 공들여 키운 귀한 꽃들이 개화한 걸 기념하는 파티나 마찬가지였다.

따라서 많은 사람을 부르지 않고 황후가 특별히 아끼는 사람들만 불렀다.

아티가 만개한 꽃들을 보며 감탄했다.

"정말 아름답네요."

"오늘은 더 특별히 아름답지?"
꽃의 생기 있음을 강조하려는 모양인지 뿌려 놓은 물과 금가루가 더 아름답게 보이게 했다.
"네. 정말 아름다워요!"
"어머나, 우리 새아가가 정말 보는 눈이 있네."
기분이 좋은지 루드밀라 황후가 연신 미소를 지었다.
아드리안은 둘 사이에서 말없이 서 있었다.
예전이라면 루드밀라 황후와 아티를 최대한 떼어 놓으려고 했겠지만 지금은 뭘 하면 좋을지 알 수 없었다.
"아드리안?"
그런 아드리안을 알아차린 루드밀라 황후가 걱정스러운 표정을 지었다.
"표정이 안 좋은데, 괜찮으니? 몸이 좋지 않으면 오래 있지 않아도 된단다."
"괜찮습니다."
그런 것 때문이 아니었으므로 아드리안이 고개를 가로저었다.
"정말 괜찮으세요?"
아티가 걱정스럽게 아드리안을 보았다.
아드리안은 아티의 표정이 어두워진 걸 보자마자 어떻게든 안심을 시켜야겠다고 생각했다.
"정말 괜찮아."
그리고 며칠 동안 수많은 로맨스 소설을 독파하며 얻은 비장의 한 수를 내보였다.
"네가 있는데 내가 어떻게 아프겠어?"

아티의 손을 잡은 아드리안이 옅게 미소 짓자 아티가 그 자리에서 굳어 버렸다.

"어머, 어머."

루드밀라 황후가 박수까지 치며 좋아하는 소리가 들린다.

황후가 시녀들과 아드리안을 보며 좋아하는 걸 보던 아티가 어색하게 웃었다.

"다, 다행이네요."

아티의 반응에 아드리안이 만족스럽게 웃었다. 둘의 핑크빛 기류에 반색을 한 건 루드밀라 황후였다.

"어서 가서 맛있는 것도 먹으며 정원을 구경하렴. 아주 낭만적이란다."

황후의 적극적인 응원을 받으며 둘이 발걸음을 옮겼다. 아티는 몸 둘 바를 몰라 했지만 아드리안은 뿌듯했다.

이 정도면 내 뜻이 전해졌겠지.

아직도 붙잡고 있는 아티의 자그마한 손이 아드리안의 기분을 단숨에 구름 위까지 올려 보냈다.

어느 정도 황후와 떨어진 아티가 힐긋 아드리안을 보았다. 그러더니…….

"전하, 이번에는 진짜 같았어요."

……아드리안의 심장이 나락으로 떨어졌다.

심장이 덜컹거리며 소리를 내며 떨어질 수도 있다는 걸

아드리안은 처음 알았다.

쿵.

얼굴에 핏기가 가시고 그대로 굳은 몸은 입술조차 떨어지지 않아 어떤 말도 할 수 없었다.

"정말 대단한 연기였어요!"

자신이 무슨 짓을 저지른 건지도 모르는 아티는 여전히 웃는 얼굴이었다.

평소라면 흐뭇해하며 반겼을 미소였으나 지금은 아무것도 모른다는 것처럼 웃는 아티가 그저 야속했다.

'아니다, 첫술에 배가 부를 순 없지. 이럴수록 더 재정비해서 준비한 대로…….'

준비한 대로 모든 걸 해 봤으나 아드리안의 장대한 계획은 순조롭게 망했다.

"나한텐 너밖에 없으니까."

"정말 자연스러워요! 저도 깜빡 속을 뻔했어요!"

"우리 둘만의 장소로 갈까?"

"이런 건 언제 연습하셨어요?"

"너 외엔 아무것도 보이지 않거든."

"계속 이렇게만 하면 누구도 저희 사이를 의심하지 않을 거예요!"

그리고 마지막 헤어질 때 했던 인사가 화룡점정이었다.

"저도 연습 많이 해 올게요!"

아드리안은 좌절했다.

도대체 무엇이 문제란 말인가?

"연기? 그게 연기라고?"

순도 1000퍼센트 진심이었는데 그런 식으로 치부될지 전혀 예상치 못했다.

절망하는 아드리안을 보며 마리에가 혀를 찼다.

"망했네."

늦은 밤, 자신의 궁으로 돌아가지 않고 겸사겸사 마리에가 방문했다.

아드리안은 마리에에게 화를 낼 기운도 없었다.

"내 눈에 안 보이는 곳으로 어서 나가."

"아니, 위로해 주러 온 사람한테 말하는 본새 봐라!"

"꺼져."

너 때문에 망했다고 직접적으로 말하진 않았지만 아드리안이 온몸으로 내뿜는 기운이 노골적으로 마리에를 원망하고 있었다.

"나도 아티의 철벽과 편견이 그렇게 견고한지 몰랐지. 오라버니, 대체 그동안 뭘 했기에 아티가 그렇게까지 오라버니를 깊이 불신하는 거야?"

"다물어라."

마리에도 자세한 사정까지는 몰랐다.

그저 아드리안의 반응을 보고 자신의 코치가 먹히지 않았다는 것만 알 수 있을 뿐.

'솔직히 재미있는데.'

오만하고 자신밖에 모르던 아드리안이 이렇게 절망하는 모습을 언제 또 볼 수 있겠는가?

마리에는 아드리안이 절망스러워하면 절망스러워할수록 재미있었다.

전후 사정을 잘 모르는 마리에로서는 아티는 어차피 아드리안과 사랑하는 사이였고 둘은 곧 결혼해서 평생을 함께할 사이이니, 오히려 지금 아드리안이 하는 짓이 기행으로 느껴졌다.

"왜 그렇게까지 절망하는 거야? 어차피 아티는 오빠 거잖아."

"……."

입을 굳게 다문 아드리안의 표정은 더더욱 어두워졌다. 까불던 마리에도 계속 아드리안의 반응이 저조하자 장난기를 거두었다.

"왜, 아티가 오빠 버린대?"

"……."

"헉. 정말?"

아드리안이 머리를 짚었다. 그는 지금 당장 마리에를 내쫓고 싶었다.

'정말 스스로 불러온 재앙에 짓눌리고 있군.'

아무리 생각해도 첫 단추를 잘못 끼운 탓에 벌어지는 비극이었다. 아드리안의 속이 복잡해졌다.

'이대로 아티의 마음을 잡지 못한다면…….'

절대로 떠올리고 싶지 않은 미래였지만 어쩌면 아티를 놔줘야 할 수도 있었다.

그건 절대 안 된다.

'차라리 계약을 연장하면…….'

좀 구질구질하지만 온갖 핑계를 대고 계속 계약을 연장하면 아티를 놔주지 않아도 되지 않을까?

하다 하다 이런 방법까지 쓰는 거냐고 에센이 반발할 게 뻔했지만 그 정도는 힘으로 누를 수 있다.

이런 술수까지 거리낌 없이 고려하는 스스로도 너무 비열하다고 생각했으나 아드리안에겐 오로지 아티를 놓치지 않는 것만이 중요했다.

조금 비열해져서 아티를 잡을 수만 있다면, 얼마든지 그럴 수 있었다.

"오빠!"

아직 돌아가지 않은 마리에가 아드리안의 시선을 빼앗았다. 마리에가 팔짱을 끼고 혀를 찼다.

"오빠는 너무 자기중심적이야! 아티의 입장에서 생각해 봐."

"그걸 어떻게 하는데?"

"어떻게 하면 아티의 마음에 들 수 있을지 아티 입장에서 생각해 보라고."

"그러니까 그걸 어떻게 하냐고."

마리에는 이번 작전의 실패가 오로지 아드리안이 아티의 취향과 생각을 고려하지 않아서라고 생각했다.

'내 견해는 틀림없으니까!'

아티의 절친으로서 마리에는 자신이 있었다.

"오빠 혼자 잘해 주고 만족하는 건 의미가 없어. 진정 사랑한다면 그 사람이 진정으로 원하는 걸 해 주면서 행복하길 빌어 줄 줄도 알아야 해.”

연애를 글로 배운 마리에가 열심히 훈계했다.

진정으로 원하는 걸 해 준다라.

행복하길 빌어 줄 줄도 알아야 한다는 마리에의 뒷말은 아드리안의 귀에 들어오지도 않았다. 아드리안은 아티를 놔줄 생각이 단 한 조각도 없었으니까.

깊은 생각에 잠긴 아드리안의 눈빛이 변했다.

✦ ♛ ✦

아드리안과 헤어져 릴리 궁으로 돌아오면서 나는 연신 넘쳐나는 웃음을 숨길 수 없었다.

오늘 하루 종일 아드리안이 보였던 모습을 떠올리며 실실 웃었다.

‘전부 다 연기이겠지만…….’

그래도 그 순간은 진심으로 기뻤다.

나를 위해 살겠다는 아드리안의 말을 들을 수 있을 줄 누가 알았겠는가?

‘그게 전부 다 사실이었으면 좋겠다.’

하지만 아니겠지…….

홀로 꿈꾸는 작은 소망은 그대로 욕심으로 커졌다. 사라지는 입가의 미소처럼 욕심도 삼키기로 했다.

“정신 차리자!”

우린 계약 관계니까.

시간이 지나면 더 힘들어질 이야기는 미리미리 피해 가기로 했다.

그게 결코 쉽지는 않지만, 나중에 흘릴 눈물은 이미 많으니까.

릴리 궁에 도착하니 기다렸다는 듯 마담 루시가 나를 환대했다.

"호호, 아티 님! 무척이나 기분이 좋아 보이시네요. 오늘 가든파티가 즐거우셨나요?"

"네, 마담 루시. 정말 즐거웠어요."

"그랬다니 다행이네요."

빙그레 웃은 마담 루시가 손수 내가 옷을 벗는 것을 도왔다.

"마담 루시는 오늘 왜 오지 않으셨어요?"

마담 루시가 황후의 초대를 받지 못했을 리가 없었다. 마담 루시가 후후 웃으며 대답했다.

"다른 볼일이 있었답니다."

"그렇구나."

"후후. 오늘 제가 들은 재미있는 이야기가 궁금하지 않으세요?"

마담 루시가 이렇게 말할 때는 갑자기 궁금해서 견딜 수가 없어졌다.

내가 고개를 끄덕이니 마담 루시가 입을 열었다.

"오늘 황후 폐하께서 특별히 아끼는 사람만 부르신 건 아티 님도 알고 계시죠?"

"네, 폐하께 직접 들었으니까요."

"당연히 그 목록에 가브리엘 양도 있었답니다. 그런데 혹시 오늘 가브리엘 양을 보셨나요?"

"네? 그러고 보니까…… 아니요."

내가 고개를 가로젓자 마담 루시가 싱긋 웃었다.

"절대 무슨 일이 있어도 황후 폐하의 부름에는 빠지지 않는 가브리엘 양이 처음으로 파티에 불참했어요. 호호홋."

마담 루시는 무척이나 기분이 좋아 보였다.

"어디 아프기라도 한 걸까요?"

"아파도 의사를 끌고 파티장에 올 사람이랍니다. 아마도 아티 님 때문이겠죠."

"……저요?"

영문을 알 수 없어 고개를 갸웃하니 마담 루시가 머리 장식을 전부 떼어 내며 긍정했다.

"아티 님이 가브리엘에게 받아 내실 게 있잖아요."

마담 루시가 음흉하게 웃었다. 나는 아직도 이해되지 않아 눈만 깜빡였다.

"그거랑 무슨 상관……. 아, 설마 저랑 마주치기 껄끄러워서 피했다는 소리인가요?"

"오호호홋, 바로 그거죠."

정답을 맞혔지만 아직도 껄끄러웠다.

"정말 저를 피한 걸까요?"

"정확히는 자기 평판이 깎일 걸 두려워한 거죠. 거기에 아티 님이 공개적으로 무리한 요구라도 해 오면 어떻게 해야 할지 대처할 수 없을 테니까요."

정말 그런 걸까 의아했지만 마담 루시의 확신에 찬 목소리를 듣고 있자니 맞는 것 같았다.

"그러고 보니, 아직 무엇을 요구할지도 생각해 놓지 않았어요."

고민이었다. 무엇을 요구해야 과하지 않으면서 가브리엘에게 타격을 줄 수 있을까?

특별하게 망신을 줄 생각은 없었다. 가브리엘이 그렇게까지 망신을 당할 일도 많지 않을 것이고.

"역시 돈이나 보석 같은 건 너무 뻔하겠죠?"

"그런 걸로 이 순간을 때울 수 있다면 재상가에서 환호를 하겠군요."

"그, 그럼 돈이나 보석은 넘어가고……."

흘깃 마담 루시를 보니 마담 루시가 빙그레 웃으며 조언을 했다.

"돈이나 보석은 자칫 잘못하면 아티 님을 속물이라고 여길 가능성이 있어요. 좀 더 저렴하면서 정신적인 타격을 줄 만한 걸 생각해 보세요!"

그런 게 대체 뭔데요!

끙끙 앓으면서 고민해 봤지만 특별히 답이 나오진 않았다.

"속되지 않으면서 타격을 줄 수 있는 거?"

마리에가 과자를 집어 먹으면서 고민했다. 나는 열심히

고개를 끄덕였다.

"마리에, 그런 게 뭐가 있을까?"

"흐음. 글쎄……."

마리에가 턱을 쓸면서 고민했다.

"특별히 생각이 나는 건 없는데……."

내가 눈에 띄게 실망하자 마리에가 내 입에 과자를 밀어 넣더니 가볍게 말했다.

"보석 같은 건 어때?"

입에 들어온 과자를 다 씹고 내가 고개를 가로저었다.

"그건 이미 마담 루시가 속되다고 뭐라고 했어."

"그냥 보석 같은 거 말고, 컬렉션 같은 거 말이야. 아니면 명화 같은 걸 요구하는 건 어때?"

"너무 비싼 건 내가 더 부담스러운데."

"아, 이왕 돈으로 때울 거면 그 정도는 지출해야지!"

마리에는 네벨가에서 소장하고 있는 명화 중에 좋은 게 있다며 자신이 목록을 알아봐다 주겠다고 했다.

"조금 더 고민해 볼게."

분명 더 좋은 게 있을 것이다. 그러나 마리에가 답답하다는 듯 고개를 가로저었다.

"너무 질질 끌면 오히려 네가 욕먹어. 일부러 그런다고. 되도록 이번 주 안으로 요구하도록 해."

"으음."

"그러고 보니 모후께서 다음 주에 가든에서 티 파티를 연다니까 거기서 요구하는 건 어때?"

"그거 좋다."

내가 고개를 끄덕이니 마리에가 만족스럽게 웃었다.

"아, 아티."

무언가가 생각난 듯 돌연 마리에가 나를 불렀다.

과자를 먹고 있던 내가 고개를 갸웃하자 마리에가 조금 긴장한 얼굴로 입을 열었다.

"혹시 좋아하는 선물 같은 거 있어?"

✦ ♛ ✦

마리에는 쓸모없는 정보원이었다. 아드리안은 지난 일주일간 그 사실을 뼈저리게 느꼈다.

"아, 오라버니~! 진짜 그렇게 사람이 믿음이 없어서 이 험한 세상 어떻게 살아가려고 그래? 진짜 나 한번 믿어 보라니까?"

"끌고 나가."

아드리안의 명령에 디아노가 눈치를 보다가 마리에의 팔을 붙잡았다.

"이거 안 놔? 나 공주야!"

"전하, 부디 저를 용서하십시오."

"으아악!"

마리에가 디아노의 손에 들려 나갔다.

끌려 나가지 않기 위해 마리에가 디아노의 머리를 뜯고 때리고 난리를 피웠으나 디아노는 꿋꿋했다.

"너 공주 몸에 함부로 손을 대는 게 얼마나 큰 죄인지 알아?!"
"압니다."
"그러는데도 이래?!"
"저는 황태자 전하의 명령을 따르기 때문에……."
"좋아! 내 명령을 들으면 네가 원하는 걸 내가 이뤄 주지!"
"제가 원하는 건 황태자 전하 외엔 줄 수 없습니다."
"뭐라고?! 너 지금 아펜니노 공주를 무시하는 거냐?!"
난동을 부리는 마리에와 디아노가 시야에서 사라졌다.
디아노의 소원인 '대련'을 유일하게 해 줄 수 있는 아드리안은 손깍지를 낀 채 깊은숨을 내쉬었다.
"하."
그는 좌절하고 있었다.
지난주 가든파티 이후로 아드리안은 계속 릴리 궁의 아티엔느 앞으로 선물을 보냈다.
아드리안의 시종장인 라르고가 오늘 보낼 선물 목록을 정리하여 아드리안 앞에 보였다.
"오늘은 이 정도로 릴리 궁에 보내면 되겠습니까?"
"여력이 되면 이것도 같이 보내."
"알겠습니다."
아드리안이 건넨 작은 물건을 확인해 보니 고가의 보석이었다. 그것까지 챙긴 라르고가 나갔다가 다시 돌아왔다.
그의 손에 들린 것은 릴리 궁에서 다시 반품되어 돌아온 선물들이었다.
"이건 어떻게 처리할까요?"

라르고가 미처 챙겨 오지 못한 많은 반품 선물이 뒤에 있었다. 아드리안이 손가락을 까딱하며 명령했다.

"다시 보내."

라르고는 가만히 선물들을 내려다보았다. 선물 공세를 한 지도 벌써 일주일. 개중에는 몇 번이나 반품되어 돌아온 선물도 있었다.

참, 이 상황을 뭐라고 해야 할까.

"마음이 떠난 정부를 필사적으로 붙잡는 중년 남성 같군요."

"……."

수많은 선물을 보냈지만 릴리 궁에서는 한결같이 난색을 표했다.

포인세티아 궁에서도 마찬가지로, 황태자가 미쳤다는 소문이 돌 정도였다.

라르고는 그 소문을 일부 인정했다.

'설마 여자에 미치실 줄은 몰랐지만.'

지금 하고 있는 꼴을 보면 미쳤다는 말이 오히려 순화된 표현이었다.

"양이 꽤 되니 두 번에 걸쳐 나눠 보내겠습니다."

라르고의 답에 무심하게 고개를 끄덕이던 아드리안이 이내 자리에서 일어났다.

그러더니 순식간에 라르고 손에 들린 물건을 낚아챘다.

"……?"

"이건 내가 직접 가져다주지."

라르고에게서 빼앗은 작은 보석함을 들고 아드리안이 방

을 나섰다.

홀로 뒤에 남겨진 라르고는 아드리안의 뒷모습을 지켜보다가 길게 한숨을 내쉬었다.

"오늘 저녁도 폭풍이 몰아치겠군."

포인세티아 궁에 드리운 암운이 걷히질 않을 듯했다.

✦ ♛ ✦

아드리안은 지난 일주일 동안 온갖 종류의 선물을 보냈다.

책, 보석, 꽃, 드레스.

마리에가 알아 온 정보와 더불어 루드밀라 황후와 수하들을 달달 볶아 알아낸 결과였다.

'분명 여자들이 좋아한다고 했는데.'

도대체 어떻게 된 건지 아티는 한결같이 좋아하는 기색이 없었다.

선물을 보내면 감사 인사라도 해야 할 텐데 제일 먼저 돌아온 아티의 대답은 '감사하지만 돌려 드리겠다.'였다.

아드리안은 선물을 돌려받는 경험을 처음 해 보았다.

수도 여자들이 좋아한다는 유명한 가게의 디저트도 아티보다 마리에가 좋아하면서 먹었다.

'결국 다 실패…….'

애초에 물질로 사람의 마음을 사로잡겠다는 발상이 안이하고 한심했지만 아드리안에겐 나름대로 절박한 방법이었다.

"처참하군."

도대체 어떻게 해야 아티의 마음을 잡을 수 있을지 알 수 없었다.

'이대로 영원히 황태자로 남아 있을까.'

다른 사람이 들었다면 미쳤다고 할 소리를 심각하게 고민하며 아드리안이 릴리 궁에 도착했다.

"정말요, 에센 님?"

운이 좋은 건지 아드리안은 릴리 궁에 도착하자마자 정원에서 웃고 있는 아티를 발견할 수 있었다.

"정말이라니까."

……더불어 착 달라붙어 있는 에센까지.

"와, 대단해."

도대체 무슨 이야기를 하는 건지 아티가 박수까지 쳐 가며 좋아했다.

에센은 평소에는 좀처럼 타인에게 보여 주지 않는 '온화한 미소'를 띤 채로 아티와 함께 있었다.

정말 눈꼴사나운 광경이었다.

이글이글 타오르는 아드리안의 살기 어린 눈빛을 눈치챈 건지 에센이 고개를 들어 멀찍이 서 있는 아드리안을 흘긋 보았다.

"볕이 너무 강하네. 우리 들어갈까?"

"아, 그럴까요?"

"먼저 들어가 있어. 내가 여기 정리하고 갈 테니까."

정리할 것도 없었는데 에센의 말에 아티가 순순히 고개를 끄덕이고 들어갔다.

아티가 안으로 사라지자 아드리안은 거칠 것 없이 에센의 앞으로 다가갔다.

"할 일이 없나 보지?"

"무슨 소리야, 이게 내 일인데?"

"네 일이 주인과 노닥거리는 건 아닐 텐데."

"주인과 원활한 관계를 갖는 것도 수호 기사의 덕목 중 하나거든?"

"그 주인이 마음에 들어서가 아니고?"

아드리안의 도발에 에센이 인상을 일그러뜨렸다.

'말하는 것 좀 보게.'

지금 당장 연무장으로 끌고 들어가 흠씬 패 주고 싶은 재수 없는 말투였다.

"네 기분이 개 같은 건 알겠는데 나한테 왜 지랄이냐?"

갑작스러운 시비에 에센의 기분도 곤두박질쳤다.

에센의 시선이 아드리안의 손에 들린 작은 상자 쪽으로 미끄러졌다.

또 선물인 모양이었다.

"또 선물이냐? 물량 공세도 사람을 봐 가면서 해야지."

에센이 혀를 찼다.

"하긴 사람의 마음 같은 걸 생각해 본 적 없는 네 녀석이 아티의 마음을 얻으려면 돈이라도 퍼붓는 수밖에 없겠지."

"뒤진다."

아드리안이 경고했으나 거기서 멈출 에센이 아니었다.

"왜? 사실을 들으니까 마음이 아파?"

입술을 비틀어 조소하며 에센이 한탄을 했다.

“와, 아드리안. 너도 마음이 아플 줄도 아는구나. 인간이 다 되었네.”

“입 다물어.”

에센에게 시비를 걸었다가 아드리안만 된통 당하고 있었다. 잔뜩 약이 오른 아드리안이 이를 갈았다.

“그러는 너는 진전이 있었나 보지?”

“나?”

에센이 가만히 웃었다. 음흉한 미소에 아드리안의 이성이 끊겼다.

“당장 돌아와. 널 아티의 수호 기사에서 해직한다.”

“누구 맘대로? 내 직속상관은 아티인데?”

“내가 보냈으니까 상관없어.”

“황궁의 법도가 그렇지 않을 텐데.”

아드리안의 인내심이 바닥났다. 오늘 안으로 이 녀석을 아티와 분리해 놓는다.

막 아드리안의 이성을 지탱하던 무언가가 끊어지려던 찰나였다.

“에센 님? 아드리안?”

둘의 팽팽한 신경전을 단번에 늘어뜨린 목소리의 주인은 바로 아티엔느였다.

“아드리안, 언제 왔어요?”

환하게 웃으며 아티가 다가오자 아드리안은 저도 모르게 옅은 미소를 지었다. 에센이 샐쭉하게 물었다.

"왜 다시 나왔어?"

"에센 님이 안 들어오셔서요."

뭐 문제가 있는 걸까 고개를 갸웃하는 아티를 보고 에센이 한숨을 내쉬며 고개를 절레절레 흔들었다.

"오늘은 무슨 일로 오셨어요?"

아드리안이 에센을 보았다. 에센이 아티와 아드리안을 번갈아 보더니 한숨을 내쉬었다.

"먼저 들어가 있을게."

알아서 빠져 주겠다는 순순한 태도에 아드리안은 위화감을 느꼈으나 아티가 웃어 버리자 그마저도 잊어버렸다.

에센이 먼저 알아서 건물 안으로 들어가자 아티가 다시 아드리안을 보았다.

웃는 얼굴을 보며 아드리안은 이 순한 얼굴로 잘도 자신을 들었다 놨다 하는구나 싶어 억울해졌다.

"왜 내 선물 안 받아?"

"네?"

어두운 표정으로 있어서 무슨 심각한 말이라도 할 줄 알았는데, 아티가 미간을 살짝 좁혔다.

"어제 보낸 것도, 엊그제 보낸 것도 전부 돌려보냈다고 하더군. 왜 안 받는 거지?"

"그건……."

이걸 꼭 말로 설명해야 한단 말인가?

"아니, 너무 많아요. 그래서 돌려보낸 거예요."

"너무 많다고?"

"네! 이미 충분하니까 더 안 주셔도 돼요."

아티가 진심을 담아 말했다.

그렇지 않아도 릴리 궁에 머무르는 사람들은 지난주부터 하루가 멀다 하고 들어오는 다량의 선물에 기가 질린 상태였다.

마담 루시는 잘되었다며 이참에 궁의 물건을 싹 바꾸자고 신나 있었지만, 아티의 입장은 달랐다.

아티의 설명에 아드리안은 선물이 되돌아온 전말을 알게 되었지만, 무언가 찝찝함이 사라지지는 않았다.

"오늘도 보냈으니까 그건 다 받아."

"네? 또 보내셨다고요?"

"고작 그것 가지고 왜 놀라지? 앞으로도 보낼 거야."

아티가 곤란한 표정을 지었다. 자칫 잘못하면 다시 거절할 기세라서 아드리안은 서둘러 아티에게 당부했다.

"황태자비로서 위엄을 갖춰야 할 거 아냐. 어? 네가 평소에 이렇게 다니니까 그런 거야, 알았어? 앞으로도 잔말 말고 다 꼬박꼬박 받으라고. 어?"

"네? 네……."

놀란 아티가 두 눈을 동그랗게 뜬 채로 고개를 끄덕였다. 그러는 와중에 마담 루시가 둘에게 다가왔다.

"아티 님, 선물이 왔답니다~ 어머나, 전하. 언제 오셨어요? 오호호홋."

"선물이 왔다고?"

인사는 생략하고 아드리안이 자기가 듣고 싶은 말만 들

었다.

마담 루시가 고개를 끄덕이니 아드리안이 이때다 싶어 아티의 손을 잡았다.

"자, 가자."

"네? 어딜요?"

영문을 몰라 하는 아티를 보며 아드리안이 강한 어조로 대답했다.

"내 앞에서 선물 받아."

대망의 개봉식이 펼쳐질 예정이었다.

✦ ♛ ✦

아티는 산처럼 쌓인 선물 더미를 보면서 기가 질렸다. 도와 달라는 눈초리로 에센을 바라보았으나 에센도 이번엔 별수 없었다.

대망의 개봉식을 기대하고 참석한 사람은 총 네 명이었다.

이 개봉식을 주최한 아드리안과 어쩔 수 없이 주인공이 된 아티, 그녀의 수호 기사인 에센과 이 중에서 제일 기분이 좋아 보이는 마담 루시까지.

"양이 많네요! 하루 종일 즐길 수 있겠어요!"

마담 루시의 기대에 찬 한마디에 아티가 큰 한숨을 내쉬었다.

마담 루시가 제일 덩치가 큰 선물 하나를 골라 아티의 앞에 놓았다.

"너무 많으니까 큼직큼직한 것 위주로 보도록 해요."

아티가 담담한 표정으로 고개를 끄덕였다. 아드리안은 그게 마음에 들지 않았다.

선물을 받은 여자의 표정이 뭐 저렇단 말인가?

'어린아이나 중년 남자라 할지라도 받으면 기쁜 것이 선물인데.'

아드리안이 무슨 생각을 하든 아티는 마담 루시의 도움을 받아 박스를 개봉했다.

고이 접혀 들어가 있는 첫 번째 박스에 담긴 선물은 드레스였다.

"어머나. 정말이지 아름다운 원단으로 만들었네요!"

마담 루시의 감탄에 아드리안의 입술이 꿈틀거렸다.

에센이 한심하다는 시선을 보냈지만 아드리안의 이것 보라는 거만한 눈빛을 막을 순 없었다.

"요즘 유행하는 의상실에 특별히 주문했지."

"아티 님, 이거 보세요. 다음 파티에 이 드레스를 입고 가시면 단연 누구보다 돋보이실 거예요."

"그렇겠네요."

마담 루시는 벌써 아티를 꾸밀 만반의 준비를 다 한 표정과 태도였는데 막상 아티는 심드렁했다.

아티가 그런 반응을 보이자 아드리안의 기분이 곤두박질쳤다.

"다음은 이 박스를 열어 볼까요?"

다음에 나온 선물은 커다란 티아라였다. 이것도 장인의

손길을 거친 무척이나 장엄한 예술 작품이었다.

"황태자비와 어울리는 기품 있으면서도 우아한 티아라예요."

"예쁘네요."

아티의 담담한 반응에도 마담 루시의 행복을 막을 수 없었다.

"어머나, 이번에는 액세서리 세트가!"

"이 루비 좀 보세요!"

"아티 님!"

마담 루시의 부름에 아티가 처음으로 이렇다 할 반응을 보였다.

바로 귀한 천으로 공들여 만든 토끼 모양의 봉제 인형 때문이었다.

"귀여워."

아티의 연신 담담한 반응에 나락 끝으로 떨어졌던 아드리안의 기분이 살짝 위로 올라왔다. 하지만 그것도 거기서 끝이었다.

"잘 보관해 주세요."

"네, 그럴게요."

귀여운 토끼 인형을 보고서도 몇 분도 가지 않는 반응에 아드리안의 마음이 시커멓게 타들어 갔다.

반면 에센은 무척이나 즐거운 표정이었다.

"애쓴다."

에센을 노려보는 시선에 살기가 어렸으나 당장 에센과 칼부림이라도 벌일 만한 기세와 달리 둘 사이엔 어떤 일도 일어나지 않았다.

"아, 역시 우리 전하께서 안목이 있어요. 다 만족스럽네요."

한참을 박스를 뜯던 마담 루시가 행복해했다. 아드리안이 간신히 입꼬리만 당겨 웃었다.

여전히 아티의 반응은 바닥이었다.

'도대체 뭘 해 줘야 만족하는 거야?'

아티에게 직접 묻고 싶을 정도였다. 넌 대체 뭘 해 줘야 좋아하냐고.

"아티 님은 뭐가 제일 마음에 드세요?"

마담 루시의 질문에 아티가 메마른 미소를 지었다.

"다 마음에 들어요."

말은 그렇게 하지만 절대 그게 본심이 아니라는 건, 그 자리에 있는 모두가 알았다.

"이만 가지."

아드리안은 결국 참지 못하고 자리에서 일어났다.

"어머, 전하. 아직 개봉해야 할 박스가 많이 남아 있는데요."

마담 루시가 잡든 말든 아드리안은 이미 방을 나간 뒤였다. 마담 루시가 아티를 바라보았다.

"아드리안!"

성큼성큼 걸어가던 아드리안의 발걸음이 멈춰 섰다.

아티는 아드리안이 그대로 무시하고 갈 것이라고 생각했지만 그가 멈춰 서서 내심 놀랐다.

분명히 기분이 나빠 보였는데.

아드리안이 뒤를 돌아 자신을 보자, 아티는 그제야 자신이 따라 나온 이유를 기억했다.

'가서 전하께 감사하다고 인사드리세요.'

아드리안의 갑작스러운 행동에 놀란 아티에게 마담 루시가 일러 준 것이었다.

어떻게 말을 꺼내야 할지 모르겠다. 아티는 느린 걸음으로 아드리안 앞에 가서 섰다.

"많이 바쁘신 것 같은데 붙잡아서 죄송해요."

"괜찮아."

무심한 목소리에 아티가 손을 맞잡았다. 생각보다 인사를 하는데 드는 용기가 많이 필요했다.

"저……. 선물을 주셔서 감사드려요. 전부 마음에 든답니다."

아드리안은 어이가 없었다. 그런 메마른 표정으로 '마음에 든다'고?

"마음에 안 들었잖아."

아티가 두 눈을 동그랗게 떴다.

그 모습이 못 견디게 귀여운 것과 별개로 아드리안은 치밀어 오르는 화를 참기 위해 없는 인내심을 긁어모았다.

"뭐가 마음에 안 든 거야?"

"그건……."

아티가 입술을 달싹였다. 차마 내뱉지 못하는 말이 입 안에 맴돌았다.

"내게 말하지 못할 이유인가?"

아드리안의 말에 아티의 입술이 굳게 다물렸다. 아티가

침묵하자 아드리안이 인상을 썼다.
아티는 왜 아드리안이 이렇게까지 화가 난 건지 이해할 수 없었다.
'연극에 맞춰 주지 않아서 그런 건가.'
심취한 그와 달리 내가 미지근해서? 아티는 멍청하지 않았다.
아티는 이미 아드리안이 무슨 목적으로 자신에게 선물을 보낸 건지 알고 있었다.
모두에게 우리가 이만큼 사랑을 한다는 걸 보여 주기 위함이겠지.
아티는 화려한 보석을 좋아했다. 예쁜 드레스도 좋았다. 하지만 그건 '자신'에게 보내온 것이 아니다.
전부 '예비 황태자비 아티엔느'에게로 온 선물.
그걸 알기에 계속 선을 그으며 현실을 인지하기 위해 애를 쓴 것이었다.
'아니면 착각하게 되니까.'
차마 이런 마음을 아드리안에게 내보일 순 없었다.
"대답이 없군."
"……."
"뭐, 뻔한 답이었으니. 그런 걸로 알지."
"전하."
그대로 몸을 돌려 가 버리려는 아드리안의 옷자락을 아티가 다급하게 붙잡았다.
아드리안이 내칠까 봐 걱정했지만 다행히 그런 일은 생

기지 않았다. 아티가 입술을 깨물었다.

아드리안은 아티가 이 상황에서 어떤 변명을 내놓을지 한번 들어나 보자라는 마음이었는데, 정작 아티가 내뱉은 말은 다른 것이었다.

"손에 들린 그 선물은…… 안 주고 가실 건가요?"

아티의 말에 아드리안은 이제야 제가 직접 주겠다고 들고 온 상자를 아직도 쥐고 있다는 걸 깨달았다.

'이건 분명…….'

특별하게 준비한 것이었으므로 내용물을 모를 리가 없었다.

"네 거 아냐."

"정말요?"

아드리안이 부정해 봤자 어차피 아티 손바닥 안이었다.

아티가 조심스럽게 아드리안이 쥐고 있는 선물에 손을 뻗었다.

아티의 부드럽고 따뜻한 손가락이 닿자마자 봉인이 풀리듯 아드리안의 손이 열렸다.

상자는 무척이나 작았다. 포장도 특별할 것은 없었다. 그래도 아티는 작은 상자를 꽤나 소중하게 열었다.

"이건……."

아티의 눈에 이채가 돌았다. 아드리안은 부끄러움에 시선을 돌려 버렸다.

아티의 손에 들린 건 작은 압화 책갈피였다.

"이거, 전국적으로 인기였어. 이 소설 남주가 흥행시킨

인기 아이템이라니까?"

마리에가 로맨스 소설 남주가 해서 전국적으로 유행을 시켰다면서 제안한 선물이었다.

"설마…… 직접 만드셨어요?"

예쁜 꽃이었지만 초보의 솜씨였기 때문에 조악하기 그지없었다.

꽃잎이 조금 찢기고 잘못 눌렸지만 만든 게 아까우니 마리에가 선물하라고 한 것이었다.

아드리안이 여전히 아티와 눈을 마주치지 못하고 고개를 끄덕였다.

세상 부끄러울 것이 없는 남자가 고개를 끄덕이자 아티는 저도 모르게 웃음을 터뜨려 버렸다.

"……?"

아티의 맑은 웃음소리에 고개를 돌린 아드리안이 저도 모르게 환하게 웃는 아티를 보며 멈칫했다.

아티는 조악한 책갈피를 손에 쥔 채로 환하게 웃었다.

어차피 자신의 것이 될 수 없는 선물들이었다. 이 압화 책갈피 정도는 내가 가져도 되겠지.

"마음에 들어요."

보석과 드레스로도 볼 수 없었던 환한 미소에 아드리안이 넋을 놓았다.

"취향이 특이하군."

"아드리안이 직접 만든 거잖아요."

나를 위해서.

뒷말은 생략했지만 아티는 기뻤다. 착각이라고 해도 좋다. 이 순간만큼은.

이 순간만큼은 나를 위한 마음이니까.

✦ ♛ ✦

아티의 미소를 본 다음, 아드리안은 예전만큼 엄청난 선물 공세를 퍼붓지 않았다.

라르고가 드디어 정신을 차렸다며 기뻐했지만 안타깝게도 아드리안이 제정신을 차린 건 아니었다.

"꽃을 꺾어야겠어. 아주 대량으로."

매일 한 번씩 압화 책갈피를 만들어 주면 매일 자신을 향해 그렇게 웃어 주지 않을까?

아드리안은 이 계획을 실행하기 위해 수도 외곽에 있는 화원도 몇 개 사들일 생각이었다.

"……제가 알아보겠습니다."

라르고의 기쁨은 그리 오래가지 않았다. 라르고와 대화를 하며 복도를 걷다가 아드리안의 발걸음이 멈추었다.

"……아르칸젤로의 축복이 함께하시기를."

"미카엘."

지난 가면무도회 이후로 처음이었다. 두 사람 사이에 싸늘한 정적이 맴돌았다.

단번에 두 사람의 분위기가 어떤지 눈치챈 노련한 시종

장은 재빠르게 도망을 쳤다.

"그럼 저는 이만 가 보겠습니다, 전하."

라르고의 인사도 받아 주지 않은 채 아드리안의 시선은 오로지 미카엘에게 꽂혀 있었다.

미카엘이 아드리안을 보며 입을 열었다.

"'라라'는 잘 있습니까?"

아드리안의 매끈한 이마가 단번에 구겨졌다.

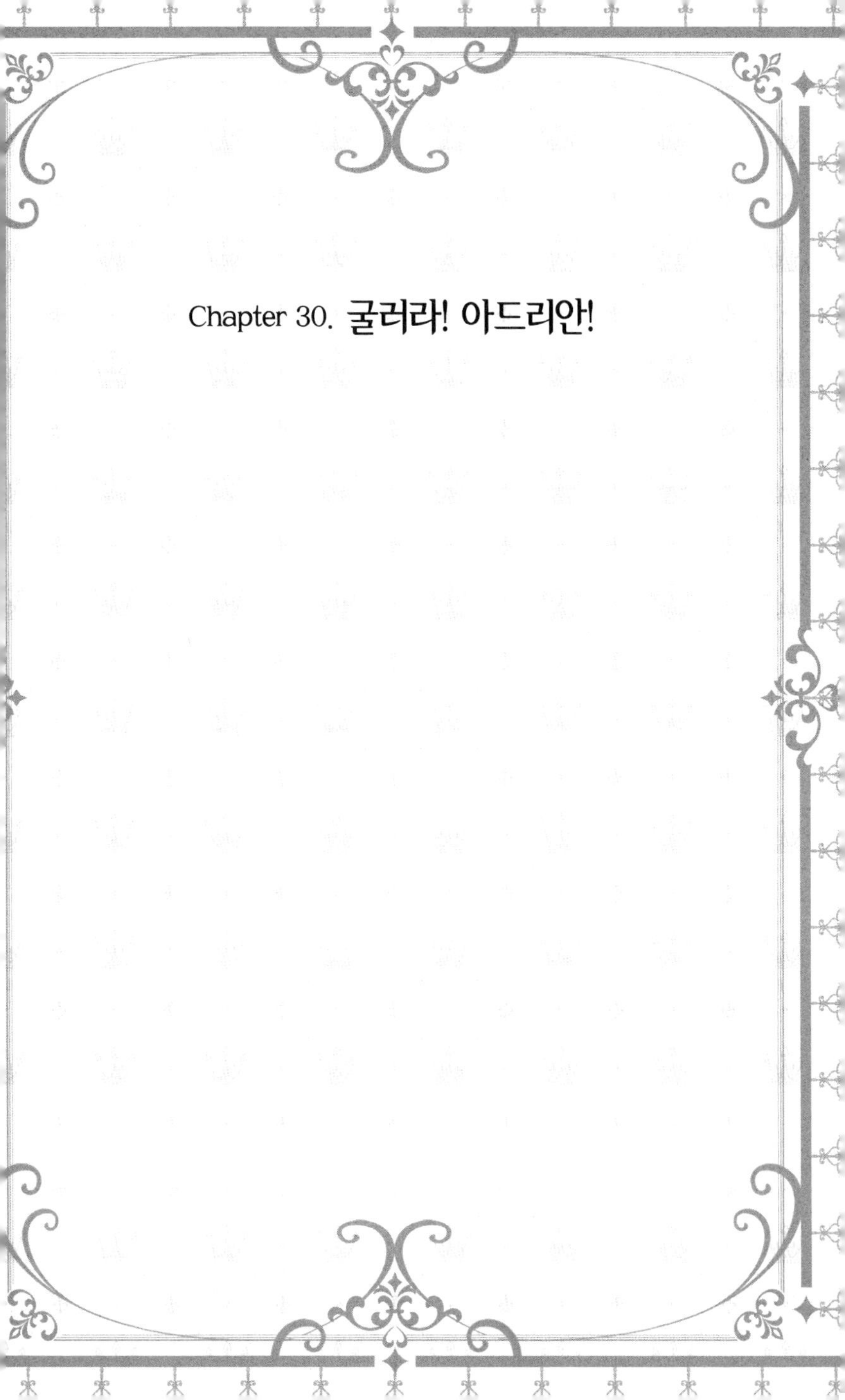

Chapter 30. 굴러라! 아드리안!

Chapter 30. 굴러라! 아드리안!

"라라가 누구지?"

미카엘이 옅은 미소를 보였다.

"아, 제가 실언을 했군요."

아드리안은 갑자기 알 수 없는 이유로 기분이 바닥까지 곤두박질쳤다.

"전하께서 알 필요 없는 이름입니다."

"……."

아드리안의 눈빛이 변했다. 미카엘이 한 소리를 곧이곧대로 믿을 정도로 아드리안은 순진하지 않았다.

"제대로 설명하는 게 네 신상에 이로울 거다, 미카엘."

"협박을 하려거든 사람을 보면서 하셔야죠, 전하."

부드럽게 미소 지은 미카엘이 아무런 미동도 없자 아드리안은 거리낄 것 없이 인상을 찡그렸다.

분명 둘은 나름대로 '괜찮은 사이'였는데 어쩌다가 이렇게 된 건지 모를 일이었다.

"내 약혼녀한테 흑심이라도 품은 건가?"

"흑심이라……."

미카엘이 픽 웃었다.

"제 인간적인 호의와 관심을 그런 식으로 격하시키는 건 전하답지 않습니다."

"내가 어쨌다는 거지?"

미카엘이 웃었다.

"괜찮습니다. 레이디 오비에도에 대한 제 호의는 순수하니까요."

"그게 순수할지 아닐지는 네가 판단하는 게 아니다."

아티가 대체 어쩌다가 미카엘과 알게 되었는지 몰라도 아드리안은 자신의 손 밖에서 두 사람이 연을 맺었다는 사실에 이미 충분히 불쾌했다.

'거슬리는 건 에센으로 족해.'

한편 미카엘은 아드리안이 보이는 태도로 충분히 아티가 어떤 처지에 놓여 있을지 짐작할 수 있었다.

'또 힘든 상황에 처해 계시겠군.'

이전이라면 이야기를 들어 주는 것만으로 도움을 주었겠지만, 지금은 그것이 녹록지 않았다.

그래서 미카엘은 작은 오지랖이라도 부리기로 했다.

"레이디 오비에도에게 잘해 주십시오. 어찌 되었든 폐하의 약혼녀가 아닙니까."

"……."

아드리안이 멈칫했다.

'내가 못해 준 건 도대체 뭐지?'

어째서 미카엘이 자신에게 이런 소리를 한단 말인가.

"그게 무슨 소리인지 설명해."

"현명하신 전하께서 누구보다 잘 알고 계시리라 믿습니다."

물러설 때를 아는 현명한 남자는 거기서 한 걸음 물러났다.

"깊은 대화를 할 기분이 아니신 듯하니, 저는 이만 물러가 보겠습니다."

천사 같은 미소와 함께 미카엘이 가볍게 고개를 숙이고는 그대로 몸을 돌렸다.

아드리안은 피가 차가워지는 감각을 느끼며 머리를 쓸어 올렸다.

아드리안이 정신을 차렸을 때에는 이미 릴리 궁에 도착했을 때였다.

순간 무슨 생각을 했는지 스스로도 알지 못한다. 아드리안은 그저 충동이 폭발해서 한달음에 달려와 아티를 붙잡았다.

"잠깐 이야기 좀 해."

"네?"

마담 루시와 티타임을 갖던 중인 아티가 놀라서 두 눈을 동그랗게 떴다.

사람의 시선이 닿지 않는 곳이 필요했다. 아티가 온전히 자신만 신경을 쓸 수 있는 곳.

"전하?"

마담 루시가 심상치 않은 기운을 느끼고 물러섰다.

아드리안은 아티를 데리고 고민 끝에 침실로 끌고 들어갔다. 침실의 문이 닫히자 아티가 긴장했다.

'뭐지? 이제 약혼녀 하지 말라고 그러는 건가?'

아드리안이 자신에게 할 만한 이야기는 그런 것밖에 없었다.

잔뜩 긴장한 채로 아티가 자리를 지키자 머리를 쓸어 올리며 화를 삭이던 아드리안이 아티를 응시했다.

빌어먹게도 오늘 아티는 너무 예뻤다.

"나한테 왜 그러는 거야?"

그만하자는 이야기가 나올 거라 예상해 긴장하고 있던 아티가 아드리안의 말에 깜짝 놀랐다.

"네? 제가…… 뭘요……?"

아무것도 모른다는 양 멍하니 바라보는 아티가 너무 짜증스러웠다.

"네가 뭘 하는지 모른다고?"

아드리안은 어이가 없었다. 그동안 그렇게 들었다 놨다 나를 갖고 놀아 놓고는 아무것도 모른다고?

"네가 나를…… 나를……."

아드리안이 자신의 억울한 처지를 토로하려고 했지만,

막상 말로 할 수 있는 이야기가 아니라는 걸 깨달았다.

'이걸 어떻게 말로 설명해!'

설명할 수 있었다면 진즉 설명했을 것이다.

"아오!"

결국 아드리안이 머리를 쓸어 올리며 아티의 침대에 걸터앉았다.

아티는 아직도 아드리안이 왜 이렇게 열 받았는지 알지 못했다.

요즘 황태자는 처음 만났을 적 황태자와 완전히 달랐다. 무슨 엄청난 일이 터진 것일까?

"제가 뭘 잘못했나요?"

"……."

마음은 그렇다고 단박에 수긍하는데 입이 떨어지지 않는다.

아티가 고개를 갸웃하자 그 모습조차 귀여워서 마음이 풀어지는 것도 문제였다.

아드리안이 아티를 빤히 바라보았다. 자신의 얼굴에 꽂힌 시선에 뺨을 매만져 보던 아티가 고개를 갸웃했다.

대체 얼마나 그렇게 보고 있었을까?

발을 꼼지락거리던 아티가 눈치를 보며 이만 나가 보겠다고 말할 타이밍을 재고 있을 때였다.

"넌 황태자비 자리가 탐이 나지 않나?"

"네?"

아드리안의 심정은 복잡했다.

"정말 계약이 끝나면 온전히 물러날 생각이야?"

아티가 무슨 소리를 하냐는 듯 두 눈을 동그랗게 떴다. 그 바다를 닮은 푸른 눈동자엔 어떤 탐욕도 보이지 않았다.

……그게 아드리안은 억울했다.

"이대로 날 유혹해서 그대로 황태자비가 된다든가 그런 생각은 안 해?"

그런 욕심을 갖고 있기만 하면.

기꺼이 넘어가는 척해 주면서 아티를 붙잡을 수 있다.

이 여자가 조금만 더 욕심 많은 여자였다면…….

그러나 아드리안의 바람이 무색하게도 아티의 얇고 보드라운 입술 사이로 나오는 답은 바라는 것과 정반대의 것이었다.

"제가 감히 전하를 탐낼 수는 없죠."

목숨이 붙어 있고 싶다면 당연히 그래야지, 라는 답이 나오지 않았다. 대신 아드리안은 충동적으로 다른 말을 내뱉었다.

"아니, 탐을 좀 내 봐."

"네?"

아드리안은 이제야 깨달았다.

아티가 자신을 전혀 남자로 의식하고 있지 않다는 사실을. 침실에 남자와 단둘인데 이런 평온한 태도는 무엇이란 말인가.

'맨 처음은 이거겠지.'

순서가 틀렸다. 응당 처음부터 이랬어야 옳았다.

아드리안이 다가가자 아티가 고개를 갸웃했다. 어떤 위

기감도 느끼지 못하는 아티를 보며 아드리안이 입술을 꽉 깨물었다.

“그럼 잘 생각해 봐. 지금부터 내가 하려는 거.”

무얼 생각해 보라는 건지…… 라며 꺼내려던 아티의 말은 그대로 입 속으로 사라졌다.

한 손으로 아티의 뺨을 그러쥔 아드리안이 다른 손으로 아티의 허리를 끌어당겼다.

동시에 아드리안의 입술이 아티의 입술을 짓눌렀다.

부드럽고 뜨거운 입술이 닿자 아티가 놀라 굳은 채로 눈을 느리게 깜빡였다.

푸른 하늘보다 깊고 바다보다 연한 눈동자에 자신의 모습이 비쳤다.

아드리안은 그 사실이 퍽이나 마음에 들었다. 닿은 입술이 주는 더할 나위 없는 감촉과 온기.

놀란 아티가 입술을 벌리자 기다렸다는 듯 아드리안의 혀가 침범했다.

얼마 만의 키스이던가.

아티의 가지런한 이를 훑던 혀가 숨으려는 혀를 휘감았다. 타액이 섞이고 숨이 섞였다.

아드리안은 아티의 숨결 깊숙이 침범해 모든 것을 맛보겠다는 의지로 파고들었다. 그렇게 도대체 얼마나 시간이 지났을까.

“하아, 하아…….”

간신히 해방된 아티가 버티지 못하고 벽에 몸을 기댔다.

아티를 놓아준 아드리안은 배부른 짐승처럼 혀를 훑으며 만족스럽게 웃었다.

그 모습이 지나치게 선정적이고 관능적이라 아티는 저도 모르게 숨을 들이마셨다.

"이제 알겠지?"

나른하게 되물은 아드리안이 한 걸음 물러섰다.

"그럼 대답을 기대하지."

망설임 없이 돌아가는 아드리안을 보며 아티는 그저 혼란뿐이었다.

도대체 지금 무슨 일이 벌어진 거지?!

아드리안은 어제 있었던 일을 곱씹었다.

드디어 아티에게 마음을 고백했다는 사실에 기분이 나쁘지 않았다.

오랜만에 기분이 좋아 보이는 황태자를 상대로 포인세티아 궁의 시종들은 그동안 조마조마했던 마음을 놓을 수 있었다.

"아드리안~!"

한동안 뭔가를 조사하겠다고 밖으로 나다니던 테르니가 오랜만에 모습을 드러냈다.

"뭐야, 오늘 아드리안 기분 왜 이렇게 좋아?"

테르니를 보자마자 살짝 기분이 하락했지만 아드리안은

여전히 기분이 좋았다.

어제의 기억이 여전히 아드리안의 기분을 구름 위로 올려 주었기 때문이었다.

그래서 테르니는 무척이나 기분이 나빴다.

"어제만 해도 기분 완전 시궁창이었는데 왜 오늘 기분이 좋으실까?"

"시비 걸러 왔냐?"

"그건 아니지만~ 궁금하잖아. 내가 아드리안을 얼마나 사랑하는데."

"네 사랑 필요 없거든."

테르니가 낄낄거리며 웃었다. 아드리안은 그럼에도 기분이 나빠지지 않았다.

이게 다 아티의 위력이다.

"아드리안이 기분이 좋으니 이상하다. 아까 아티 보러 갔는데 아티는 되게 기분이 안 좋아 보였는데."

테르니가 뭐라고 하든 아드리안은 기분이 좋았다.

"그래서 할 말은 그것뿐이냐?"

"앗, 그건 아니고."

테르니가 박수를 쳤다. 기분 좋게 미소 짓는 테르니를 보며 아드리안은 슬슬 짜증이 나기 시작했다.

"말할까, 말까?"

"죽고 싶지?"

테르니가 헤헤 웃었다.

거만하게 턱을 치켜든 테르니가 드디어 입을 열었다.

"엘라디스토 가문과 재상의 관계에 대해 알아냈어!"

✦ ♛ ✦

"엘라디스토는 비옥한 농지와 아름다운 서쪽 해안의 경관을 갖고 있는 부유한 영지로 나름 건재한 백작 가문이었어."

"그런 가문이 어쩌다가 반역죄를 저지른 거지?"

"그게 의문이야."

테르니가 두 눈을 반짝였다.

"네 권한까지 동원해서 살펴본 황실 기록으로는 '반역죄를 저지른 증거를 확인해서 처벌한다.'까지만 나와 있단 말이지!"

"반역을 저지른 이유에 대해서는 언급이 없다?"

"바로 그거야!"

테르니의 말에 아드리안의 표정이 어두워졌다. 그것은 이상했다.

"증거 우선의 원칙에 따라 모든 죄는 소상히 적도록 되어 있을 텐데."

"보니까 누가 기록을 말소한 거야. 혹은 적지 못하도록 압력을 가한 거지."

"감히 누가 그런 일을 하지?"

황실의 권위를 넘본 일이나 다름이 없는 행위에 아드리안이 노기를 보이자 테르니가 어깨를 으쓱했다.

"나야 모르지. 계속 파 보면 알 수 있지 않을까?"

"관련된 자들 중에 살아 있는 사람은 있는가?"

"없어. 반역죄가 모든 관련 있는 자를 처형하는 죄이다 보니까 백작가의 모든 가솔이 다 죽었어. 공개 처형을 당한 건 제스토 백작뿐인 거 같은데……."

테르니가 어깨를 으쓱였다. 이렇다 할 정보가 없다는 의미였다.

"어째서 반역죄에 휘말렸는지도 모른다, 기록이 말소되었다, 살아남은 사람도 없다. 알아낸 게 고작 그것뿐인가?"

"아, 성격도 급하시네. 그러니까 내가 말했잖아. '재상과 엘라디스토 가문의 관계'를 알아냈다고."

고작 이거 알아낸다고 지난 며칠을 쓸모없이 쓰레기처럼 보낸 거냐는 말을 하려던 아드리안이 잠시 입을 다물었다.

일단 아드리안의 입을 막는 데 성공한 테르니가 안도의 한숨을 내쉬었다.

"그래? 말해 봐."

"응! 그러니까……. 엘라디스토 가문이 공중분해 될 때 나온 모든 소장품과 보석 등 재산을 거의 네벨가에서 매입해 갔대."

"매입?"

"경매가 열렸는데 싹쓸이해 간 모양이야."

"왜?"

"그건 나도 모르지?"

아드리안이 테르니를 바라보았다. 테르니가 억울한 표정을 지었다.

"아니, 자료가 없는데 나더러 어쩌라고~! 여기까지 알아낸 것도 내가 엄청난 인재여서 가능했던 거야. 알아?!"

"쓸 만한 걸 알아 와. 제대로."

"아무튼 덕분에 알아낸 건데 재상이 계속 엘라디스토 가문을 탐내고 있었던 모양이야."

"탐낼 게 뭐가 있다고?"

아드리안은 이해할 수 없었다.

"네벨가는 후작가잖아. 엘라디스토보다 더 넓은 봉토에 넘치는 부를 소유했는데, 뭘 탐냈다는 거야?"

"그러니까 더 놀랍다는 거 아니겠어?"

테르니가 음흉하게 웃었다.

"뭔가 있어."

아드리안은 테르니가 이럴 때마다 정상이 아니라고 생각했지만 오늘은 유난히 정상인의 눈빛이 아니었다.

번뜩이는 눈으로 테르니가 낮게 속삭였다.

"엘라디스토 사건은 제법 꺼림칙한 점이 많았어. 그때는 내가 어려서 조사해 보지는 못했지만 늘 의아했다고."

심지어 엘라디스토 백작은 영지에서 좀처럼 나오지 않는 사람이었다.

"아무튼 제대로 조사해 볼 만한 거 같지 않아?"

"그래. 더 파 봐."

그 끝에 무엇이 걸려 나오든, 아드리안은 제게 불리할 것은 없다고 생각했다.

그때까지는.

✦ ♛ ✦

"아티 님, 괜찮으세요?"

마담 루시의 질문에 간신히 고개를 끄덕였다.

사실 하나도 괜찮지 않았다.

나는 그날 이후로 아드리안 황태자를 보지 못했다. 당연한 일이었다. 그런 일을 하고 어떻게 본단 말인가?

"저번 키스는 명분이라도 있었는데……."

이번 키스는 도대체 뭐란 말인가?

아드리안 황태자가 하고 간 말도 이해할 수 없었다. 그럼 생각해 보라니, 무엇을?! '이제 알겠지.'라며 자신만만하게 가 버렸지만 나는 하나도 모르는 상태였다.

"서, 설마 황태자가 날……."

……호흡 곤란으로 죽이려고 하는 건가?

가능성이 있었다. 그러니까 키스를 한 거겠지? 아주 작은 미세 먼지만 한 확률로는…….

"황태자가 설마 나를 좋, 좋아하는 건……."

당연히 아니겠지.

"착각하지 말자! 자의식 과잉을 예방하고 건강한 삶을 되찾자!"

아드리안 황태자가 나를 좋아할 리가 없었다. 좋아할 이유도 없고!

간신히 안정을 되찾아 갈 때였다. 마담 루시가 다시 내게 말을 걸었다.

"아티 님."

"으응, 네?"

"그레이스 궁에서 사람을 보냈어요. 황후 폐하께서 아티 님의 방문을 기다린다고 하십니다."

"갑자기?"

의아한 일이었다.

"무슨 일로 부르시는 거래요?"

마담 루시도 영문을 모르겠다는 표정으로 고개를 가로저었다.

✦ ♛ ✦

도대체 무슨 일로 부르신 걸까?

루드밀라 황후가 불렀다면 나에겐 거절할 권리가 없었다.

자연스럽게 불려 간 그레이스 궁에서 나는 이 순간 가장 만나고 싶지 않은 상대를 만났다.

"……전하."

아드리안과 눈이 마주치자 나도 모르게 움찔했다.

바로 전까지만 해도 자의식 과잉 방지 구호를 외쳐 댔던 것이 무색하게 바로 얼굴이 달아올랐다.

반면 아드리안 황태자는 무척이나 태연해 보였다.

화끈해진 뺨을 들키고 싶지 않아 일부러 더 고개를 숙이고 아드리안 황태자 앞에 있는 루드밀라 황후를 바라보았다.

"아르칸젤로의 축복이 함께하시기를."

"그래, 아티. 어서 오렴."

루드밀라 황후가 웃으며 나를 기꺼이 맞이해 주었다. 내가 준비된 자리에 앉자 아드리안 황태자가 입을 열었다.

"대체 무슨 일로 부르신 겁니까?"

"아, 다른 건 아니고 부탁하고 싶은 것이 있어서 불렀단다."

"시종을 시켜서 명하셨어도 되었을 텐데요."

"이렇게 얼굴을 보고 단란하게 이야기를 하면 더 좋지 않겠니?"

아드리안 황태자가 나를 쓱 보았다.

"바쁜 사람이라서요."

나, 나?!

설마 내 얘기인가 싶어 고개를 들었지만, 정말 내 이야기인 모양이었다. 루드밀라 황후가 서운한 표정으로 나를 보았다.

"많이 바쁘니?"

"아니요, 폐하. 저는 괜찮아요!"

"어머, 정말?"

루드밀라 황후가 환하게 웃자 아드리안 황태자가 고개를 끄덕였다.

"이런 착한 며느리 또 없죠?"

"어머, 아드리안. 나한테 자랑하는 거니? 당연히 나도 알고 있지. 우리 아티만 한 며느리는 또 없을 거야."

두 사람이 내 얼굴에 금칠을 해 주고 있었다. 부끄러워…….

"무, 무슨 부탁을 하시려는 건가요, 폐하."

"아, 맞다."

루드밀라 황후가 본론으로 돌아가 말했다.

"다음 달에 있을 황제 폐하의 탄신일에 시리우스에서 사절단으로 베로니카 황후와 로넨 황태자를 보내오기로 했단다."

순식간에 희비가 엇갈렸다.

잔뜩 구겨진 표정과 불편한 심기를 숨기지 않는 아드리안 황태자와 내심 반가운 나.

로넨이 또 오는구나!

"대체 왜 또 온답니까? 시리우스는 한가한가 봅니다."

"무슨 말을 그렇게 하니?"

루드밀라 황후가 심술궂은 표정으로 아드리안을 보았다.

"로넨 황태자가 재방문을 요청했어. 그렇게 돌아가서 서운했는지 다시 오고 싶다면서 무척이나 조른 모양이더구나. 우리 새아가가 보고 싶다면서. 호호호."

아드리안의 표정은 더욱 구겨졌고 나는 깜짝 놀랐다. 정말로 그렇게 말을 했다고?

"그 자식이……."

이를 가는 아드리안의 반응을 즐기며 루드밀라 황후가 호호 웃었다.

"아직 어린 녀석이 대단하지 않니?"

마치 나에게 답을 구하는 것 같아서 나는 어색하게 웃었다.

아드리안은 화가 난 듯했다. 인상을 쓴 채로 눈을 감는 아드리안의 혼잣말이 얼핏 들려왔다.

"안 그래도 에센이랑 미카엘 때문에 미치겠는데 로넨까지 합세라고?"

도대체 뭘 합세한다는 걸까?

내 시선을 느낀 건지 아드리안이 눈을 뜨고 나를 보았다. 깜짝 놀라 고개를 돌리니 뺨에 와 닿는 시선이 뜨거웠다.

"제가 상대하겠습니다."

아드리안의 대답에 루드밀라 황후가 웃으며 답했다.

"괜찮겠니?"

"네. 제가 할 겁니다."

루드밀라 황후가 나를 보았다. 마치 괜찮겠냐는 눈빛이었는데 나도 모르게 손을 들었다.

"죄송하지만 이번엔 제가 하면 안 될까요?"

아드리안 황태자가 인상을 구겼다.

"어머나, 아티. 괜찮겠니?"

"네. 저도 이제 국빈을 맞는 일 정도는 해야 하지 않을까 싶어서요."

"기특해라, 좋은 생각이구나."

좋아하는 루드밀라 황후를 보고 아드리안의 표정이 급격히 변화했다.

"안 됩니다. 아티는 아직 미숙합니다."

그렇게 내가 미덥지 못한 걸까? 시무룩해진 나를 보고 루드밀라 황후가 인상을 썼다.

"아니, 이번엔 아티가 하는 것이 좋겠다."

루드밀라 황후의 결정에 내가 반색을 하니 아드리안이

다시 한번 인상을 구겼다.

두 사람의 시선이 허공에서 마주쳤다. 활활 타오르는 시선 사이에서 나는 조마조마하며 숨을 죽였다.

"그럼 제가 아티를 따라 맞겠습니다."

"그건 좋지."

대체 어디서 극적 타결이 이뤄진 건지 모르겠다.

두 사람 다 만족스러운 표정으로 시녀가 내온 차를 마셨다.

어라. 나를 두고 두 사람 사이에 모종의 거래가 이뤄진 것 같은데 정작 나는 무슨 일이 벌어진 건지 알아차릴 수 없었다.

✦ ♛ ✦

마리에와 머리를 맞대며 생각해 봤지만, 나는 결국 가브리엘이 참석하는 가든 티 파티 당일이 되어서도 가브리엘에게 무엇을 요구할지 결정하지 못했다.

"이게 제일 좋다니까. 네벨가에서 아주 자랑하는 소장품이야."

"너무 비싼 게 아닐까?"

"네 명예와 가브리엘의 명예를 생각하면 값싼 대가지."

마리에가 추천한 물건은 〈죽음과 평화〉라는 3세기 거장의 전설적인 명화였다.

"딱이라니까?"

마리에는 오로지 가브리엘을 물 먹이기 위해 안달인 듯

했다.

그야 나도 그렇지만, 그래도 이 정도 문제로 국보급 보물을 내놓으라는 건 너무 과한 요구가 아닐까 우려되었다.

'마담 루시도 적당한 걸 요구하라고 했는데.'

귀한 자리를 마련해 준 루드밀라 황후 폐하께 인사를 올린 뒤 마리에와 함께 가장 상석의 테이블에 앉았다.

"그러고 보니, 마리에. 요즘 다른 레이디와 어울리는 걸 못 봤네."

"흥. 다른 레이디 따위 알 게 뭐람."

슬쩍 주변을 둘러보니 멀리서 마리에에게 인사를 하고 싶어 하는 레이디를 금세 찾을 수 있었다.

레이디 이바나와 클레스 남작 영애였다. 말벗까지 했던 레이디가 인사 한번 못하고 쩔쩔매는 모습을 보고 있자니 안쓰러웠다.

"안쓰러워할 것 없어. 본인이 쌓은 업보 때문이니까."

마리에가 평이한 어조로 말했다.

"내 마음을 읽었어?"

"아니, 네 표정에 다 나와 있어서."

뺨을 만져 보았지만 내가 정말 표정으로 다 드러내고 있는지는 알 수 없었다. 마리에가 풋 웃었다.

"괜찮아. 뭐 큰일은 없을걸? 공주가 무시함으로써 사교계 평판이 좀 쓰레기가 되고 결혼할 때 문제가 생기는 정도겠지."

"그게 가장 큰 거잖아."

마리에가 어깨를 으쓱였다.
“내 일 아냐.”
가벼운 대꾸에 할 말을 잃었다. 마리에가 피식 웃었다.
“그러게 누가 공주한테 깝치래?”
친해진 뒤로 가끔 잊어버렸지만 마리에도 황족은 황족이었다.
내가 놀라 말을 아끼자 마리에가 억울하다는 듯 입을 열었다.
“내가 이바나한테 얼마나 잘했는지 알아? 그런데 날 버리고 가브리엘한테 붙었잖아.”
“그건 그렇지.”
“게다가 가브리엘이랑 둘이서 내 신성한 취미를…….”
찻잔을 쥔 마리에의 손이 부들부들 떨렸다.
“유치한 소설이나 본다고 공주 안목이 의심스럽다던 가브리엘도 뒤에선 에스티나 읽으면서!”
마리에는 자신이 모욕당한 것보다 감히 나의 에스티나를 모욕한 것을 참을 수 없다며 분노했다.
그 마음을 알 것 같기도 하고 아닌 것 같기도 했다.
마리에는 공주니까 아무렇지 않을지 몰라도 밑에 있는 사람의 고충을 알고 있는 나로서는 마냥 고소한 일로 여길 순 없었다.
“아무튼 그러니까 나 설득할 생각 말아! 알았지?”
“응.”
“어우, 대답은 잘하네. 우리 아티.”

마리에와 웃으며 떠들고 있으니 정원 입구 쪽이 소란스러웠다.

다른 영애와 달리 등장부터 소란스러운 사람은 사실 정해져 있었다.

“하, 오셨네. 오셨어.”

마리에의 비아냥거림과 함께 화려한 파티 드레스 차림의 가브리엘이 모습을 드러냈다.

마리에는 경악했다. 기품 있고 우아한 드레스를 입는 게 티 파티의 암묵적인 드레스 코드였는데 가브리엘이 입은 드레스는 화려한 무도회에서나 어울릴 법했다.

“재 오늘 티 파티인 거 까먹은 거 아냐?”

“그럴 리가.”

자신의 건재함을 보여 주고 싶은 거겠지.

다들 가브리엘의 화려한 드레스를 보고 놀랐지만, 그 가브리엘이라서 티 내지 않으며 미소 지었다.

“황후 폐하, 이 가브리엘이 왔답니다. 예쁘게 차려입고 싶어서 조금 늦었으나 용서하여 주세요.”

“어머나, 가브리엘. 몸이 아프다더니 이제는 괜찮은 거니?”

“폐하께서 걱정해 주신 덕분에 이 가브리엘 이제는 건강해졌답니다.”

“그래, 다행이다. 항시 건강에 신경을 쓰도록 하려무나.”

“예, 폐하. 이 가브리엘, 폐하의 말씀을 절대 잊지 않을게요.”

루드밀라 황후와 인사가 끝나자 가브리엘 옆에 언제나

그녀와 함께 다니던 영애들이 모여들었다.

"오늘도 아름다우세요, 가브리엘 님."

"저번엔 못 뵈어서 아쉬웠어요."

"그래요. 몸이 나아서 다행이에요."

기세등등해진 가브리엘의 콧대가 높아졌다. 그 꼬락서니를 지켜보던 마리에의 표정이 자연스럽게 구겨졌다.

"몸이 아프긴 무슨, 아티 얼굴 보기 무서워서 도망친 거면서."

"마리에."

다 들으라는 듯 목소리를 키운 마리에 덕분에 소란스러웠던 소리가 잦아들었다.

가브리엘의 표정이 딱딱하게 굳었다.

대놓고 노려보는 시선이었으나 그것도 잠시, 빙그레 웃은 가브리엘이 우리를 향해 다가왔다.

"마리에 공주 전하, 오랜만이에요."

"흥."

마리에가 가브리엘의 인사를 대놓고 무시하자 가브리엘이 슬프게 웃었다.

"저번의 노여움을 아직도 풀지 않으신 모양이네요."

마리에가 인상을 썼다. 그러거나 말거나 가브리엘은 슬픈 표정으로 계속 말을 이었다.

"저는 다 마리에 전하를 위해 그런 말을 한 건데, 제 진심을 알아주지 않으셔도 어쩔 수 없죠."

마리에는 이건 또 무슨 개소리인가 하는 표정이었는데,

가브리엘의 말만 듣고 사람들이 웅성거렸다.
"두 분 사이에 무슨 일이 있었나 봐요."
"가브리엘 양이 한 말이 마음에 들지 않아 무시하시는 건가요?"
"충언을 한 모양인데……."
이미 사람들은 마리에가 가브리엘이 하는 충언을 듣지 않고 가브리엘을 홀대하고 무시한다며 마리에가 너무했다는 식으로 웅성대고 있었다.
가브리엘보다 멋대로 지껄이는 사람들에 화가 난 건지 마리에가 인상을 썼다.
막 마리에가 자리에서 일어나려고 했을 때였다.
"가브리엘 양."
마리에의 손을 잡은 채로 내가 가브리엘을 돌아보았다. 가브리엘의 눈썹이 꿈틀거렸다.
"저는 보이지 않는 모양이네요."
"……아니요, 잘 보입니다. 아티엔느 양."
절대 지지 않겠다는 가브리엘의 이글이글 타오르는 눈빛이 보였다.
흘긋 마리에를 보니, 마리에가 잔뜩 열 받은 채로 나를 보고 있었다.
'꼭 그림 뜯어내.'
입 모양으로 당부하는 마리에를 지켜보다가 다시 가브리엘을 돌아보았다.
"저번 파티에는 공교롭게도 가브리엘 양이 몸이 편찮으

셔서 이야기를 나눌 기회가 없었는데, 잘되었네요."

내가 빙그레 웃자 가브리엘이 움찔했다.

"우리 사이에 빚이 있죠?"

가브리엘의 얼굴이 순식간에 파리해졌다.

"그래요, 빚이 있죠. 무엇을 요구하실 생각이신가요?"

마리에는 계속 값비싼 그림을 뜯어내라고 소리 없는 아우성을 쳤다.

아까까지만 해도 나도 그게 좋지 않을까 싶었지만, 생각이 바뀌었다.

"책을 하나 구해 줬으면 해요."

"책?"

가브리엘이 인상을 찡그렸다. 일부러 미소 지은 채로 천천히 고개를 끄덕였다.

"〈에스티나의 일곱 명의 수호 기사〉 1권 초판 작가 사인 희귀본."

가브리엘의 안색이 순식간에 어두워졌다.

놀란 기색이 엿보이는 제비꽃잎을 닮은 눈동자에 나는 승리의 미소를 지어 보였다.

"분명 소장하고 있죠?"

가브리엘이 무어라 말을 하지 못했다.

가브리엘 뒤에 있던 가브리엘 일파 영애들은 이게 무슨 상황이냐는 듯 서로의 얼굴을 보았다.

"가브리엘 양은 그런 책 싫어하잖아."

"맞아. 그런 저급한 소설은 질색이라면서 무척이나 싫어했잖아.”

“마리에 공주 전하 취향이 이상하다고…….”

“맞아, 맞아.”

떠드는 영애들의 말에 가브리엘의 표정이 점점 더 일그러져 갔다.

마리에도 놀라서 두 눈을 동그랗게 떴다.

“내가 그걸 갖고 있다는 걸 어떻게 알아낸 거죠?”

나는 옅게 미소 지었다.

“가브리엘 양이라면 갖고 있을 줄 알았어요.”

사실 진짜로 갖고 있을 줄은 몰랐다. 다만 여러 가지 단서를 통해 혹시 가브리엘이라면 갖고 있을지도 모른다고 생각했을 뿐.

‘웃돈을 얹어서까지 초판을 구하고 다닌 걸 보면 분명 모든 세트 초판을 다 구했겠지.’

가브리엘 성격에 그걸 갖지 못할 리가 없다고 추측했을 뿐이었다.

전 세계 2,000부밖에 안 된다는 1권 초판에 작가 사인은 고작 50권.

현재 시리즈 인기에 힘입어 73쇄를 하고 있는 에스티나 1권의 초판 한정 작가 사인 희귀본의 소장 가치는 나날이 높아져 가고 있었다.

‘그렇다고 해도 명화만큼은 아니겠지만.’

그래도 마리에가 좋아하는 거니까.

“어머나. 가브리엘 양도 에스티나를 좋아하는지 몰랐네요.”

아니나 다를까 마리에가 입을 열었다.

“그런 거 저급한 취향이라며 싫어하지 않았나요?”

가브리엘이 손마디 사이가 하얘질 정도로 주먹을 꽉 쥐면서 나를 노려보았다.

나는 미소로 응수했다.

“그깟 책 하나로 제가 아티엔느 양에게 범한 무례가 용서된다면 기꺼이 갖다 드리죠.”

“감사해요. 가브리엘 양. 역시 마음이 넓으시네요.”

“흥. 당연한 말을 하고 있군요.”

가브리엘이 고개를 홱 돌렸다. 뒤에 있던 가브리엘 일파 영애들이 어찌할 바를 몰라 하며 우리에게 고개를 숙여 인사하고 가브리엘 뒤를 따랐다.

다 가 버리고 나자 마리에가 나를 보며 싱긋 웃었다.

“아티, 최고!”

“뭘 이 정도 가지고.”

마리에와 하이 파이브를 했다.

잔뜩 신난 표정으로 마리에가 목소리를 낮춰 물었다.

“그런데 진짜 가브리엘이 그걸 갖고 있는지 어떻게 알았어?”

“아, 그거.”

어지간히 궁금한 모양이었다.

찻잔을 들어 따뜻한 찻물을 한 모금 마시고 나서야 입을 열었다.

“찍었어.”

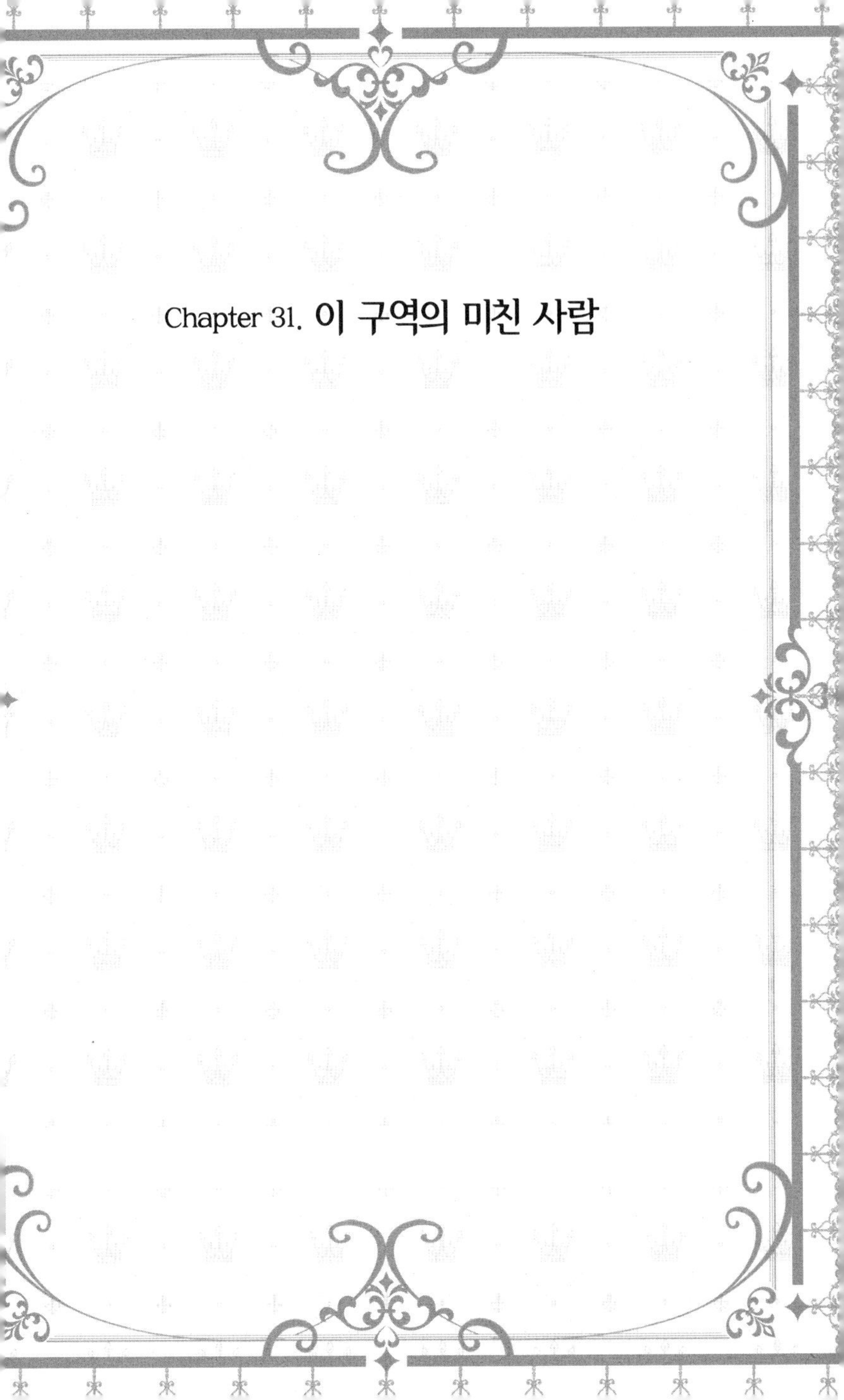

Chapter 31. 이 구역의 미친 사람

Chapter 31. 이 구역의 미친 사람

"오라버니!"

가브리엘은 마중을 나온 미카엘을 보자마자 안겨 들었다.

오늘은 꼭 마중을 나와 달라는 가브리엘의 신신당부에 따라 황후의 티 파티가 열리는 그레이스 궁에 온 미카엘은 울먹이며 안기는 동생을 끌어안은 채 달래 주게 되었다.

"가브리엘, 무슨 일이 있었니?"

"흑흑."

가브리엘은 대답도 하지 않고 울먹였다. 미카엘이 깊은 한숨을 내쉬었다.

미카엘은 가브리엘을 누구보다 잘 아는 사람 중 하나였다.

자신의 품에서 울고 있었지만, 가브리엘이 눈물을 흘리고 있는 것은 아니었다.

"가브리엘 양 좀 봐."

"정말 마음 상하셨나 봐."

"그럴 만도 하지, 누가 감히 가브리엘 양에게 이러겠어?"

"한 사람 외엔 없지."

멀리서 스쳐 지나가는 사람들이 한마디씩 하고 갔다. 미카엘은 그걸로 대충 이게 어떻게 된 상황인지 눈치챘다.

'또 제멋대로 굴다가 무슨 일이 터진 거로군.'

달래 주던 미카엘이 잠잠해지자 가브리엘이 더 크게 울었다. 미카엘은 피곤해졌다.

"가브리엘, 어서 집으로……."

"흑흑!"

꿈쩍도 하지 않으려는 가브리엘에게 붙잡혀 어정쩡하게 있으려니 그레이스 궁 밖으로 나온 마리에 공주와 예비 황태자비 아티엔느와 마주쳤다.

"저게 뭐야?"

마리에가 궁 밖을 나오자마자 가브리엘을 보며 기겁을 했다. 미카엘과 눈이 마주친 아티가 그대로 어색하게 시선을 돌렸다.

납치 사건 이후로 처음 만나는 아티는 건강해 보였다.

미카엘은 건강해 보이는 아티의 모습에 늘 마음 한구석을 차지했던 걱정을 한시름 덜었다.

"흑흑. 오라버니."

"그만하고 돌아가자, 가브리엘."

황궁에서 체면 없이 우는 것도 추태를 부리는 일이었는데, 가브리엘은 뭐가 자기 마음에 차지 않는 건지 더더욱 자리를 지키려고 했다.
가브리엘이 미카엘의 품에서 고개를 들어 아티를 노려보았다.
마치 '너 때문에 내가 이렇게 되었으니 죄책감을 느껴 봐라.' 같은 눈빛이라서 아티는 헛웃음을 흘렸다.
"가브리엘 플로라 네벨."
미카엘의 낮은 목소리에 가브리엘이 몸을 움츠렸다.
미카엘이 풀 네임을 감정 없이 부를 때는 가브리엘에게 있어 공포의 순간이었다.
"오, 오라버니."
부모님도 혼내지 않는 가브리엘을 유일하게 혼내는 것이 미카엘이었기에 가브리엘은 순식간에 순한 양이 되어 있었다.
"먼저 마차로 가 있어라."
"뭐? 하지만 오라버니……."
반론을 하려던 가브리엘은 미카엘의 싸늘한 푸른 눈을 보자마자 입을 다물었다.
"가브리엘. 오라버니 말 들을 거지?"
결국 가브리엘이 마지못해 고개를 끄덕였다. 가브리엘을 보낸 미카엘이 아티를 보았다.
"나는 이만 빠져 줘야겠네."
마리에가 빙그레 웃으며 말했다. 아티가 마리에를 잡으려고 했지만 이미 때는 늦었다.
"오랜만에 뵙습니다."
미카엘의 인사에 아티가 어색하게 웃었다.

"네. 오랜만이네요, 미카엘 님."
미카엘의 시원한 미소에 아티의 미소가 경직되었다.
"건강해 보이셔서 다행입니다. 계속 걱정했거든요."
"네. 건강해요."
"네벨가의 방문을 계속 거절하셔서……. 이렇게라도 뵈어서 다행입니다."
"그건 불편해서요. 네벨가와 좋은 관계는 아니라고 생각했거든요."
"저와도 말입니까?"
미카엘의 질문에 아티가 멈칫했다.
언제나 다정한 미카엘의 눈빛이었지만 오늘만큼은 달랐다. 무언가를 갈구하는 눈빛.
미카엘의 강렬한 눈빛에 아티는 일순 무슨 말을 해야 할지도 잊어버렸다.
"저는 라라와 좋은 관계이고 싶었거든요. 늘. 계속."
이건 대체 무슨 의미인 걸까.
아티의 입술이 벌어졌다가 다시 닫혔다. 무슨 말을 해야 좋을지 알 수 없었다.
"저도 미카엘 님과 좋은 관계이고 싶어요."
자그마한 아티의 말에 미카엘이 미소 지었다.
겨울의 눈을 녹이는 봄처럼 화사하고 따스한 미소에 아티의 얼굴이 붉어졌다.
"그럼 앞으로는 인사하고 지내 주시는 겁니까?"
"네? 네."

"그거 다행이군요."

미카엘이 미소 지었다. 풀린 분위기에 아티도 같이 미소 지었다.

"그럼 오늘은 여기서 만족하도록 하죠."

"네?"

미카엘의 의미심장한 말에 아티가 고개를 갸웃했다. 미카엘이 빙그레 웃었다.

"다음에 봐요. 화원에서."

아티가 두 눈을 깜빡이다가 고개를 끄덕였다. 미카엘이 미소를 지우지 않고 고개를 끄덕여 인사를 했다.

깔끔하게 인사를 끝내고 돌아선 미카엘의 뒷모습을 멍하니 지켜보다가 아티는 생전 처음 느끼는 기분에 당황스러웠다.

"설마 미카엘 님이……."

얼핏 다른 생각이 뇌리를 스쳤다. 아티는 서둘러 고개를 가로저어 그 생각을 날려 보냈다.

"설마 그럴 리가 없지."

✦ ♛ ✦

"설마 그럴 리가."

테르니가 놀란 표정으로 아드리안을 바라보았다.

"미카엘이랑 아티가 그렇고 그런 사이가 될지도 모른다니, 아드리안 좀 어디 아픈 거 아냐?"

어제 미카엘과 아티가 만났다는 이야기를 마리에로부터

전해 들은 아드리안이 초조해하자 테르니가 이해를 할 수 없다는 표정으로 어깨를 으쓱였다.

"미카엘은 아티를 좋아해."

"당연히 온 세상이 아티를 좋아하지. 내 동생이 싫단 놈이 있을 리가 없어~!"

만약 그런 놈이 보이면 전부 박살 내 주겠다는 기세로 테르니가 소리쳤다.

아드리안은 그러거나 말거나 초조함을 지울 수 없었다. 아티에게 키스를 한 지 벌써 며칠이 지났는가? 그런데 아직도 아티에게서 이렇다 할 반응이 오지 않았다.

"설마 잊어버린 건가."

테르니는 당연히 아드리안과 아티 사이에 있었던 일을 알지 못했다.

'이렇게 초조해하는 아드리안이라.'

하지만 이런 반응을 보이는 아드리안은 무척이나 신선하고 재미있었다.

"내가 알아봐 줄까?"

테르니의 말에 아드리안이 인상을 찡그렸다.

"뭘?"

"미카엘이랑 아티가 무슨 사이인지."

테르니의 제안에 아드리안의 표정이 미미하게 바뀌었다.

"어때?"

아드리안의 이성은 안 된다고 외쳤지만 유혹이 너무 강했다.

"내가 눈치채지 못하게 싹 알아다 줄게. 나 믿지?"

"……."

믿을 사람이 없어 너를 믿겠냐는 말은 혀끝에서 나가지 않았다. 결국 아드리안은 힘없이 고개를 숙였다.

허락의 의미였다.

"아싸!"

✦ ♛ ✦

"그래서~ 이렇게 된 거란 말씀!"

테르니가 기쁜 목소리로 아티에게 자랑을 늘어놓았다.

"아드리안이 허락했어요?"

"당연하지! 남매끼리 데이트 좀 하겠다는데 지가 뭔데 막겠어?"

"이상하다."

아티는 믿을 수 없었다. 테르니와 함께 궁 밖에 나가는 걸 아드리안이 허락했다니.

"정말요?"

에센이 포인세티아 궁으로 불려 가고 난 다음에 생긴 일이라서 아티는 아직도 어안이 벙벙했다.

다짜고짜 쳐들어온 테르니가 밖에 나갈 거니 간편하게 갈아입으라고 종용해서 옷을 갈아입었더니 그대로 끌고 나온 것이었다.

"그럼~! 아드리안이 오늘 마음껏 놀라고 돈도 줬어."

"돈을요?"

테르니가 자신의 두둑한 지갑을 보여 주었다. 아티는 더더욱 믿을 수 없었다.

"오늘 뭐 할까? 아티, 뭐 하고 싶은 거 있어?"

"딱히……."

아티의 뚱한 대답에 테르니가 울먹였다.

"딱히라니! 매정해! 나랑 노는데 어떻게 그럴 수 있어!"

"갑자기 그러니까 생각 안 나요."

"그래? 그럼 우리 어릴 적에 자주 갔던 언덕 갈까? 그 근처에 있는 가게에서 파는 애플파이가 아주 기가 막히잖아."

"좋아요. 마침 어릴 적 먹었던 그 맛이 먹고 싶었어요."

"아, 역시 내 동생이야. 뭘 좀 잘 알아."

아티는 이제 테르니가 하는 정신 나간 소리를 걸러 들을 수 있을 만큼 단련이 되었다.

"와, 오랜만이다~!"

둘은 자유롭게 엘도라도 거리를 걸었다.

테르니가 이끄는 대로 걷고 있었지만 아티도 새삼스러운 기분이 들었다.

이 거리는 어릴 적이나 커서나 어려운 장소였다.

'어릴 적엔 단순히 어려서, 커서는…….'

이제는 다 멀게 느껴지는 일들이었다.

"아티, 아티는 남자 중에서 누가 제일 좋아?"

"음. 헬머 아저씨……."

"뭐?! 나랑 아빠가 아니라?!"

충격받은 테르니를 빤히 보며 아티가 자그맣게 고개를 끄덕였다. 테르니는 세상이 무너진 것 같은 충격을 받았다.
"믿을 수 없어. 내가……. 내가…… 밀리다니!"
다른 때였으면 아티가 물러나겠지만 이번만큼은 물러설 수 없는 사안이었다.
아티가 모른 척을 하자 테르니가 아티에게 매달렸다.
"그럼 두 번째는 누구야?!"
질문이 끝나기 무섭게 머릿속에 떠오른 건 한 사람이었다.
'아드리안 황태자.'
하지만 어째서인지 입 밖에 내놓을 수 없다. 아티가 답을 못하자 테르니가 희망찬 표정으로 물었다.
"역시 나지?!"
아티는 테르니를 빤히 보다가 고개를 끄덕였다.
그래, 옜다. 애정.
"꺄! 역시 그럴 줄 알았어!"
테르니가 과하게 기뻐하며 난동을 부렸다. 아티가 슬슬 테르니가 버거워져서 짜증이 날 무렵, 돌연 테르니가 진지한 표정으로 말했다.
"오늘 데이트 값은 이 오빠가 책임진다."
아티는 없던 애정도 샘솟았다.
"오빠!"

"그런데 요즘 뭐 하고 지냈어요? 잘 안 보이던데."

딸기를 얹은 파르페를 먹으며 테르니를 바라보았다.
매일같이 방문하던 테르니가 한동안 보이지 않았기에 예의상 물어본 것이었는데 테르니의 반응이 진지했다.
"아주 큰 일이 있었지."
"……?"
테르니가 파르페를 한 입 먹으며 고개를 가로저었다. 뭔지는 몰라도 엄청 심각해 보였다.
"네가 알면 아주 놀랄 일이야."
"무슨 일인데요?"
"글쎄, 그게."
테르니가 주변을 둘러보았다. 혹시 있을지 모를 첩자를 대비한 행동이었는데, 영문을 모르는 내 눈에는 또 이상한 짓을 하는 것처럼 보였다.
"이리 와 봐."
테르니가 손짓한 대로 가까이 가니, 테르니가 작은 목소리로 귓속말을 했다.
"내가 재상의 약점을 잡은 것 같아."
"재상이요?"
내가 아는 재상이 둘일 리는 없었다.
"네벨가?"
"응!"
테르니가 신나게 웃었다.
"다 이 몸이 뛰어나서 가능한 일이지. 엣헴."
"와아—. 멋지다."

세상 영혼 없는 환호를 한 뒤, 마저 파르페를 먹었다.

내 관심은 거기서 종료되었지만 자신의 멋짐과 뛰어남을 자랑하고 싶어 안달 난 건지 테르니는 멈추지 않았다.

“요즘은 엘라디스토 가문에 대해서 알아보고 있어.”

“엘라디스토?”

어디선가 들어 본 것 같은데 이상했다. 왜 이렇게 친숙하지? 내가 고개를 갸웃하자 테르니가 눈을 반짝였다.

“뭐 좀 알아?”

“아니요. 딱히……. 어디선가 들어 본 것 같기는 한데.”

“그래? 하긴 네가 어렸을 때는 건재했을 테니까. 지금은 망해서 없어.”

“그래요?”

망했다는 말에 괜히 내 일도 아닌데 안타까웠다.

‘우리 집안도 망해서 그런가.’

이런 것이 동병상련이라는 것이던가.

“자료가 많이 없어서 알아보는 데 무척 힘들어. 그래도 어떻게 잘 알아보고 있는데 아드리안 그 자식이 자꾸 날 구박한다고! 내가 뛰어나서 너무 쉽게 알아내는 것처럼 보이나 봐!”

“아드리안이 잘못했네요.”

“그치? 아, 역시 내 편이 되어 주는 건 우리 아티밖에 없다니까?!”

신이 난 테르니가 기쁨의 댄스를 추었다.

앉아서 두 팔을 흔들어 대는 꼬락서니가 어찌나 웃기던

지 파르페를 먹다가 참지 못하고 웃어 버렸다.

그러거나 말거나 테르니의 소울 가득한 춤은 계속되었다.

"오늘 저녁은 뭐 먹을까? 우리 엘디로르 갈까?"

"엑, 거기 엄청 비싼 레스토랑 아니에요?"

"맞아!"

테르니가 해맑게 답했다.

"예약해야 한다고 들었어요."

"예약? 그런 건 필요 없어."

한동안 잊고 지냈던 신분 격차가 생각났다.

'엘디로르'는 은퇴한 황실 셰프가 어느 몰락한 귀족 가문의 저택을 개조해서 만든 레스토랑으로 극상의 맛을 자랑하는 곳이었다.

얼마나 유명하냐면 외국에서 온 귀빈들이 꼭 한 번씩 방문하고 가는 장소!

평민들에겐 꿈같은 장소였고 나 역시 꿈처럼 생각하는 장소였다. 그런 곳에 가자고 하다니…….

기쁘면서도 씁쓸했다.

"거기 맛있어. 엄마가 좋아해서 자주 외식하러 갔는데 매일 빠지던 우리 동생이 드디어 같이 가는구나."

테르니가 두 눈을 빛내며 물었다.

"부모님도 부를까?"

새삼 별천지 사람이라고 생각했는데 장난스러운 질문에 웃음이 터져 버렸다.

"아니요, 오라버니. 오늘은 둘만의 데이트잖아요."

"으으음~~!"

태연한 답에 테르니가 만족스럽다는 듯 헤벌쭉 웃었다.

"역시 우리 동생이 뭘 좀 알아."

테르니의 재롱 덕에 기분이 풀리긴 했지만 새삼스레 나의 드레스 코드를 생각하지 않을 수 없었다.

"이런 차림으로 괜찮을까요?"

비싼 레스토랑인 만큼 엘디로르는 손님을 받는 데 까다롭기로 유명했다.

"괜찮아. 거기 셰프님이랑 지배인이랑 다 아는 사이거든."

테르니가 자신만만하게 웃었다.

✦ ♛ ✦

테르니의 호언장담처럼 우리의 간편한 옷차림은 별문제가 되지 않았다.

모두가 한 번은 가 보고 싶어 하는 꿈의 레스토랑에 입성하면서 격식에 맞춰 입고 오지 못한 것이 신경 쓰였지만 나만 그런 모양이었다.

오비에도의 이름을 대자 친히 등장한 레스토랑의 총지배인이 우리의 자리 안내를 맡았다.

"오신다고 미리 연락을 주셨으면 더 좋은 자리를 맡아 두었을 텐데요."

"좋은 자리면 더 좋지만 아니어도 엘디로르는 최고니까 괜찮아!"

테르니의 말에 총지배인이 옅게 미소 지었다.

“그럼 예약되지 않은 자리 중에서 최고의 자리로 모시겠습니다. 자, 가시죠.”

총지배인이 막 우리의 자리를 안내해 주려고 했을 때였다.

식기가 깨지는 소리와 함께 어디선가 나타난 직원이 총지배인에게 귓속말을 했다.

총지배인이 표정을 굳혔다.

“잠시 기다려 주십시오. 저는 잠깐 볼일이 있어서.”

총지배인이 사라지자 남은 직원이 우리를 보며 어색하게 미소 지었다.

“자리로 안내해 드리겠습니다, 손님. 이쪽으로 오시죠.”

무슨 일인지는 몰라도 직원의 안내에 고개를 끄덕이고 따라가려고 했는데 팔이 붙잡혔다.

돌아보니 테르니가 과하게 반짝거리는 눈으로 나를 보고 있었다.

“따라가 보자!”

“네?”

이게 무슨 해괴한 소리란 말인가. 그런 무례한 행동을 이런 곳에서 하자는 테르니의 뇌를 의심했다.

“이리 와! 재미있을 것 같아!”

“아니, 잠깐만!”

말릴 새도 없었다. 테르니가 내 팔을 붙잡고 총지배인의 뒤를 쫓은 것이었다.

총지배인이 향한 곳은 커다란 룸이 가득한 쪽이었다.

또 한 번 뭔가가 깨지는 소리가 들렸다. 그리고 깊은 한숨도.

"가브리엘, 네가 원하는 대로 엘디로르까지 왔잖아. 이게 무슨 짓이야."

"마음에 안 들어! 다시 해 와!"

직원들이 쩔쩔매는 가운데 총지배인이 룸 안으로 들어갔다.

익숙한 목소리에 우리도 서로의 눈을 마주치다가 어깨를 으쓱였다.

"저를 부르셨다고 들었습니다. 무슨 일이십니까."

"총지배인! 엘디로르 망하고 싶어? 음식 맛이 이게 뭐야! 하나같이 맛이 없잖아!"

"죄송합니다, 가브리엘 님. 다시 준비해서 가져다 드리도록 하겠습니다."

"됐어. 벌써 세 번이나 다시 가지고 왔는데 마음에 들지 않아. 여기서 한 번 더 바꿔 가져온다고 해도 달라질 건 없겠지."

가브리엘이 인상을 쓰자 총지배인이 미소를 띠며 응대했다.

"가브리엘 님의 마음에 쏙 들 만한 음식을 준비해 올 터이니 부디 조금만 기다려 주시길 바랍니다. 저희 엘디로르는 언제나 손님의 만족을 우선시하니까요."

가브리엘은 여전히 만족하지 못한 표정으로 총지배인을 노려보았다. 미카엘이 또 한숨을 내쉰 순간이었다.

"이야, 이게 누구야."

테르니가 방 안으로 난입했다.

"가브리엘이랑 미카엘 아니야? 네벨가의 자제들을 이런 데서 우연히 마주치다니 놀랍다. 그치?"

미카엘을 마주 보며 테르니가 웃자 놀라운 표정으로 테르니를 바라보던 미카엘이 옅게 웃었다.

"뭐야, 어디서 온 거예요?"

"가브리엘 양도 안녕. 오늘은 또 무슨 일 때문에 신경질을 부리고 있나?"

"댁이 알 바 아니거든요."

"가브리엘은 오늘도 까칠하네."

테르니가 빙그레 웃자 가브리엘이 인상을 썼다.

"남매끼리 데이트라도 나온 거야?"

테르니가 묻자 미카엘이 고개를 끄덕였다. 가브리엘이 확 표정을 구기더니 테르니를 노려보았다.

"댁은 여기 왜 온 거예요?"

"아, 우리도 남매 데이트지!"

테르니가 멀찍이 거리를 두고 있던 나를 데리고 둘 앞에 세웠다.

"짜잔!"

미카엘과 가브리엘의 시선을 한 몸에 받자 어색한 미소를 지어 봤으나 역부족이었다.

"이렇게 만난 것도 우연인데 우리 합석할까?"

테르니의 제안에 나와 가브리엘이 동시에 경악했다. 당연히 거절할 거라고 생각했는데.

"그것도 나쁘지 않네."

미카엘이 수락했다.

역시 세상은 내 맘대로 흘러가지 않는 법이었다.

✦ ♛ ✦

가브리엘은 흘긋 자신의 옆에 앉은 아티엔느를 바라보았다.

아티엔느도 옅은 푸른 눈동자로 자신을 바라보았다.

합석이 정해지자마자 총지배인이 기뻐하며 바람처럼 두 사람의 자리를 마련해 주었다.

아마 총지배인은 엘디로르와의 오랜 인연으로 테르니가 나서서 진상 손님을 커버해 주는 거라 오해한 모양이지만 아티는 누구보다 잘 알았다.

'그냥 재미로 그런 거겠지, 저 인간.'

그리고 아티의 생각은 적중했다.

"와, 이렇게 남매끼리 모이는 거 정말 좋은 거 같아. 그치, 미카엘?"

"그렇군요."

미카엘의 시선이 바로 앞에 앉은 아티에게 향했다. 아티가 옅은 미소를 지어 주었다.

원형 테이블이라 아티는 테르니와 가브리엘 사이에 앉게 되었다.

가브리엘은 아티를 미카엘 옆에 앉히기 싫어서 일부러 자신의 옆에 앉혀 놓았는데, 오히려 두 사람이 마주 보는 형국이라 눈이 자주 마주치자 기분이 상했다.

'쟤는 왜 자꾸 우리 오빠한테 웃어 주는 거야?'

자기도 오빠가 있는 주제에!

"자, 아티. 이것 좀 먹어 봐."

"응."

테르니가 연신 어미 새처럼 맛있는 음식을 아티에게 건네주었다.

"어때? 맛있어?"

"맛있네."

"그치, 그치."

꽃받침을 한 테르니가 맛있게 먹는 아티를 노골적으로 지켜보았다. 그걸 지켜보던 가브리엘이 샘이 나 미카엘을 보았다.

"오라버니~."

자신도 해 달라는 의미였는데, 미카엘이 모를 리 없는 데도 한숨을 내쉬며 외면했다.

"와, 가브리엘 양은 배가 안 고픈가 봐. 그거 안 먹을 거면 우리 아티 줘도 돼?"

테르니의 말에 가브리엘이 인상을 썼다.

"먹을 거거든요?"

이런 사소한 걸로도 아티에게 지다니 가브리엘이 부글부글 끓었다.

'말도 안 돼!'

요즘 계속 저 여자에게 지고 있었다. 가브리엘은 뭐 하나라도 아티엔느에게 이기고 싶었다.

그게 아무리 사소한 거라도!

'잠깐만.'

아티를 노려보던 가브리엘이 정신을 차렸다. 그러더니 테르니와 미카엘 얼굴을 번갈아 보았다.

'내가 이긴 게 하나 있잖아?'

가브리엘이 여유롭게 웃었다.

"아티 양은 불쌍하네요."

"……?"

뜻 모를 말에 테르니와 미카엘, 아티까지 가브리엘을 보았다.

셋의 시선이 모이자 가브리엘이 미카엘의 팔짱을 끼며 아티를 도도하게 바라보았다.

"한심한 오빠를 둬서 불쌍해요. 역시 우리 오빠야말로 최고죠."

가브리엘의 도발에 아티가 미간을 좁혔다.

분하지만 맞는 말이었다.

"그러네요."

아티가 반발할 줄 알았는데 수긍하자 테르니가 물음표를 띄웠다.

"……? 난 짱이야!"

테르니의 말에도 가브리엘과 아티의 시선은 싸늘했다. 하지만 전혀 개의치 않고 테르니가 주장했다.

"난 최고야! 난 멋져! 난 짱이라고!"

미카엘까지 합세해 세 사람 다 이상한 놈 보듯 보자, 테르니가 고개를 절레절레 흔들었다.

"어쩔 수 없이 나의 멋짐을 보여 줘야겠군."

필요 없다고 아티가 말하려던 순간이었다. 테르니가 미카엘을 가리키며 외쳤다.

"결투를 신청한다, 미카엘!"

✦ ♛ ✦

멀쩡하고 잘나가는 남자들이라면 하지 않는 것이 하나 있다.

자존심 싸움.

미카엘은 대체 왜 자신이 이러고 있어야 하는지 알 수 없었다.

"제가 졌습니다."

미카엘의 패배 선언은 통하지 않았다. 테르니는 기필코 자신의 손으로 박살 내겠다는 기세로 외쳤다.

"정정당당하게 덤비라고!"

전혀 덤비고 싶은 마음이 없는 남자에게 테르니는 열을 올리고 있었다.

"누가 더 멋진지 바로 여기서 보여 주지!"

최고급 레스토랑은 순식간에 결투 현장으로 바뀌었고 레스토랑 측은 기꺼이 테르니의 요구를 들어주었다.

테르니는 세 종목을 정했다.

1. 많이 먹기
2. 매운 거 참기
3. 높은 곳에서 뛰어내리기

물론 미카엘은 셋 다 질색했다.
"도대체 이런 짓을 왜 하는 겁니까……."
"당연히 나의 멋짐을 증명하기 위해서다!"
이해를 하지 못하는 미카엘을 데리고 테르니는 결연하게 전장으로 올라갔다.
첫 번째 항목은 바로 '많이 먹기'였다.
레스토랑에서 준비한 많이 먹을 음식은 바로 파스타였는데 미카엘은 준비된 음식을 보자마자 질린 표정이었다.
"후후. 그 눈으로 똑똑히 확인하라고!"
지목당한 아티와 가브리엘은 도대체 뭘 확인해야 할지 알 수 없는 표정이었다.
아티는 살다 살다 가브리엘과 유대감을 느끼게 될 날이 올 줄은 몰랐다.
"자, 준비하시고!"
레스토랑의 많은 사람들이 지켜보는 와중에 세기의 대결이 시작되었다.
"시작!"
테르니가 허겁지겁 파스타를 들어서 빨아들이듯 먹었다. 대조되게도 그 옆에 있는 미카엘은 우아하게 식사를 시작했다.

아티는 솔직히 테르니가 졌다고 생각했다.

얼마의 시간이 흘렀을까, 미카엘은 준비된 파스타 양의 반의반도 끝내지 못하고 패배를 선언했다.

"제가 졌습니다."

"정말 끝내시는 겁니까? 이대로 끝입니까?"

신난 레스토랑 직원이 외쳐 봤지만 미카엘은 그대로 패배 선언을 했다.

"아~ 아쉽습니다. 이걸로 1승은 테르니 님이 가져갑니다."

"우아아아아아!"

이미 반 이상 그릇을 비운 괴물 테르니가 기쁨에 미쳐 날뛰었다.

축하해 주는 사람들의 환호 사이로 유난히 싸늘한 두 사람이 있었으니, 그 둘은 바로 아티와 가브리엘이었다.

"가브리엘 양."

"왜 불러요?"

"한 번만 우리 오빠가 멋지다고 해 주고 끝내죠."

"네? 제가 왜요? 싫어요!"

아티가 이 멍청한 짓을 빠르게 종결 낼 쉽고 빠른 제안을 해 봤지만 가브리엘의 거절로 실패했다.

아티가 깊은 한숨을 내쉬었다. 테르니가 기다렸다는 듯 아티에게 달려왔다.

"어때, 아티! 네 오라버니의 멋짐을 이제 똑똑히 보았겠지!"

"네. 정말 멋있었어요. 그러니까 이제 그만하면 안 돼요?"

"무슨 소리! 남자가 검을 뽑았으면 무라도 썰어야지!"

테르니는 정말 끝까지 가려는 모양이었다. 아티는 미카엘을 동정했다. 미카엘은 벌써부터 안색이 좋지 못했다.

"다음 대결은! 바로 '매운 거 참기'입니다!"

첫 대결을 보고 아드레날린이 솟구친 다른 손님들이 자신도 하면 안 되겠냐고 신청이 쇄도했다.

결국 레스토랑 측이 테르니에게 양해를 구한 결과 총 10명의 도전자가 새로 생겼다.

"그럼 저는 이만 빠져도……."

"하하. 어딜 가려고. 시작한 이상 끝을 봐야겠지, 미카엘?"

빠져나가려는 미카엘을 꽉 잡은 채 절대 놓지 않으며 테르니가 2라운드를 시작했다.

"자! 총 다섯 단계의 매운맛이 준비되어 있습니다. 물과 우유 없이 참고 버티는 사람이 승자입니다!"

1단계의 이름은 순한 맛이었다.

"허허, 순한 맛 정도야."

이름 모를 남자가 웃으면서 먹었다. 그리고 그는 더 이상 말을 할 수가 없었다.

"무, 물! 물!"

물을 찾는 그의 외침이 그가 남긴 마지막 말이었다.

"하하. 맛있네."

테르니는 가뿐하게 1단계를 통과했고 5명 정도가 멀쩡하게 먹었다.

미카엘은 자신 앞에 놓인 매운맛 면을 심란하게 바라본 뒤 젓가락을 들었다.

그리고…….

“패배를 선언합니다.”

한 가닥 먹은 미카엘의 빠른 판단의 승리였다.

“하하하! 나약한지고!”

매운맛의 단계가 점점 더 올라갔다. 2단계 매운맛. 3단계 눈물 맛! 4단계 기절 맛!

“여러분들 오래 기다리셨습니다! 드디어 5단계 죽을 맛입니다!”

“와아아아!”

심지어 이걸 만들어 낸 주방 셰프들조차 고개를 가로저었다.

그런 매운맛 앞에 선 후보는 단둘이었으니, 바로 테르니와 이름 모를 전사였다.

“후후. 자네. 제법인걸?”

“아서입니다. 테르니 각하도 꽤 하시는군요.”

두 사람은 견제를 하면서도 서로의 실력을 인정했다.

그걸 지켜보던 미카엘과 아티, 가브리엘은 알 수 없는 표정을 지으며 서로를 보았다.

“시작합니다!”

직원의 선언과 함께 테르니와 아서가 5단계 죽을 맛을 입에 넣었다. 그리고…… 한 사람의 인영이 쓰러졌다.

살아남은 건 테르니였다.

“크하하! 내가 바로! 이 구역의 미친놈이다!”

쏟아지는 박수갈채 속에서 테르니가 멋진 포즈를 취했

다. 아티는 모르는 척하고 싶었다.
"저랑 모르는 사람이에요."
아티가 그렇게 쳐 내 보았지만 눈을 반짝이며 테르니가 아티 앞에 다가왔다.
"아티, 봤지? 봤지?!"
"네, 네……."
"어땠어?"
그렇게 먹은 게 맵지도 않은지 테르니가 붉어진 입가를 닦을 생각도 하지 않고 아티의 입에서 나올 말만 두근두근 기다렸다.
"멋졌어요. 오빠, 최고."
영혼 없는 목소리에 테르니가 그럴 줄 알았다는 듯 광소를 터뜨렸다.
"이 오빠가 자랑스럽지?!"
"네. 자랑스러워서 가슴이 벅차요."
"거럼, 거럼! 당연히 그렇게 나와야지."
영혼 없는 아티의 목소리에도 개의치 않는지 테르니는 잔뜩 신이 난 표정으로 미카엘을 바라보았다.
"자, 미카엘! 우리에겐 마지막 숙제가 남아 있다! 가자!"
미카엘에게는 이제 거절할 힘도 남아 있지 않았다.
식사를 끝내고 테르니가 마지막 대결을 위해 미카엘을 끌고 나가려고 하자 아티가 재빨리 가브리엘을 설득했다.
"지금 안 말리면 가브리엘 양의 오라버니가 죽을지도 몰라요."

가브리엘은 절대로 아티의 말을 듣고 싶지 않았지만, 이대로라면 정말로 테르니가 미카엘을 죽일 수 있을 거라고 생각했다.

"저기, 테르니 님."

"응? 왜~?"

뒤돌아선 테르니를 본 가브리엘이 서둘러 미카엘을 빼냈다.

"더 이상은 됐어요! 오빠 대결에서 이미 당신이 이겼으니까!"

가브리엘의 인정에 테르니가 두 눈을 동그랗게 떴다. 그러고는 바로 아티를 보았다.

아티는 그 시선에 테르니가 간절히 원하는 쌍 따봉을 보여 주었다.

"후후후후. 드디어 나의 위대함을 알아보았군."

테르니가 만족한 듯하자 가브리엘이 서둘러 미카엘을 붙잡고 나갔다.

"그러면 저희는 이만."

가브리엘도 미카엘도 더 이상 테르니와 엮이고 싶지 않아서 빠른 퇴장을 한 것인데, 혼자 남은 테르니는 아주 흐뭇하게 웃으며 아티에게 다가왔다.

"잘 보았겠지, 이 오라버니의 위대함을!"

"네. 오빠 최고."

아티의 추앙에 테르니의 콧대가 하늘 높게 치솟았다.

물론 테르니가 오빠 대결에선 승리했지만, 아티는 테르

니가 인간으로서 졌다고 생각했다.

여담으로 느닷없는 대결 이벤트가 흥한 레스토랑에서 주기적으로 이 이벤트를 열게 되었다고 한다.

✦ ♛ ✦

어제 있었던 승리의 기쁨을 만끽하며 테르니가 포인세티아 궁에 도착했다.

"왔노라, 보았노라, 이겼노라!"

"갑자기 무슨 헛소리야?"

어제 있었던 일을 모르는 아드리안을 보며 테르니가 생긋 웃었다.

"미카엘 말이야. 내가 혼내 주고 왔어."

"어?"

이건 대체 무슨 소리?

이해를 못 하는 아드리안을 배려해 줄 생각이 없는 테르니는 이어서 속사포같이 다른 말을 내뱉었다.

"그리고 아티는 너보다 내가 더 좋대."

"……?"

"아드리안, 아무래도 넌 나를 못 이길 것 같아. 후후."

은은하게 웃는 테르니를 보며 아드리안은 여전히 상황을 이해하지 못했다.

그래서 둘이 대체 무슨 사이라는 거야?

✦ ♛ ✦

시간이 지날수록 깊어지는 의문 때문에 일상생활이 불가능해진 아드리안은 결국 참지 못하고 릴리 궁으로 향했다.

'오늘 물어보자.'

미카엘과의 관계도, 자신을 어떻게 여기는지도 다 물어볼 생각이었다.

"아티 어디 있어?"

"후원에 계세요."

마담 루시의 말대로 아드리안은 후원으로 향했다. 아티는 오늘도 따사로운 햇살 아래서 책을 읽고 있었다.

그 모습이 꼭 늘어진 고양이 같아서 아드리안은 무심코 귀엽다고 생각했다.

'아니, 원래 귀엽지만.'

아티가 귀여운 것까지는 좋았다.

문제는 막상 아티를 보니 어떤 말로 물어봐야 할지 모르겠다는 것이었다.

'나를 어떻게 생각해?'

……는 너무 멍청해 보이잖아.

인사를 하고 그다음에 궁금증을 해결해야 할 텐데, 마땅한 말이 떠오르지 않았다.

결국 아드리안이 망설이느라 시간을 허비하던 때에 먼저 인기척을 눈치챈 아티가 인사를 해 왔다.

“아드리안! 언제 왔어요?”

“어? 어. 지금 왔어.”

어색하게 답한 아드리안이 바짝 마른 입술을 혀로 훑었다.

“잘 지내지?”

“네. 잘 지내고 있죠.”

자신의 멍청한 질문에 아차 싶어 두 눈을 감았다가 아드리안이 심호흡을 했다.

왜 이런 순간만 되면 얼간이로 변하는 건지 저 자신을 이해할 수 없었다.

“궁금한 게 있어서 왔어.”

“궁금한 게 뭔데요?”

아티가 화사하게 웃으며 되묻자 혀가 얼어붙었다. 아드리안은 말을 꺼내려다가 자꾸 주저했다.

“그게.”

“네.”

아티가 듣고 있다는 듯 고개를 끄덕이자 아드리안은 자신을 바라보는 옅은 푸른 눈동자가 이렇게 아름답다는 걸 새삼 깨달았다.

이 시선이 영원히 자신에게 멈춰 있었으면.

누가 들어도 멍청한 소원을 갖게 된 순간 깨달았다. 머리끝부터 발끝까지 관통하는 한 가지 사실.

‘내가 이 사람을…….’

정말로 원하는구나.

언제나 아무 생각 없이 지나치던 후원의 풍경이 색을 입고, 특별하지 않던 순간이 특별해지고, 좋아하지도 않던 것을 좋아하게 되고, 더 이상 이 풍경에 이 사람이 없다는 사실을 견딜 수 없게 된다.

아드리안은 새삼 깨달았다.

'……언제 이렇게 깊어진 거지?'

어제보다도 오늘 더, 자각한 순간보다 더 깊이 뿌리내려 뽑아낼 수도 죽일 수도 없는 감정.

이 감정에 이름을 붙인다면 한 가지 단어밖에 없었다.

사랑.

아드리안은 조금 어이없었다.

매일같이 마르고 닳도록 외쳐 대던 모후 루드밀라의 진부한 사랑 타령을 이제는 자신이 하게 되다니.

"……? 아드리안? 괜찮아요?"

말을 꺼내지 못하고 멈춘 아드리안을 보던 아티가 고개를 갸웃했다.

작은 움직임과 옅게 부는 바람결이 아티의 머리카락을 흐트러뜨렸다.

그것이 못내 사랑스러워서 손안에 한 움큼 쥐고 그대로 품에 끌어안고 싶었다.

"그게 궁금한 게 있었는데."

"네. 듣고 있어요."

"……이제 없어."

"……네?"

아티가 그게 무슨 소리냐는 듯 고개를 갸웃했다.

혼란스러운 표정을 빤히 바라보다가 아드리안이 굳은 입매를 느슨하게 풀었다.

아티를 보기 전까지만 해도 궁금해 미칠 것 같았던 미카엘과의 관계도 자신을 어떻게 생각하는지도 이제 물어볼 수 없었다.

어떤 대답이 나올지 알 수 없으니까.

'무섭다라.'

생전 처음 느껴 보는 생경한 감각이었다. 무언가가 이렇게 두려울 수도 있단 말인가.

아티의 입에서 어떤 대답이 튀어나올지 무서웠다. 그리고 그 대답을 들은 자신이 어떻게 돌변할지도 자신이 없었다.

"저녁 같이 먹을래?"

"저녁이요?"

아티가 고개를 갸웃하다가 웃었다.

"좋아요."

아티의 미소에 아드리안도 같이 웃었다. 이제는 이 정도로 만족할 수 없지만…….

'나를 의식하는 건 확실하니까.'

아드리안이 손을 내밀자 아티가 뺨을 붉히며 조심스럽게 아드리안의 손을 잡았다.

아드리안은 천천히 하기로 했다.

아티가 놀라서 도망이라도 가면 안 되니까, 천천히.

'절대로 놓아주지 않을 거니까.'

✦ ♛ ✦

오랜만에 입궁한 아카시아를 둘러싸고 아사모 전원이 정원에 모였다.

"안녕하세요, 아카시아라고 해요."

"귀여워! 너무 귀여워!"

마리에는 귀염사를 할지도 모른다며 심장의 통증을 호소했다.

에센도 귀여운 아카시아를 보며 흡족한 기색이었다.

"내 어릴 적을 보는 기분이군."

"에센 오빠, 그게 무슨 소리예요! 당장 우리 천사에게 사과해!"

마리에가 반발을 했지만 에센은 귓등으로도 들은 척하지 않았다.

"오빠는 에센 경이 어렸을 때보다 네가 더 예쁘다고 생각해."

아사모의 초대 회원인 디아노는 아낌없이 자신의 덕력을 자랑했다.

세 사람이서 화기애애하게 아카시아를 둘러싸고 놀고 있는 동안 아티는 눈앞에 있는 미카엘을 똑바로 바라볼 수가 없었다.

바로 얼마 전 있었던 일을 잊지 못했기 때문이었다.

"미카엘 님, 지난번 들어가셔서는 평안하셨나요?"

"네. 레이디 오비에도. 괜찮았습니다."

미카엘이 웃으며 답하자 아티는 원인 모를 죄책감에 시달렸다.

"죄송합니다, 제 오빠가 그 모양이라……."

"아닙니다, 즐거웠습니다."

아티는 미카엘의 이 자비로움이 넘치는 마음이 어디서부터 비롯되었는지 늘 궁금했는데 이제는 알 것 같아서 슬퍼졌다.

'보나 마나 가브리엘이겠지.'

그런 동생을 데리고 살다 보면 원치 않아도 천사가 될 듯했다.

미카엘의 시선이 아카시아에게 향했다.

아카시아의 모습에 흐뭇한 미소를 짓던 미카엘이 아티에게만 들릴 정도로 작은 목소리로 말을 건넸다.

"아카시아 양이 정말 귀엽네요."

"그쵸? 제가 정말 아카시아를 처음 본 순간부터……."

"제 여동생도 어렸을 때 귀여웠는데."

"아…… 가브리엘 양이…… 귀여웠군요."

"그런데 아카시아 양이 더 귀여운 것 같네요."

"역시 우리 아카시아가……!"

자신이 건네는 말마다 시시각각 표정이 변하는 아티를 보며 미카엘이 풋 웃었다.

정말 알기 쉬워서 귀여웠다.

이유는 몰라도 미카엘이 웃어 주니 아티도 같이 웃을 때였다.

"아티~! 오빠 왔다!"

아티는 흡사 마른하늘에 날벼락이 떨어지는 듯한 감각을 맛보았다.

"이 목소리는……."

"테르니인가?"

디아노와 에센도 알아차린 듯 아티를 보았다. 아티는 누구보다 빠르고 남들과는 다르게 반응했다.

"모두들 여기 있어요! 절대 나오지 말고!"

아카시아까지 함께하는 아사모의 모임을 망칠 순 없었다. 자리에서 일어난 아티는 재빨리 소리가 들린 곳으로 향했다.

"와, 아티다!"

정원을 헤매고 다니던 테르니는 아티를 보자마자 활짝 웃었다.

"제가 여기 있는 건 어떻게 아셨어요?"

"응? 마담 루시가 여기 있을 거라던데?"

아티의 미소에 균열이 생겼다.

마담 루시가 무슨 생각으로 테르니를 보냈는지 모르겠지만 아티의 머릿속은 아사모를 지켜야 한다는 회장의 사명감으로 가득 찼다.

"그래요. 오라버니. 제게 하실 말씀이라도 있으세요?"

"응? 그건 아니고 우리 아티 보고 싶어서 왔는데?"

"저를요?"

"응. 그런데 아티, 왜 그렇게 오라버니를 맞이하는 표정이 기쁘지 않지?"

이상한 데서 예리한 테르니가 아티의 뺨을 콕콕 찔렀다. 아티가 어색하게 웃었다.

"그럼 하실 말씀은 없으신 거죠?"

"사실 하나 있어. 엘디로르에서 연락이 왔는데 우리 덕분에 이벤트를 열게 돼서 다음에 방문하면 특별한 식사를 무료로 제공하겠대. 기쁘지?"

엘디로르에서 했던 식사는 맛있었다.

정말 기쁜 소식이었지만 아티는 이벤트가 생기게 된 과정을 알고 있다 보니 마냥 기쁨을 느낄 수도 없었다.

"그런데……."

테르니가 고개를 갸웃하더니 재빠르게 발걸음을 옮겼다.

아티가 아차 하는 순간 아사모가 모여 있는 정자에 테르니가 고개를 불쑥 내밀었다.

"다들 여기서 뭐 해?"

에센, 디아노, 마리에. 거기에 미카엘까지.

처음 보는 이상한 조합에 테르니가 고개를 갸웃했다.

"응? 뭐야? 왜 다들 여기에 모여 있어?"

"와, 테르니 오빠다. 안녕하세요!"

가장 먼저 인사를 한 건 아카시아였다. 아카시아의 인사성 바른 모습에 모두가 자랑스러워했다.

"인사도 잘하는구나, 아카시아!"

마리에가 칭찬하자 아카시아가 수줍게 웃었다.

"뭐야, 아카시아잖아. 안녕?"

아카시아는 아카시아니까 상관없었는데 문제는 다른 사람들이었다.

아카시아랑 전혀 관련이 없을 것 같은 에센과 미카엘을 보던 테르니가 고개를 갸웃했다.

"무슨 비밀 모임이야?"

테르니가 호기심을 가지기 시작하자 아티는 한숨을 내쉬었다. 내키지 않았지만 아티가 어쩔 수 없이 입을 열었다.

"이건 '아사모'예요."

"아사모?"

"아카시아를 사랑하는 모임이다."

디아노가 덧붙인 설명에 테르니가 다시 한번 아사모의 회원들을 살펴보았다.

디아노, 는 오빠니까 당연히 있을 테고.

에센, 재는 여기 왜 있는 거야?

미카엘, 은 위화감이 없어서 놀라웠다.

마리에는 언제 이런 자리에 끼게 된 걸까?

그리고 마지막으로 아사모의 주인공인 아카시아.

아카시아는 테르니가 보기에도 귀여웠다. 내심 어린아이들을 사랑했던 테르니는 결국 참지 못하고 손을 들었다.

"나도 할래!"

뒤에서 아티가 한숨을 내쉬었다.

"나도 시켜 줘!"

눈을 반짝이는 테르니를 보며 에센이 혀를 찼다.

"우리는 다 엄중한 심사를 거쳐 들어온 사람이야."

"……?"

아티의 전도에 의해 들어오게 된 미카엘이 의아해했지만 안타깝게도 테르니는 보지 못했다.

"뭐? 무슨 자격?!"

"아무튼 테르니 오라버니는 안 돼."

마리에가 노골적으로 테르니를 꺼렸다.

"공주 전하, 너무하세요!"

"안 돼, 돌아가."

"아니, 나도 아카시아!"

결국 테르니가 마지막으로 바라본 것은 디아노였다.

"디아노! 우리의 우정을 잊지 않았겠지!"

디아노가 눈을 끔뻑이다가 아티를 바라보았다. 아티는 생각했다. 어제 벌였던 테르니의 짓…….

그 엄청난 사건의 첫 시작은 고작 아티가 최고의 오빠라고 해 주지 않았기 때문이었다.

"아티! 도와줘! 나도 아사모 할래! 아사모 할 거야!"

테르니가 떼를 쓰자 아티는 조용히 한숨을 내쉬었다.

"조건이 하나 있어요. 잘 지킬 수 있겠어요?"

"뭔데?! 말해 봐!"

아티가 아카시아를 걱정스럽게 바라보다가 말했다.

"아카시아한테 최고의 오빠는 디아노라는 사실에 화내지 말 것."

"아……."

테르니는 납득할 수 없다는 표정이었으나 아카시아가 두 눈을 깜빡이자 심장을 부여잡으며 고개를 끄덕였다.

"크으……. 알았어!"

그렇게 테르니가 아사모의 다섯 번째 회원이 되었다.

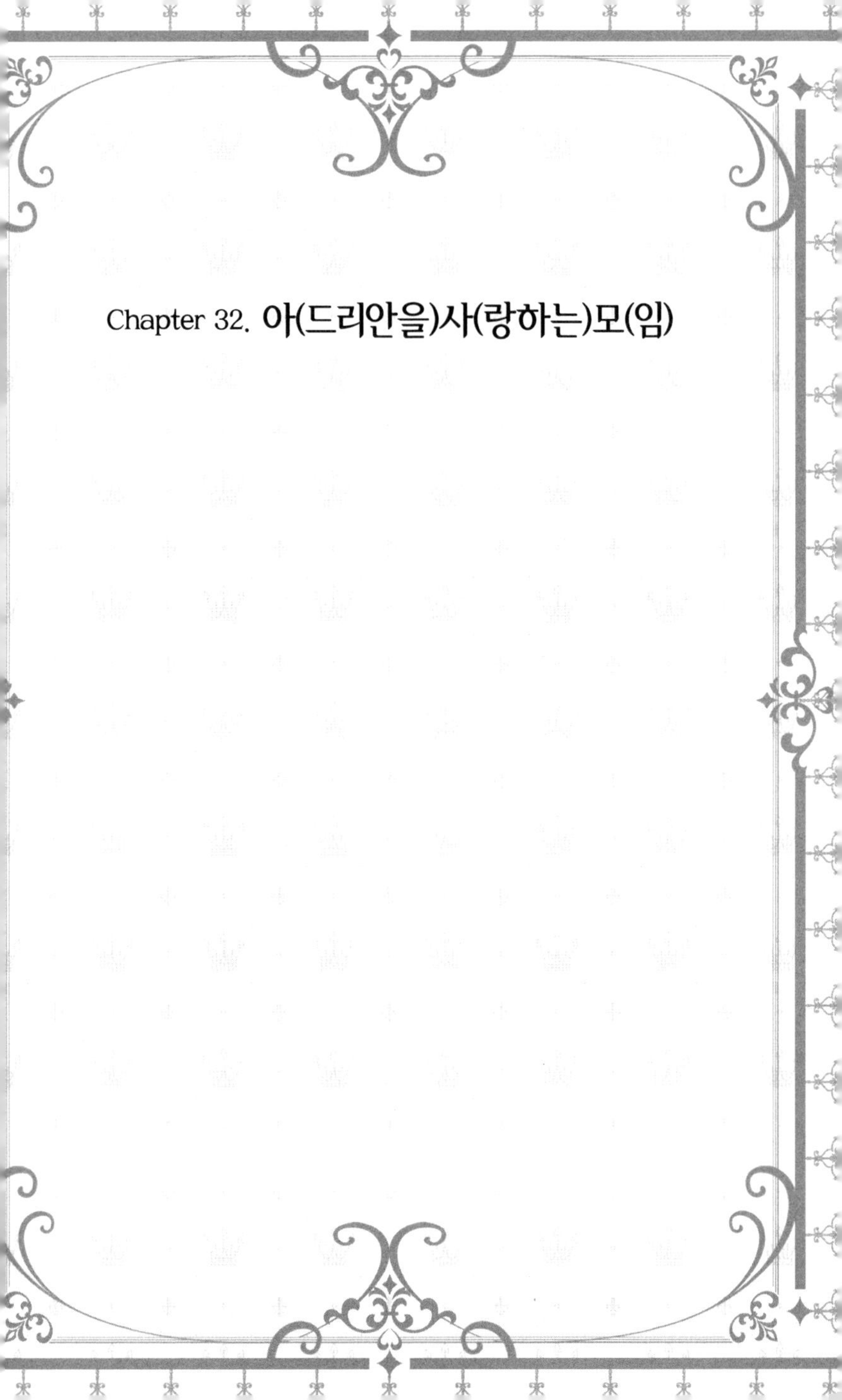

Chapter 32. 아(드리안을)사(랑하는)모(임)

Chapter 32. 아(드리안을)사(랑하는)모(임)

며칠 후, 오늘도 보람찬 아사모 정기 모임을 가졌다.

모두와 함께 사랑스럽고 귀여운 아카시아의 이야기를 하니 절로 마음이 온화해졌다.

"수고하셨습니다."

디아노가 모두에게 인사를 하며 가장 먼저 일어났다.

어쩐지 평소보다 더 신난 것 같은 표정이라 혹시나 하는 마음에 물어보았다.

"디아노 경. 혹시 '그분'께 가시나요?"

"예. '그분'께."

디아노의 발언에 모두가 그를 부러워했다. '그분'과 만나러 가다니!

'그분'이 직접 황성에 오지 않는 한 만날 수 없기에 디아노가 무지 부러웠다.

"'그분'께 안부 전해 주세요."
"예, 아티 님."
그렇게 모두가 돌아가고, 나는 마리에와 함께 루피너스 궁에 있는 마리에의 개인 도서관으로 향했다.
"내가 이번에 아티랑 같이 보려고 책을 왕창 주문했거든!"
"와! 어떤 책인데?"
"이번에는 좀 색달라. 일단 가 보면 알 거야!"
나를 데리고 개인 도서관에 간 마리에는 한가득 책을 빌려주었다.
"어? 이건 새 책인데?"
"괜찮아. 먼저 읽어. 읽고 재미있으면 말해 줘."
"그래도 돼?"
"그럼, 그럼. 다른 사람이면 안 되는데, 아티니까 괜찮아!"
나는 사람 좋게 웃는 마리에를 따라 미소 지었다. 하지만 과연 그럴싸하게 웃고 있는지 확신할 수가 없었다.
릴리 궁으로 돌아온 나는 마리에의 책을 정리하며 생각에 빠졌다.
"마리에는 왜 이렇게 착한 걸까?"
마리에에 대해서 더 알아 가고 친해질수록 부채감은 날로 커져만 갔다.
그에 보답한다고 하지만 절대 덜어지지 않는 무거운 부채감이.
마리에가 정말 좋은 사람이라, 더 괴로웠다.
그런 고민 탓인지 나는 며칠 동안 제대로 먹지도 자지도 못했다.

며칠 만에 나를 만나러 온 마리에가 내 얼굴을 붙잡으며 다짜고짜 아드리안의 욕을 했다.

"오빠지? 오빠가 또 헛짓거리한 거지?!"

"어, 어? 아니야!"

"뭐어? 아니라고? 그런데 얼굴이 왜 이렇게 반쪽이 된 건데? 어떤 자식이야. 데리고 와, 내가 확 없애 버릴 테니까!"

넌데…….

나는 마리에가 마리에를 없애 버리는 불상사가 벌어지지 않도록 그냥 웃음으로 얼버무렸다.

마리에가 한숨을 내쉬며 나를 흘겨보았다.

"이번에도 비밀이야?"

"응?"

"아티는 나한테 아무것도 안 말하니까, 이번에도 그런가 싶어서."

"그건……."

평소에 마리에는 이런 생각을 해 왔구나. 무슨 말을 해야 할지 알 수 없었다.

상처받은 듯한 마리에의 얼굴을 보니 더욱 입이 떨어지지 않았다.

내 고민 대부분은 마리에에게 말할 수 없는 비밀과 관련된 것들이니까.

진지한 눈으로 마리에가 나를 응시했다. 붉은 눈동자 가득 내 모습이 비쳤다.

"지금까지 살아오면서 만났던 사람들 중에 아티만큼 잘 맞는 사람은 없었어. 오빠의 약혼녀라서가 아니라 나는 그냥 아티 그대로가 좋아."

"나도, 나도 그래……."

대답하면서도 한편으로 죄책감이 들었다.

나에게 과연 마리에와 친구가 될 수 있는 자격이 있을까? 진실도 말하지 못하는 거짓말쟁이일 뿐인데.

"아티가 매일 뭔가를 고민하고 끙끙대는 걸 옆에서 지켜보고 있으면, 나도 그 짐을 덜어 주고 싶다는 생각이 들어. 그런데 아티는 뭐든 나에게 말하지 않는 것 같아서 솔직히 좀 속상해. 내가 그렇게 의지가 되지 않는 사람인 건가, 하고."

"미안해, 마리에. ……그렇게 생각하고 있을 줄은 몰랐어."

나는 점점 비참해졌다. 이렇게 착하고 배려 깊은 마리에에게 그저 사과밖에 할 수 없다는 사실이 절망스러웠다.

"나는 아티한테 다른 걸 바라는 게 아니야. 나를 조금만 더 믿고 의지해 주면 안 될까? 그게 우리 오빠 욕이라도 좋으니까, 꼭 나한테 말해 줘."

더 나를 비참하게 만드는 건, 결국 마리에에게 할 수 있는 말이 아무것도 없다는 것이었다.

✦ ♛ ✦

오랜만에 여유가 생긴 아드리안은 모처럼 아티와의 저녁 식사 시간을 가졌다.

최근 들어 체중이 더 줄어든 것 같은 아티가 걱정돼서 일부러 좋아하는 것들로만 준비했지만, 아티는 제대로 먹지 못했다.

먹는 것처럼 포크는 들고 있었지만 샐러드를 뒤적일 뿐, 입에 들어가는 건 없었다.

아드리안은 상당히 불만스러웠다.

'몸도 약하면서, 제대로 안 먹으면 어떡하려고?'

역시 아티를 챙길 사람은 자신밖에 없다.

"아티."

아드리안이 아티를 불렀으나 생각에 잠긴 아티는 답이 없었다.

"아티."

"……."

"비올라?"

본래 이름까지 불렀지만, 아티는 여전히 생각에 잠긴 채였다.

'대체 무슨 생각을 저렇게 하고 있는 거지?'

아드리안의 기분은 점점 바닥으로 치달았다.

'일단 내 생각은 아니겠군.'

그것만은 확실했다. 본인을 앞에 두고 생각에 잠기지는 않을 테니까.

일단 밥은 먹어야 할 것 같아 아드리안은 다시 한번 아티를 불렀다.

"아티."

"……아, 네!"

세 번 만에야 아티가 답을 했다.

"식사를 해야지."

"먹고 있어요."

"먹고 있긴."

아드리안이 전혀 줄지 않은 아티 앞의 음식을 보자 그녀는 민망한 듯 웃었다.

"맛이 없어? 주방장을 불—."

"아니에요! 입맛이 없어서 그래요."

괜히 죄 없는 주방장이 추궁당할까 봐 아티는 다급히 손을 저었다.

아드리안은 턱을 괸 채 아티를 빤히 바라보았다. 잠깐 눈이 마주친 아티가 고개를 갸웃하며 작게 웃었다.

괜한 걱정 말라는 듯한 그 웃음이 너무 귀여워서 기분이 좋다가도 돌연 나빠졌다.

자신을 두고 무슨 딴생각을 했는지 계속 신경 쓰였다.

동시에 질투하는 남자는 추하다던 에센의 말이 생각나는 바람에 괜히 심란해졌다.

'무슨 생각을 했는지 물어나 볼까.'

어차피 아무것도 아니라며 웃을 게 뻔하지만, 아드리안은 지나가듯 말했다.

"고민이 있다면 말해. 들어 줄 테니까."

"그래도 돼요?"

"……뭐?"

예상외의 답이라 아드리안은 깜짝 놀랐다.
아티는 더 놀랐다.
"아, 안 돼요?"
"아니. 돼."
되고말고. 아티의 고민이라면 몇 날 며칠 밤을 새워 들을 수도 있었다.
"그럼 조금만 더 먹어."
"알겠어요!"
어쨌든 아티의 식사를 챙겨야 하니 조금이라도 더 먹인 아드리안은 그제야 안도했다.
식사가 끝나자마자 아드리안은 아티를 자신의 침실로 데려갔다.
'다른 의미는 없고, 그냥 거기가 제일 안전하니까. 듣는 귀도 없고.'
나름 분위기를 만들려는 계략도 일부 없다고는 할 수 없었으나 아티의 머릿속은 너무 건전했다. 역시 방이 넓다며 좋아했다.
"……나만 쓰레기군."
"네?"
"아니야."
어쨌든 둘은 마주 보고 앉았다. 아티는 머뭇거리다가 용기 내어 고민을 털어놓았다.
"저는 마리에가 너무 좋아요."
"……?"

"마리에도 제가 좋다고 했어요. 그런데 미처 대답을 못 했어요……."

"……???"

"어떻게 해야 이 마음을 전할 수 있을까요?"

"……."

약혼녀가 갑자기 여동생에 대한 마음을 자신에게 고백했다.

'이런 경우는…… 전혀 예상 못 했는데.'

부디 잘못 들었길 바랐지만 두 손을 꼭 모으고 애절한 눈으로 자신을 보는 아티의 표정은 진심이었다.

최대 라이벌이 에센도, 미카엘도, 로넨도 아닌 마리에였다니!

그러고 보면 아티는 아카시아를 아주 좋아했다.

'나랑 에센을…… 그렇고 그런 사이로 생각할 만큼 편견이 없었지.'

그러니까, 그 편견이 결국?

'설마 그게 본인이 동성을 좋아하니까 그런 거였어?'

합리적인 의심이 고개를 들었다. 그의 속도 모르고 아티는 걱정 가득한 눈으로 아드리안을 보았다.

"아드리안?"

"그러니까…… 마리에한테 마음을 전하겠다고……?"

"네!"

힘찬 아티의 대답에 아드리안의 눈앞이 아득해졌다.

한순간 힘이 빠져 그는 한 손에 얼굴을 파묻었다. 절망적이었다.

뭐라 답을 해야 했지만 그럴싸한 말을 지어내는 것도 힘들었다.

'……여동생에게 약혼녀를 빼앗기고 말았다.'

바야흐로 뜻밖의 인생 최대 위기였다.

그런 와중에도 아티는 계속해서 고민을 털어놓았다.

"과연 제가 마리에의 옆에 있어도 되는 건지, 사실 자신이 없어요."

"아……."

"그런데 옆에 있고 싶은 제가 너무 나쁜 사람 같아요."

"어……."

"저도 마리에에게 '네가 가장 소중한 친구야.'라고 당당히 말하고 싶어요."

"뭐?"

"네?"

아드리안이 갑자기 고개를 치켜드는 바람에 아티는 깜짝 놀랐다. 아드리안이 가히 무시무시한 기세로 요구했다.

"다시 말해 봐."

"뭘요? 당당히 말하고 싶은 거요?"

"아니, 바로 전."

"저도 마리에에게 '네가 가장 소중한 친구야.'라고……."

갑자기 아드리안이 웃기 시작했다. 어리둥절한 아티는 그런 그를 가만히 지켜볼 수밖에 없었다.

'사실 고민 상담이 하기 싫으셨던 걸까?'

그도 그럴 게 아드리안은 아티의 말에 제대로 된 대꾸를

한 적이 없었다.

'역시 무리한 부탁이었나.'

고민 상담은 그만두어야겠다고 생각하려는데, 아드리안이 웃는 것을 멈추었다.

"마리에가 뭐라고 했다고?"

"아. 이렇게 잘 맞는 친구는 처음인데 제가 비밀이 많은 것 같아서 속상하다고 했어요."

"그래?"

아드리안의 기분이 좋아 보였다. 그럴수록 아티는 혼란스러워졌다.

'내가 고민하는 게 좋으신 걸까……?'

아드리안이 무슨 생각을 하고 있는지 도무지 알 수가 없었다.

거기다 상담에 관심 없어 보였던 아드리안은 태도를 바꾸어 적극적으로 고민 상담에 임하기까지 했다.

"그래서 어쩌고 싶다고?"

"어……. 마리에에게 떳떳한 친구가 되고 싶어요."

하지만 그럴 수 없다는 것을 알았다. 마리에에게 떳떳하다는 건, 모든 비밀을 말한다는 의미와 같으니까.

아티의 비밀은 곧 아드리안의 비밀이었다.

'곤란하게 만들고 싶지 않아.'

하지만 아드리안은 대수롭지 않다는 듯 말했다.

"마리에한테 말하고 싶으면 해도 돼."

"네? 하지만 아드리안이 곤란하잖아요."

"골치야 좀 아프겠지만 걔가 너 위험할 짓은 안 할 테니까. 비밀 지켜 주겠지."

끙끙 앓던 시간이 무색할 만큼 쉬운 허락에 아티는 어안이 벙벙해졌다.

'이래도 되는 걸까?'

걱정됐지만 아드리안이 괜찮다고 하니까 마음이 편해졌다.

기분이 좋기는 아드리안도 마찬가지였다.

되지도 않은 오해가 풀렸다는 것만으로 그는 행복했다.

'마리에한테 말하는 건 사실 죽어도 싫지만.'

아티에게 좋은 사람으로 남고 싶으니 그 정도는 참고 넘어갈 수 있었다.

✦ ♛ ✦

아드리안의 허락도 받았겠다, 언제쯤 마리에에게 말하는 게 좋을지가 고민이었다.

'당장은 좀 그렇고, 분위기 봐서 말해야겠다.'

그날 이후로 마리에도 딱히 이야기를 꺼내지 않았으니 괜찮을 것 같았다.

사실 마리에가 어떤 반응을 보일지 몰라서 좀 두려웠다.

"새언니가 사실 자기 시녀였다는 걸 알면 충격적이겠지."

화를 낼지도 모른다. 그럼 좀 상처받을 것 같은데…….

그러는 와중 마리에의 생일이 어느덧 3개월 후로 다가왔다. 나는 그에 맞춰 특별한 생일 선물을 주고 싶었다.

"음. 뭐가 좋을까?"

마리에가 좋아할 만한 것을 주고 싶어서 고민해 보았지만 이거다 할 만한 게 없었다.

최근 아사모를 통해 마리에와 제법 친밀해진 디아노라면 뭔가 좋은 생각이 있을까 싶어 한번 물어보았다.

"역시 책이 좋겠죠."

"하지만 마리에는 웬만한 책은 다 가지고 있어서요."

혹시 준비했다가 마리에가 이미 가지고 있는 책일까 봐 애초에 목록에서 제외한 지 오래였다.

그렇게 어영부영 시간이 또 흘렀다. 좀처럼 선물을 정하지 못한 내게, 당사자 마리에가 기적적인 단서를 흘렸다.

"곧 에스티나 5권 나올 텐데, 이번에는 미리 못 구할 것 같아."

"인기가 많아서?"

"응. 벌써부터 난리래. 그래서 지금 초판을 구할 수 있을지 없을지도 잘 모르겠어. 초판도 구하기 힘들다니, 자존심 상해!"

마리에와 함께 안타까워하던 나는 불현듯 엄청난 아이디어를 떠올렸다.

'에스티나 구해다 주면 기뻐할까?'

아무리 생각해 봐도 더 좋은 게 떠오르지 않으니 나는 마리에에게 에스티나를 구해서 선물해 주기로 마음먹었다.

하지만 제국의 공주도 구하기 힘들다는 책을 내가 무슨 수로 구한단 말인가.

그러다 문득 헬머 아저씨가 의외로 인맥왕이라는 것을 떠올렸다.

'내가 시녀로 들어오게 된 데에 헬머 아저씨의 공이 컸지.'

사실 정체가 장인 위르겐인 만큼 한창때 아저씨에게 끈을 대던 사람들이 많았던 모양이었다.

"되든 안 되든 부딪혀 보자."

아드리안에게 외출에 대해 얘기를 꺼내려고 기회를 엿보고 있는데, 마침 마리에가 황궁 밖에 나갈 일이 생겼다며 찾아왔다.

잘됐다 싶어 같이 나가기로 했더니 문제가 하나 있었다.

"이 인원 뭐야……?"

마리에가 나를 비롯한 외출 인원을 보며 허망하게 중얼거렸다.

그제야 마리에에게 말하지 않았다는 것을 깨달았다.

"전에 외출했을 때 네가 기절했었잖아. 그래서 마리에네 외출에 조건이 하나 더 붙었어."

"조건이 저거야……?"

졸지에 '저거'가 된 사람은 다름 아닌 아드리안이었다.

그렇다. 황후 폐하께서 마리에의 외출 조건으로 내건 것은 '아드리안과 동행할 것'이었다.

"진짜 싫다, 이 조합."

마리에가 진저리를 치며 인상을 찌푸렸다. 나는 어색하게 웃으며 마리에의 어깨를 토닥였다.

하지만 역시 가만히 있을 아드리안이 아니었다.

"싫으면 외출하지 마."

"어우, 재수 없어. 아티, 가자!"

마리에는 아드리안을 노려보면서도 외출 안 할 생각은 없는지 내 팔짱을 꼈다.

그렇게 아드리안, 에센, 마리에, 디아노, 그리고 나까지 꽤 거창한 인원이 황성 밖으로 나갔다.

처음에는 나름대로 소풍 가는 것 같아서 재밌다고 생각했지만, 그건 내가 잘못…… 생각한 거였다.

"왜 이렇게 느려 터졌어? 좀 빨리 가."

"미친. 왜 밀고 난리야?"

아드리안과 에센이 한껏 으르렁거리며 기 싸움을 시작한 것이다.

"안 밀었는데."

"밀었잖아!"

"안 밀었다고."

대체 왜 이러는 걸까. 그것도 길 한복판에서.

지나가는 사람들이 우리를 흘긋 보며 구경했다.

심지어 몇몇은 아예 멈춰 서서는 아드리안과 에센의 싸움을 관람했다.

부끄럽다. 엄청 부끄럽다……! 나는 최대한 저 인간들과 일행이 아닌 것처럼 보이기 위해 슬금슬금 멀어지려 했다.

하지만 한 발짝 떼기가 무섭게 아드리안이 나를 붙잡아 옆에 두었다.

"또 길 잃으려고."

"아, 아닌데……."

머쓱하게 중얼거리자 에센이 나를 끌어당기며 아드리안을 노려보았다.

"아니라잖아."

"네가 뭘 알아?"

"적어도 너만큼은 알거든?"

대체 뭐 때문에 싸우는 거지, 이 사람들은?

졸지에 양팔이 붙잡힌 나는 이도 저도 못 하고 사이에 끼어 있을 수밖에 없었다.

이런 나를 구해 줄 사람은 단 한 사람밖에 없었다. 나는 간절하게 마리에를 찾았지만—.

"다들 미쳤네……. 난 나만의 길을 간다. 따라와!"

"예? 예."

마리에는 우리를 보며 기가 질린 듯 고개를 젓더니 디아노를 데리고 튀어 버렸다.

"마리에……!"

나랑 눈 마주쳤잖아! 구해 줄 수 있었잖아!

그 와중에도 에센과 아드리안은 싸우고 있었다.

"말 다 했냐?"

"아니? 아직 멀었는데?"

어느새 우리는 사람들의 구경거리가 되고 말았다. 우리를 중심으로 많은 사람들이 빙 둘러싸고 웅성대는 중이었다.

물론 이 남자들의 외모가 구경할 정도긴 하지만……. 아, 아니 이게 아니지.

"그만들 하세요!"

내 외침에 아드리안과 에센이 동시에 나를 돌아보았다. 둘 다 어리둥절한 얼굴이었다.

아드리안이 내게 물었다.

"왜 그래?"

"마리에가 디아노 경이랑 먼저 가 버렸잖아요!"

"잘됐네. 이렇게 된 거 에센은 돌려보내고 마을 구경이나 하는 건 어때?"

"안 갈 건데?"

에센이 끼어들었다. 그러자 아드리안이 지지 않고 에센을 노려보았다.

"하……."

포기다, 포기. 내 능력으로는 여기까지야.

나는 이 남자들이 싸우든 말든 신경을 끄기로 했다. 그래서 내 팔을 붙잡고 있는 손을 떨쳐 내고 걸음을 옮겼다.

아드리안이 다급하게 나를 붙잡았다.

"잠깐만. 혼자 어딜 가는 거야?"

"적어도 여기 길은 아드리안보다 잘 알아요."

"그러다 길을 잃겠지."

"……."

맞긴 한데, 인정하기 싫다. 솔직히 전적이 화려하긴 했으니까.

"가고 싶은 곳이 있어요."

"어딘데?"

"음……."

어디라고 설명해야 할까? 친한 아저씨? 길러 주신 분? 머뭇거리며 고민하고 있는데 에센이 내게 물었다.

"혹시 거기야?"

"아, 네!"

에센과는 헬머 아저씨네에 가 본 적이 있었으니 눈치챈 모양이다.

그런데 아드리안의 표정이 심상치 않았다. 금방이라도 누구 하나 잡아 죽일 것처럼 살벌한 얼굴을 하고 있었다.

내가 흠칫하며 올려다보자 표정이 좀 누그러지긴 했지만 흉흉한 기세는 여전했다.

나는 혹시 하는 마음에 덧붙였다.

"또 싸우면 그냥 혼자 갈 거예요."

"……."

"……."

그 말 덕분인지 아닌지는 모르겠지만, 다행히 이후로는 에센과 아드리안이 싸우는 일은 없었다.

◆ ♛ ◆

어쩐지 신난 듯한 아티를 내려다보던 아드리안의 마음은 심란했다.

그는 지금 목적지도 모르고 무작정 아티를 따라가고 있었다.

그런데 거기가 어디인지 에센이 알고 있다니, 엄청난 소외감이 들었다.

'내가 아티에 대해서 더 잘 아는데.'

분명히 그래야 하는데, 왜일까. 패배한 것 같은 기분은.

아드리안은 가만히 에센을 노려보았다. 그 시선을 눈치채고 돌아본 에센이 입꼬리를 올리며 그를 비웃었다.

울컥—.

주먹을 꽉 쥐었지만 휘두르진 못했다. 아티가 싫어할 테니까. 그는 에센을 패는 대신 아티에게 물어보는 방법을 택했다.

"그래서, 어딜 가는 건데?"

"음……."

아티가 뜸을 들이자 아드리안은 더 불안해졌다.

에센에게는 알려 주고 자신에게는 비밀로 하겠다는 건가 싶어 기분이 점점 나빠졌다.

그러나 아드리안은 그런 속마음을 내비치지 않으려 애썼다.

다행히 아드리안의 기분을 눈치채지 못한 아티가 밝게 웃으며 설명했다.

"헬머 아저씨라고 어릴 때부터 저를 보살펴 준 분이 계신데, 그분 댁에 가는 거예요!"

"아, 그래?"

기분이 좋아졌다.

'별거 아니었네.'

아드리안은 한결 가벼워진 마음으로 걸음을 옮겼다. 그

모습을 본 에센이 가만히 혀를 찼다.

"머저리 아냐?"

작게 중얼거리는 목소리였지만 아드리안은 듣고 말았다. 또다시 싸움이 벌어지기 전, 다행히도 마침 목적지에 도착했다.

"여기예요! ……두 분 설마?"

심상치 않은 분위기를 느낀 아티가 두 눈을 가늘게 뜨자 아드리안이 능청을 떨었다.

"뭐가?"

"싸운 거 아니죠?"

"아니, 우리 사이좋아."

아드리안이 에센에게 어깨동무를 했다.

순간 에센은 불쾌함에 손을 쳐 버리고 싶었으나 아티가 슬퍼할까 봐 그냥 참았다.

순진한 아티는 보이는 모습을 그대로 믿었다.

"안 싸우고 사이좋게 지내니까 이렇게 보기 좋잖아요."

"아, 응……."

"싸우면 안 돼요, 아셨죠?"

"그래."

얌전해진 둘을 뒤로하고 아티는 헬머의 집 문을 두드렸다. 머지않아 문이 열렸다.

"라라! 3년은 못 온다고 하지 않았냐?"

"어쩌다 보니 그렇게 됐어요. 저 안 반가우세요?"

"무슨 소리 하는 거냐. 당연히 반갑고말고. 어서 들어와

라. 그런데…… 이번엔 두 놈이냐?"

"으악!"

거침없는 헬머의 언사에 놀란 것은 아티였다. 그녀는 황급히 헬머의 옷자락을 붙들고 집 안으로 들어갔다.

"아하하, 일단 들어가요. 들어오세요!"

집주인 대신 아드리안과 에센을 안으로 들인 아티가 문을 닫았다.

헬머는 한 번 본 적 있는 에센을 쓱 본 후 아드리안에게로 눈을 돌렸다. 두 남자 모두 얼굴 하나는 휘황찬란했다.

"라라. 누가 네 남친이냐?"

"그런 거 아니에요."

"설마 둘 다는 아니겠지?"

"그런 거 아니라니까요……!"

주책없는 소리를 하는 헬머를 말리며 아티는 결심했다.

'용건만 해결하고, 뜨자.'

에센 혼자만 왔을 때에는 괜찮았지만 이번에는 아드리안까지 있었다. 아드리안은 무려 제국의 황태자였다.

입이 걸걸한 헬머가 혹시나 사고를 칠까 봐 무서웠다.

자리에 앉자마자 아티는 바로 본론으로 들어갔다.

"아저씨. 혹시 에스티나 작가라고 알아요?"

에스티나는 〈에스티나의 일곱 명의 수호 기사〉의 소설 작가였다. 헬머가 고개를 저었다.

"에스티나? 그게 누구냐?"

"로맨스 소설 작가에요. 우리나라 사람은 아닌데, 꼭 받고 싶은 게 있어서요."

"작가라. 그쪽에 아는 사람이 있긴 하다만…… 중요한 일이냐?"

아티는 주저 없이 고개를 끄덕였다.

모르는 사람들은 고작 로맨스 소설 작가 한 명 찾는다고 폄하할 테지만, 아티에게는 아니었다.

가장 친한 친구인 마리에가 제일 좋아하는 작가. 그것만으로 이미 가치는 충분했다.

"네. 〈에스티나의 일곱 명의 수호 기사〉의 5권 초판이 필요해요."

"흠……. 라라 네가 나한테 부탁이란 걸 하다니, 웬일인가 싶지만. 알았다, 한번 알아보마."

자기만 믿으라며 가슴을 두드리는 헬머 아저씨가 참 든든했다.

이렇게 외출 용건도 모두 처리했겠다 아티는 마음이 가벼워졌다. 하지만 그 평화는 잠시뿐이었으니.

"그래서 둘 중에 어느 놈이냐?"

"아, 아저씨……!"

또 시작이다. 헬머는 아티가 곤란해하는 걸 보며 짓궂게 웃었다.

아티는 전전긍긍하며 아드리안과 에센의 눈치를 살폈다. 다행히 둘 다 언짢은 것 같지는 않았다.

"다시 말씀드리지만, 아저씨. 이분들은 황성에서 일하시는—."

아티의 말이 채 끝나기도 전에 헬머가 에센을 보며 두 눈을 가늘게 떴다.

"흐으음. 전에 같이 왔던 예쁘장한 저 남자는 꽤 까칠해 보이는데, 그래도 괜찮네. 여자한테 잡혀 살 것 같아."

"……."

헬머의 말에 에센이 슬그머니 눈을 피했다. 아티는 소리도 내지 못한 채 그만 얼어붙고 말았다.

그다음으로 헬머의 시선이 닿은 곳은 아드리안이었다.

'아저씨, 제발 저 사람만은……!'

아티가 간절히 빌었지만 소용없었다.

"아무리 봐도 성격 나쁘고 고집만 더럽게 세서 너 괴롭히고 구속하고 안 놔줄 상인데?"

잔혹한 평가에 줄곧 무표정으로 있던 에센이 빵 터지고 말았다. 에센은 그대로 몸을 테이블에 파묻은 채 흐느끼듯 웃었다.

아티는 감히 아드리안의 표정을 살피지 못했다.

"딱 봐도 그렇지 않나? 완전 고집불통이야. 누가 기어오르는 걸 절대 못 참을걸. 라라야, 편하게 살고 싶다면 저 남자는 만나지 마라."

"……."

아드리안은 고요했다. 아티는 거의 죽을 맛이었다.

'아저씨. 저 사람…… 황태자예요! 그러니까 그만……!'

헬머의 팔을 붙잡고 극구 만류했으나.

"배려라고는 없는 상이다. 확실해!"

하지만 헬머는 거침없었다.

✦ ♛ ✦

돌아가는 길. 아드리안은 이를 빠드득 갈았다.

'망할 노인네 같으니라고.'

그는 아티를 보살펴 줬다던 헬머를 떠올렸다.

우락부락한 체형에 험상궂은 얼굴이라 그렇지 않아도 인상이 별로라고 생각했는데, 성격은 더 했다.

"하."

태어나서 이런 모욕을 받은 건 또 처음이었다. 거기다 그렇게 거침없고 신랄한 평가를 받은 것도 처음.

그런 주제에 에센에 대한 평가는 후하다는 게 이해가 안되면서 짜증 났다.

아드리안은 화를 다스리며 오랜만의 외출에 즐거워 보이는 아티를 보았다.

화가 좀 누그러졌다.

"아드리안. 마리에는 괜찮겠죠?"

"괜찮을 거야. 디아노가 있으니까."

"그래도 영 걱정이에요……."

자신의 약혼녀는 망나니 같은 친구를 걱정해 주는 아주 마음씨 착한 사람이었다.

아드리안이 헬머의 거침없는 언사를 인내한 이유의 팔할은 아티 때문이었다.

'그래도 아티를 황궁 들어오기 전까지 보살폈다니까.'
아니었으면 참는 일도 없었다.
그렇지만 순순히 당하고만 있을 아드리안이 아니었다.
'어디 한번 성격 나쁘고 고집만 더럽게 세서 괴롭히고 구속하고 안 놔줄 남자한테 애지중지 키운 아티를 뺏기는 고통을 맛봐라.'
"……기필코 결혼하고 만다."
아드리안은 피의 복수를 다짐했다.

✦ ♛ ✦

오늘도 아사모의 모임이 있었다. 테르니는 얼떨결에 들어간 이 작은 모임이 마음에 들었다.
"사교 클럽 다니는 것보다 더 마음에 드는걸."
물론 테르니는 넘치는 사교성으로 어느 클럽에 가든 다 즐겁게 지내곤 했지만, 아사모는 그중에서도 특별했다.
"히히. 오늘도 힘내서 일하고 아사모 가야지~!"
물론 일을 다 안 해도 아사모는 갈 것이다.
"아드리안~! 나 왔어~!"
어제 외출을 다녀온 아드리안은 무척이나 기분이 저조했다. 이유는 알 수 없었다.
아마 알았어도 테르니는 신경 쓰지 않았을 거다.
"아드리안! 빨리 결재해 줘! 나 급해! 빨리!"
테르니의 재촉에도 불구하고 아드리안은 빨리 결재를 해

줄 마음이 없었다.

"입 다물어."

"아, 아드리안~ 그렇게 까칠한 남자는 인기 없다. 알지?"

"알긴 뭘 알아. 죽고 싶냐?"

"아직 날 죽일 마음 없는 거 다 알아. 깔깔."

아드리안의 손이 검 쪽으로 향해 가자 테르니가 재빠르게 문으로 도망을 갔다.

문손잡이를 잡고 반만 방 안에 몸을 걸친 테르니가 해맑게 웃었다.

"헤헤. 아드리안~ 나 아사모 가입했다?"

"아사모?"

아드리안이 미간을 좁혔다. 처음 듣는 이름이었다.

"그게 뭔데?"

"응~! 아드리안을 사랑하는 모임!"

"……?"

아드리안의 표정이 기묘하게 변했다. '아드리안을 사랑하는 모임'이라니, 이거 잘못 들은 거 아니지?

"잘못 들은 거 아냐! 아드리안을 사랑하는 모임! 줄여서 '아사모'!"

당연히 아드리안은 순순히 믿지 않았다.

"너 지금 그거 거짓말하는 거지?"

"아, 아드리안. 내가 왜 이런 걸로 거짓말을 하겠어. 속고만 살았어? 내가 그렇게 신뢰도가 낮나?"

"어."

망설임 없는 즉답에 테르니가 울먹였다.
"너무해, 아드리안."
당연히 아드리안의 마음에 양심의 가책 같은 게 있을 리가 없었다.
"헛소리 그만하고 내가 알아 오라는 거나 알아 와."
"너무해. 나의 존재는 아드리안에게 그 정도밖에 되지 않는 거야?"
"어."
"와, 진짜 너무해! 나 아사모까지 들어간 사람인데, 어?! 나한테 이래도 돼?!"
아드리안이 관자놀이를 꾹꾹 눌렀다.
그놈의 아사모인지 뭔지 실존하는지 안 하는 건지도 모를 모임을 갖고 테르니가 찡찡대는 게 거슬렸다.
"대체 그 이상한 모임을 누가 만든 거야?"
"궁금해? 들으면 아마 깜짝 놀랄걸?"
아드리안이 다시 검에 손을 가져갔다.
빨리 말하지 않으면 죽인다는 강렬한 의지를 느낀 테르니가 서둘러 외쳤다.
"아티!"
"뭐?"
멈칫한 아드리안이 멍청한 표정으로 테르니를 보았다.
"아티가 만들었어! 아티가 회장이야!"
아드리안의 머릿속이 한순간 하얗게 백지처럼 비워졌다.
아사모가 뭐 하는 모임이더라? 아드리안을 사랑하는 모

임이랬던가.

모임을 만든 것도 아티고, 회장도 아티라고?

"……진짜냐?"

다른 사안이었으면 웃기지 말라고 했을 텐데, 아드리안은 아티에게 너무나 약했다.

테르니가 맞다는 의미로 고개를 세게 끄덕이니 아드리안은 묘한 기분이 되어 버렸다.

'아티가 나를 사랑한다고?'

그래서 나를 사랑하는 모임까지 만들다니 믿을 수 없었다. 그런 티는 전혀 없었는데.

"이제 내 말을 믿겠어?"

테르니가 뻐기듯 말하자, 테르니가 회원이라는 사실을 기억해 낸 아드리안은 갑자기 기분이 나빠졌다.

"탈퇴해."

아드리안의 명령에 테르니가 놀리듯 혀를 날름거렸다.

"싫지롱!"

✦ ♛ ✦

카를로만 황제의 마흔여섯 번째 탄신 기념일을 맞이하여 아드리안은 황실에서 진행하는 대다수의 기념행사를 심사하고 있었다.

"황후 폐하께서 자선 행사를 늘리라고 지시하셨습니다."

"그건 예부에서 알아서 할 일이고, 다음."

"플로렌스 궁에서 열흘간 진행될 파티에 대한 준비를 위해 예산을 긴급 편성해 달라는 요청서입니다."

"재무부에 보내서 심사 끝나면 나한테 다시 가져와."

"예, 황태자 전하."

대다수 행사의 시일과 규모, 일정 그리고 참석하는 귀빈에 관한 정보가 무수히 쏟아졌다.

아드리안의 시선이 한 서류에 멈췄다. 시리우스에서 보내온 베로니카 황후와 로넨 황태자에 관한 정보였다.

"예상 체류 기간이 저번보다 짧군."

"귀빈 중의 귀빈이시니까요. 돌아가는 길에 인접국인 루시페로를 방문하신다고 합니다."

"나온 김에 해외 순방이라도 하시려는 모양이지."

아드리안은 이모와 사촌 동생의 일정 따위 일절 관심 없었으나 좋은 정보를 얻었다고 생각했다.

"좋아. 남은 안건 중 중요한 게 있나?"

"아니요. 없습니다."

"그럼 나머진 다 테르니한테 보내."

테르니가 들으면 내가 무슨 대리 황태자냐고 울먹일 소리였지만 안타깝게도 테르니는 이 장소에 없었다.

아드리안이 가뿐하게 자리를 박차고 일어났다.

릴리 궁에 도착한 아드리안을 반겨 주는 건 웬일로 아티

였다.

“아드리안, 왔어요?”

마담 루시와 이야기를 나누는 중이었던 건지 아티가 웃으며 맞이해 주자 아드리안은 어쩐지 기분이 이상했다.

언제나 찾으러 다니던 게 자신이어서 그런가.

“저 보러 오신 거예요?”

“응.”

둘을 흐뭇하게 바라보던 마담 루시가 웃음을 흘렸다.

“후후후. 어서 오세요, 황태자 전하. 그럼 저는 차를 준비해 오도록 하지요.”

마담 루시가 사라지자 아드리안의 시선은 다시 아티에게 박혔다.

“무슨 이야기 중이었지?”

“내빈으로서 귀빈을 맞이하는 예절을 배우고 있었어요.”

“그렇군. 중요하지.”

오랫동안 황궁 생활을 한 마담 루시만큼 예절에 능숙한 이는 또 없었다.

새삼스럽게 아티에게 마담 루시를 붙이길 잘했다고 생각하며 아드리안이 만족스러워했다.

“무슨 일로 오신 거예요?”

응접실로 향하며 아티가 물었다.

아드리안은 용건을 꺼내려다가 괜히 테르니가 어제 하고 간 말이 생각나서 멈칫했다.

‘아사모! 무려 회장이 아티라고!’

들을 때만 해도 뭔 헛소리인가 싶었는데 상대가 눈앞에 있으면 한번 찔러보고 싶은 것이 사람의 마음 아니겠는가.

"크흠. 그게 내가 이상한 소리를 들었는데."

"네? 이상한 소리요?"

두 눈을 동그랗게 뜬 아티가 토끼 같아서 귀여웠다.

어쩜 이렇게 귀여울까.

"아사모……."

아티의 안색이 변했다.

그걸 어떻게 알았느냐는 듯 경악으로 물드는 아티의 표정을 바라보며 아드리안이 짧게 생각했다.

'없는 단체를 만들어 낸 건 아니었군.'

"……회장이 너라던데."

"어, 어떻게 그걸!"

아티가 놀라움에 숨도 못 쉬었다. 아드리안은 혹시나 해서 흘리듯 말을 꺼내 보길 잘했다고 생각했다.

"테르니한테 들었다."

"역시, 그 인간이!"

아티가 그럴 줄 알았다는 듯 인상을 썼다.

테르니에게 무슨 일이 생기든 아드리안은 상관없었으므로 거리낄 게 없었다.

"어쩌다가 그런 걸…… 만든 거지?"

은근한 질문에 아티가 얼굴을 붉히며 답했다.

"좋아하니까요."

아드리안의 표정이 눈에 띄게 굳었다. 설마 이런 식으로 아티의 마음을 듣게 될 줄은 몰랐다.

'나를 좋아한다니…….'

그렇게 듣고 싶었던 말이었는데 막상 듣게 되니 기쁘기보다 얼떨떨했다.

"정말 좋아해서 마침 디아노 경과 말도 잘 통하기에 둘이 소소하게 모임을 만들었는데, 설마 아드리안이 알게 될 줄은 몰랐어요."

기어들어 가는 목소리로 아티가 수줍어했다.

그 모습이 어찌나 귀엽던지, 다른 건 눈에 들어오지도 않을 정도였다.

'디아노라면 충분히 그런 모임에 들어가고도 남지.'

평소에 디아노가 자신을 어떻게 여기는지 누구보다 잘 알고 있는 아드리안은 어색한 점도 느끼지 못하고 납득했다.

"정말 좋아해?"

"네? 네……!"

"나도 좋아해."

마땅히 고백을 들었으니 답을 해야 한다는 생각에 말했는데, 아티가 놀란 표정을 지었다.

"저, 정말요?"

"어."

그렇게 티를 냈는데 설마 자신의 마음을 몰랐던 것인가?

이런 식으로 고백을 하게 될 줄은 몰랐지만, 아드리안은 상관없다고 생각했다.

둘의 마음만 통한다면야.

하지만 분명 기뻐할 것이라고 생각한 아티의 반응이 예상과는 달랐다.

"저는 아드리안이 별로 안 좋아하는 줄 알았는데."

"어?"

아티가 조심스럽게 말을 했다.

"저번에 불편해하시는 것 같아서 싫어하시는 줄 알았어요."

"내가?"

아드리안은 이해할 수 없었다.

언제 자신이 불편한 기색을 내보였단 말인가.

'설마 처음 만났을 때를 말하는 건가?'

그게 언제 적인데. 아드리안은 조금 억울했다.

"아무튼 이제 내 마음을 알았으니까 됐겠지."

"네? 네. 다행이네요. 아드리안이 좋아해서 기뻐요."

"그래?"

아티가 기쁘다니 아드리안도 좋았다. 훈훈하게 분위기가 흘러가는 와중에 마담 루시가 차와 디저트를 들고 응접실에 들어왔다.

"두 분이서 단란한 대화를 나누고 계셨나요?"

"어."

아드리안의 대답에 아티가 웃으며 같이 고개를 끄덕였다.

"호호, 어쩐지 두 분 다 기뻐 보이시네요."

마담 루시의 말에 두 사람이 눈을 마주쳤다.

저마다 다른 의미로 이해하고 있었지만 누구도 눈치채지 못했다.

오해는 그렇게 깊어졌다.

✦ ♛ ✦

근래 아드리안은 기분이 무척이나 좋았다.

그날 이후로 아티가 거리낌 없이 아사모에 대한 이야기를 해 주었기 때문이었다.

"그래서 오늘 모임은 소박하게 만나서 이야기를 했는데요!"

아사모에 관한 아티의 애정은 틀림없어 보였다.

아직도 테르니가 아사모에 들어가 있는 이유를 모르겠지만 아티가 아사모 이야기만 꺼내면 아드리안은 미소가 절로 지어졌다.

조잘조잘 떠드는 아티를 보고 있노라면 아드리안은 온 세상을 거머쥔 듯 행복했다.

"즐거워 보이는군."

"네! 즐거워요!"

자신의 이야기를 주의 깊게 들어 주는 아드리안을 보며 아티도 기뻤다.

아드리안이 이렇게 아카시아를 좋아하는지는 몰랐다.

'아드리안도 아사모에 들어오라고 할까?'

처음 아드리안이 아사모 이야기를 했을 때부터 줄곧 생각해 왔지만 아티는 곧 생각을 고쳐먹었다.

다른 사람이 그랬던 것처럼 아사모의 존재를 알게 된 아드리안도 원한다면 가입 의사를 내비칠 것이라 생각했기 때문이었다.

'그래도 아드리안이 우리 모임에 대해 이상하게 생각하지 않아서 다행이야.'

아드리안이 아카시아를 좋아하니까 조금 더 아카시아를 릴리 궁에 많이 부를 수 있겠다고 생각하며 아티는 기분이 좋아졌다.

"귀빈을 맞이할 준비는 잘 되어 가나?"

"네! 베로니카 황후 폐하와 로넨 황태자 전하를 맞이할 준비는 열심히 하고 있어요."

아티가 수줍게 웃었다.

"어차피 모든 건 예부에서 준비하고 제가 확인하는 것뿐이지만요."

"예부에서 어련히 알아서 잘 준비하겠지만 그래도 잘 살펴봐. 문제가 생기면 체면이 깎이는 건 너다."

"네! 주의할게요."

아티는 아드리안의 진심 어린 걱정에 감동받았다. 이렇게 세심하게 신경을 써 주다니.

요즘 아드리안이 정말로 친절하고 상냥해진 듯했다.

'아니면 원래 이런 분이셨나?'

첫인상이 너무 강렬해서 겁을 먹는 바람에 이제 알게 된 모양이었다.

"그럼 저 수업 받으러 가 볼게요. 아드리안도 업무 힘내세요."

"어. 힘내라."

아티가 마담 루시에게로 돌아갔다.

혼자 남은 아드리안이 실실 웃고 있는데 하필 시야에 들어온 것이 뚱한 표정의 에센이었다.

에센을 보자마자 아드리안의 표정이 미미하게 찌푸려졌다.

"할 말 있으면 해."

"아니. 할 말 없는데."

"없는데 왜 그러고 서 있냐?"

"고민을 하는 중이거든."

"……?"

무슨 고민을 하는 건지는 모르겠으나 아드리안은 에센의 묘한 동정 섞인 시선이 무척이나 불쾌했다.

"뭘 고민하는데?"

"그냥 이것저것. 야, 아드리안. 너한테 아사모 알려 준 거 누구냐?"

"그건 왜 물어보는 거지?"

"잔말 말고 답이나 해 봐."

황태자한테 말하는 꼬락서니가 아주 무례하기 짝이 없었지만 아드리안은 지적하는 것도 귀찮아서 분노를 삭였다.

"테르니가 말해 줬는데."

"……역시 그 자식 짓이었군."

에센이 무어라 중얼거리더니 한숨을 푹 내쉬었다.

"뭐, 알았다. 힘내라."

"……?"

갑자기 동정을 받아 버려서 아드리안은 어이가 없었다.

뭐지? 볼일은 그것으로 끝인지 에센은 그대로 아티를 호위하러 가 버렸다.

✦ ♛ ✦

"뭔가 찝찝한데."

에센만 이러는 것이 아니었다.

디아노도 무척이나 어물쩍거리면서 아사모에 관해 입을 다물었다.

"수상해."

에센이 아사모 회원이라는 것도 수상했다.

에센은 언제나 늘 외길 인생을 살아왔다.

게다가 자신의 뛰어난 외모 때문에 어릴 때부터 함께했던 테르니나 자신 외의 사람과 어울리지 못하는 걸 아드리안은 잘 알고 있었다.

'물론 아사모에 가입한 진짜 목적은 아티겠지만.'

날카롭게 분석을 끝낸 아드리안의 고민이 깊어졌다.

그때 포인세티아 궁으로 들어오는 미카엘과 정면으로 마주쳤다.

"아르칸젤로의 축복이 함께하시기를."

원래 자주 보는 얼굴이긴 했지만 최근 들어서 미카엘을 마주치는 것이 신경 쓰였다.

"오늘은 무슨 일이지?"

"귀빈 관련해서 업무를 보러 왔습니다."

"그런 건 아랫사람을 시키면 되잖아?"

"물론 다른 용건이 있기도 합니다."

또 다른 용건?

아드리안은 뭔가를 직감했다.

분명 저 용건에 자신이 거슬릴 만한 뭔가가 있을 것이라는 사실을.

"다른 용건이라는 것이 뭐지?"

원래 개인사 같은 건 일절 신경 쓰지도 관심도 없던 사람이 갑자기 묻자 미카엘은 의아함을 느꼈다.

"아사모라는 모임에 참석하고 있습니다."

"……?"

"……?"

미카엘이 아사모? 아사모는…….

아드리안이 막 아사모에 대해 물어보려고 했던 참이었다.

"전하! 큰일입니다!"

본업인 호위도 내팽개치고 자리를 이탈했던 디아노가 갑자기 나타나 아드리안을 붙잡았다.

"큰일? 무슨 큰일?"

"그게 마리에 전하께서!"

"마리에 전하? 언제 둘이 이름을 부르는 사이가 됐지?"

"아, 그게 문제가 아니라!"

디아노가 억지로 아드리안을 이끌었다. 아드리안은 어이가 없었다. 아직 미카엘에게 물어볼 것이 남아 있었는데.

얼마간 걸어 미카엘이 보이지 않는 장소에 들어서고 나서야 디아노가 걸음을 멈추었다.

"그래서, 큰일이라는 게 뭐지?"

"아. 사실은 없습니다."

"……?"

아드리안의 미간에 주름이 파였다.

"무슨 짓이지?"

당장 디아노를 떼어 놓고 미카엘을 잡으러 가기 위해 아드리안이 몸을 돌렸다.

"전하! 사실 제가 전하께 드릴 말씀이 있습니다."

디아노가 아드리안의 옷자락을 붙잡았다.

"아사모에 대해서!"

우렁찬 목소리에 아드리안이 발걸음을 멈췄다.

그래, 뭔가 이상했다.

"말해 봐. 뭔데, 대체."

"그게 사실은 아사모가……."

디아노가 구구절절 장황하게 설명했지만 결론은 하나였다.

아사모가 아드리안을 사랑하는 모임이 아니라는 것.

아드리안은 오랜만에 진심으로 살의를 느꼈다.

"테르니는 어디 있지?"

"그게, 아마도, 집무실에……."

검을 든 아드리안이 테르니를 찾아간 것은 그리 먼일이 아니었다.

"아드리안, 진정해! 아드리안!"

"죽고 싶냐?"

"으아아! 아드리안 살려 줘~!"

아드리안을 실컷 가지고 논 죄로 테르니는 철저한 응징을 받았다.

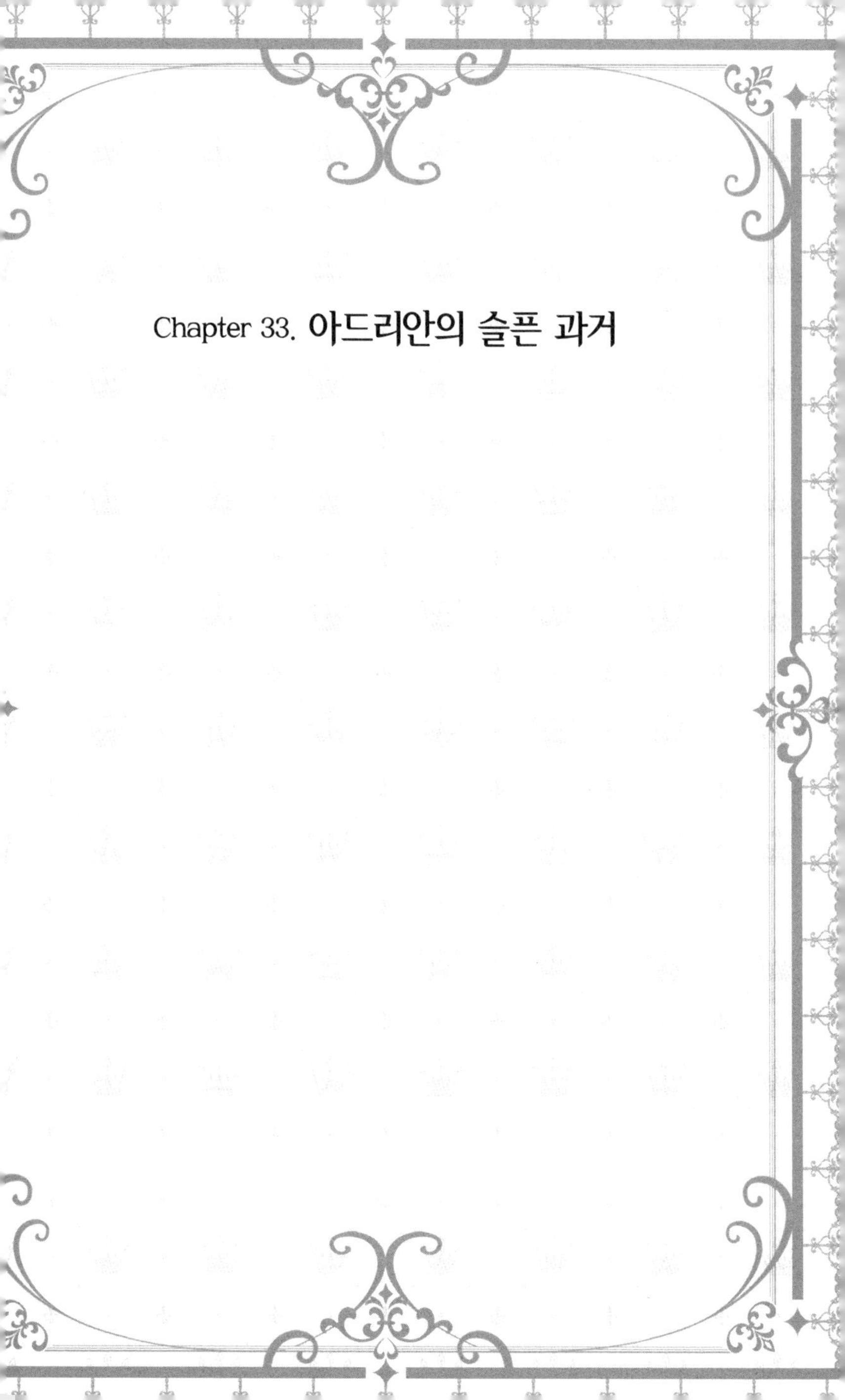

Chapter 33. 아드리안의 슬픈 과거

Chapter 33. 아드리안의 슬픈 과거

새벽부터 황궁 전체가 분주했다. 인원 부족으로 하녀와 하인들이 이곳저곳에 불려 가는 바람에 아주 소란스러웠다.

그건 릴리 궁도 예외가 아니었다. 아티는 일찍부터 일어나 단장을 끝냈다.

"자, 이제 나가 보세요!"

"다녀올게요, 마담 루시."

마담 루시는 환하게 웃으며 인사하는 아티의 모습을 흐뭇하게 바라보았다.

"이제는 가르쳐 드릴 것도 없다니까, 오호호."

벌써부터 황가의 일원이 된 듯 귀티가 흐르는 아티의 모습에 절로 뿌듯해졌다.

밖으로 나선 아티는 바로 앞에서 기다리고 있던 아드리안을 마주했다. 아티는 그가 자연스럽게 내민 손을 아무 생각 없이 붙잡았다.

“로넨 녀석이 또 까불 텐데, 적당히 무시해.”

“저는 괜찮아요. 귀엽잖아요!”

그렇다. 오늘 소란의 이유, 그것은 바로 시리우스 사절단의 방문 때문이었다.

아드리안이 막을 새도 없이 황후가 아티에게 개인적으로 부탁하는 바람에 이번에는 아티가 사절단을 맞이하러 나가게 되었다.

도저히 걱정돼서 아티를 혼자 보낼 수 없던 아드리안이 동행하기로 했다.

“아드리안 덕분에 살았어요. 혼자 나가려니까 사실 좀 무서웠는데.”

“당연히 같이 가야지. 너는 내 약혼녀니까.”

아드리안이 회심의 대사를 날렸다. 그러자 아티가 방긋 웃었다.

“맞아요. 오늘도 열심히 할게요!”

“…….”

오늘도 아드리안의 수작질은 순조롭게 망하는 중이었다.

아드리안과 아티가 마법진에 도착하고 얼마 지나지 않아 마법진이 구동되었다.

빛무리가 일었다가 사그라지기가 무섭게 자그마한 인형이 툭 튀어나왔다.

“아티!! 보고 싶었어!”

로넨이 양팔을 벌리고 아티에게 냅다 달려왔다. 그녀에

게 안기려 했지만 옆에 서 있던 아드리안에게 간단히 제지 당했다.

아드리안이 로넨의 뒷덜미를 휙 낚아챘다.

"어딜."

"악! 이 악마는 왜 있는 거야?"

"그 악마가 황태자니까."

로넨은 사악하게 웃는 아드리안을 보며 오만상을 찌푸렸다.

"아티, 저 인간이랑 이혼해!"

"……?"

갑자기 이혼? 결혼도 안 했는데?

아티는 물론이고 아드리안과 몰려 있던 사람들 모두 어리둥절해졌다.

하지만 로넨은 뭐가 문제인지도 모르고 아드리안을 찌릿 노려보았다.

"저런 악마 같은 인간한테는 아티가 아깝다고. 그러니까 이혼—!"

뒤에서 튀어나온 고아한 손이 로넨의 머리를 꾹 눌렀다.

"파혼이겠지, 로넨. 돌아가자마자 공부량을 더 늘려야겠구나."

"뭐? 싫어! 파혼인 거 나도 알아. 갑자기 생각이 안 났단 말이야!"

베로니카 황후는 우아하게 웃으며 로넨의 머리를 더 꾹 눌렀다.

"국가 망신시키지 말고 조용히 하고 있으렴, 로넨. 이 엄마가 아주 부끄럽잖니?"
"씨……."
"씨?"
"……."
드디어 로넨이 조용해졌다. 아티는 베로니카 황후의 엄청난 위압감에 놀랐다.
"오랜만이구나, 얘들아."
"황후 폐하를 뵙습니다. 어서 오세요."
아티가 웃으며 예의 바르게 인사했다. 흐뭇하게 보던 베로니카 황후가 넌지시 물었다.
"그래. 그동안 진도는 좀 나갔고?"
훅 치고 들어오는 짓궂은 말에 아드리안과 아티는 동시에 입을 다물었다.
두 사람 다 같은 장면을 떠올려 버린 탓이다.
"어머, 귀여워라. 너희 내외하니?"
"……어서 가시죠. 모후께서 기다리고 계십니다."
"말 돌리기는. 이번엔 특별히 봐주마."
베로니카 황후가 우아하게 웃으며 몸을 돌렸다. 그러다 문득 무언가가 생각났다는 듯 아티를 바라보았다.
"힘든 부탁인 건 알겠지만, 이 사고뭉치를 좀 맡아 주겠니? 로넨이 아티를 꼭 봐야겠다고 하도 난리를 치기도 했고. 말 안 들으면 때려도 돼."
"때, 때려요?"
"굶겨도 되고."

무시무시한 소리를 남긴 베로니카 황후는 자신의 자매를 만나러 떠나 버렸다.

이미 로넨을 때려도 된다는 대사를 들어 본 적 있는 아드리안은 그러려니 했다. 그가 아티에게 손을 내밀었다.

"돌아가자."

아티가 자연스럽게 손을 붙잡으려던 때, 로넨이 아티의 손을 먼저 낚아챘다.

"아티는 나랑 손잡을 거야!"

"저게."

순간 빡친 아드리안이 아티에게서 로넨을 떨어트리려 했다.

"아니에요, 제가 데려갈게요."

하지만 노력이 무색하게 아티가 무해하게 웃으며 로넨을 끌어당겼다.

졸지에 아드리안은 자신이 나쁜 사람이 된 것만 같은 기분에 휩싸였다.

"아드리안. 이제 돌아가 봐야 하죠? 로넨은 제가 잘 보살필 테니까 걱정 마세요!"

아드리안은 무어라 말을 하고 싶었으나 이후에 바로 일정이 있는 게 맞기 때문에 입술만 달싹였다.

고개를 숙이자 아티의 손을 꼭 붙잡은 로넨이 방긋방긋 웃고 있었다.

'일단 한 대 때릴까.'

아드리안은 참기 힘든 유혹에 휩싸였다. 흉흉한 기세를 눈치챈 로넨이 아티의 뒤로 쏙 숨었다.

"아티, 우리 이제 가자. 나 배고파!"
"알았어. 가서 맛있는 거 먹자."
"응!"
착한 척 고개를 끄덕이던 로넨이 잔뜩 짜증 난 아드리안을 올려다보았다.
그러고는 히죽, 웃었다.
"일 열심히 해, 악마!"
그 순간 아드리안은 로넨이 머무는 기간이 그리 순탄치 않을 것임을 직감했다.

✦ ♛ ✦

아드리안과 헤어져 로넨의 손을 꼭 붙잡고 릴리 궁으로 돌아가는 길.
오랜만에 만난 로넨은 신이 난 듯 싱글벙글이었다.
"로넨. 우리 뭐 하고 놀까?"
"정원에서 과자 먹으면서 놀자!"
"그래, 그래. 그런데 우리 로넨, 키가 많이 컸네?"
전에 봤을 때는 아카시아보다 작았던 것 같은데 어느새 한 뼘은 더 훌쩍 자라 있었다.
로넨이 '훗' 하며 웃었다.
"겨우 이 정도 큰 걸로 왜 그래, 아티? 앞으로 더 클 일만 남았다고!"
키가 많이 자라서 기분이 좋은가 보다. 하하 웃고 있으니 로넨이 내 손을 더 세게 붙잡았다.

"그 악마보다 더 커서 아티랑 결혼할 거야. 두고 봐!"

"그래. 기대하고 있을게!"

역시 애들은 귀엽다니까.

로넨과 두런두런 이야기를 나누다 보니 어느새 릴리 궁이었다. 그런데 건물 앞에 뜻밖의 손님이 있었다.

"아카시아!"

"언니이!"

머리를 한쪽으로 예쁘게 땋아 내린 아카시아가 환하게 웃으며 달려왔다.

"나 보러 왔어?"

"응!"

고개를 들자 손을 흔들고 있는 마리에가 있었다.

"아카시아가 너무 보고 싶은 거야. 그래서 내가 데려와 달라고 디아노 경한테 부탁했어."

"협박한 건 아니고?"

"아티!"

마리에가 두 눈을 흘기자 나는 가볍게 웃었다. 그러다 문득, 무언가 깜빡 잊었다는 사실을 깨달았다. 맞다, 로넨.

나를 보며 방긋방긋 웃던 아카시아도 뒤늦게 내 손을 잡고 있는 로넨을 발견했다.

"너, 네가 왜 여기 있어? 돌아갔잖아!"

"내가 어디에 있든 네가 무슨 상관이야?"

"왜 또 온 건데! 가란 말이야!"

아카시아와 로넨이 으르렁대며 싸우기 시작했다.

오랜만에 다시 만나도 사이가 이렇다니, 아이들은 알다가도 모르겠다.

“네가 왜 아티 언니 손 잡고 있어? 놔아!”

“싫—어.”

“왜 싫은데?”

“아티는 내 거니까!”

“웃기지 마, 바보야. 아티 언니는 내 거란 말이야!”

갑자기 대화 주제가 나에 대한 소유권으로 바뀌었다.

“하하. 얘들아?”

난감하게 웃으며 말렸지만 들리지 않는 듯했다.

“아티는 나랑 결혼할 거야.”

“아니야. 아티 언니는 아카시아랑 결혼할 거라구!”

“……하하.”

정말 귀엽단 말이야.

로넨과 아카시아는 씩씩대며 서로를 노려보았다. 그런데 갑자기 아카시아의 두 눈망울이 충격에 물들었다.

“너 뭐야. 분명히 나보다 키 작았잖아……!”

“내가 언제? 그런 적 없는데? 이 꼬맹아!”

“꼬맹이 아니야!”

아카시아가 울먹이며 내 허리를 끌어안았다.

자기보다 키가 작던 로넨이 훌쩍 커 버린 게 속상한 모양이었다.

로넨은 그런 아카시아를 보며 의기양양하게 웃었다. 내

게 폭 안긴 아카시아가 로넨을 찌릿 노려보았다.
"나도 키 커질 거야!"
"어디 한번 해 보시든가!"
"너보다 훠어어얼씬 커질 거라고!"
"나도 이거보다 더 클 거거든?!"
이러다 밖에서 볼일 다 볼 것 같다는 위기감이 들었다.
"저기, 얘들아?"
이번에는 똑똑히 들릴 정도로 큰 목소리로 불렀지만…….
"난 너 같은 애가 제일 싫어!"
"나도 너 싫어!"
역시나 들리지 않는 듯했다. 이번에도 역시 관심사를 돌려야 하나, 고민하고 있을 때 마리에가 나를 구원해 주었다.
"얘들아. 키가 크려면 우유를 마셔야지."
"오늘 아침에 마셨어."
"아카시아도 벌써 마셨어요."
마리에가 가소롭다는 듯 웃었다.
"한 잔 가지고 되겠어? 많이 마셔야 빨리 크지."
"……!"
아이들은 무언가를 깨달은 듯했다.
"자, 그럼 우유 마시러 갈까?"
아이들은 홀린 것처럼 나에게서 떨어져 마리에에게로 달려갔다.
"우유 마실래요!"
"로넨도!"

✦ ♛ ✦

네 명이서 정원에 나가 쿠키와 우유를 마시며 놀았다.

로넨과 아카시아가 왈왈대며 싸우긴 했지만 말리면 그래도 말을 잘 들었다.

어느덧 시간이 흘러 석양이 질 때, 시시뉴가 아카시아를 데리러 왔다.

"언니, 또 놀러 올게요!"

"그래."

"저 바보랑 많이 놀면 안 돼요. 알았죠?"

"바보는 너겠지. 쪼그만 게."

"뭐?!"

"뭐!"

또다시 전쟁이 발발하려 했지만, 시시뉴가 눈치껏 아카시아를 들어 안았다.

"오늘 여러모로 실례가 많았습니다, 전하. 그리고 아티. 그럼 저희는 이만 가 보겠습니다."

"네, 조심히 가세요."

아카시아가 떠나자 로넨이 조용해졌다. 사라지는 아카시아의 모습을 계속 지켜보는 로넨의 모습이 심상치 않았다.

나는 슬금슬금 마리에에게 다가갔다.

"마리에, 마리에. 로넨이 아카시아를 좋아하나 봐."

"역시 애들은 싸우면서 정들고 그러는 거라니까."

말로는 나랑 결혼할 거다 뭐다 하면서 아카시아가 제법 마음에 든 모양이다.

음흉한 눈으로 로넨을 지켜보자 우리의 시선을 눈치챈 로넨이 고개를 돌렸다.

"왜, 왜!"

괜히 버럭 소리를 지르는 게 찔리는 게 있는 듯했다. 우리는 모르는 척 웃으며 고개를 저었다.

데리러 온 시리우스 쪽의 시종에게 로넨을 보내고, 마리에와 단둘이 남았다.

어쩐지 심각한 분위기로 무언가를 고민하던 마리에가 입을 떼었다.

"아티. 아무래도 꼬마 녀석들 분위기가 심상치 않으니까 이 몸이 좀 도와줘야겠어."

"뭘 어쩌려고?"

"아카시아를 내 말벗으로 들일까 하는데, 어때?"

나는 두 눈을 휘둥그레 떴다.

"그래도 돼?"

"모후 허락만 받으면 안 될 것도 없지. 아카시아가 어리긴 하지만 그래도 귀여우니까 될 거야."

"맞아, 아카시아는 귀엽지."

그것만은 부정할 수 없는 명확한 진리였다. 흐뭇하게 웃고 있으려니 마리에가 팔짱을 꼈다.

"또 예비 며느리가 도와주면 더 쉽게 허락해 주실 것 같은데?"

"나를 이용하겠다는 거야?"
"이용이라니! 서로 돕는 거지. 아카시아가 내 말벗이 되면 더 자주 볼 수 있잖아."
"내일 당장 허락받으러 가자."
내 태세 전환에 마리에가 쿡쿡 웃었다.
"어디 한번 꼬맹이들 연애 사업이나 도와주자고."
마리에는 평소보다 더 들뜬 듯했다. 그 모습을 보며 나는 자연스럽게 한 사람을 떠올렸다.
로맨스에 미친 사람, 그 사람은 바로…….
황후 폐하.
'……역시 피는 못 속이는구나.'

✦ ♛ ✦

아티를 불러들인 베로니카 황후가 난감한 듯 한숨을 푹 내쉬었다.
"아티. 우리 로넨이 기필코 아티와 놀아야겠다고 하도 고집을 부리는구나."
"그럼 제가 돌볼게요."
"그래 주겠니? 그럼 저녁까지만 부탁하마. 언니가 자식은 몰라도 며느리 하나는 참 잘 뒀다니까."
호호호 하며 베로니카 황후가 웃었다. 졸지에 마리에와 아드리안이 못 둔 자식이 되어 버렸다.
'남매가 여기에 없어서 다행이다.'

아티는 크게 안도하며 로넨을 데리고 나왔다. 로넨은 아티와 함께 있다는 사실에 오늘도 싱글벙글이었다.

"로넨. 오늘은 뭐 할까?"

"나는 신경 쓰지 말고 아티 할 일 해!"

"정말 그래도 돼?"

"응."

뭔가 찝찝했지만 아티는 일단 고개를 끄덕였다.

사실 로넨이 온 뒤로 예비 황태자비로서 해야 할 공부가 많이 밀려 있었다.

'안 본 사이 배려심이 많이 늘었네.'

흐뭇하게 웃으며 방을 나서자 에센이 아티를 기다리고 있었다.

"에센 님. 이제 돌아가요."

"응."

그러다 문득, 에센의 시선이 점점 내려와 낯선 꼬마에게로 닿았다.

"뭘 봐?"

로넨은 에센을 처음 보았다. 희멀건 얼굴로 아티에게 친한 척 들러붙는 게 상당히 마음에 들지 않았다.

'아티랑 제일 친한 건 나라고!'

로넨은 보란 듯 아티의 팔을 붙잡으며 꼭 붙었다.

"……."

에센은 그런 로넨을 가만히 내려다보다 이내 아티를 보며 방긋 웃었다.

"가자, 아티."
아예 없는 사람 취급이었다. 로넨은 충격에 입을 떡 벌렸다.
'나를 무시했어!'
이런 경우는 처음이었다.
보통 시비를 걸면 황태자인 자신을 어렵게 여겨 난감해하거나, 혹은 아카시아처럼 대들었으니까.
"가자, 로넨."
로넨은 아티에게 딱 붙어 걸으면서 곁눈으로 에센을 노려보았다.
분명히 그 시선이 느껴질 텐데도 에센은 관심도 주지 않았다.
'비실비실하게 생겨서 만만히 봤더니, 보통내기가 아닌데?'
로넨의 마음속에서 에센에 대한 평가가 조정되었다. 아드리안보다 살짝 위로.
릴리 궁에 거의 도착했을 때였다. 그제야 로넨은 에센이 자신에게 인사를 하지 않았다는 사실을 깨달았다.
"야, 너! 잠깐 멈춰 봐!"
"?"
에센이 로넨을 내려다보았다. 로넨은 그 시선을 똑바로 마주 보았다.
"무엄하다! 감히 황족에게 인사를 하지 않다니, 죽고 싶은 것이냐?"
에센의 고운 미간이 찌푸려졌다.
"아티. 얘 대체 누군데?"

"뭐? 너 나를 몰라?!"

로넨이 버럭 소리를 질렀다. 이해가 되지 않았다. 이 기품, 이 외모, 당연히 시리우스 제국의 황태자이지 않나.

아티는 어이가 없다는 듯 노려보는 로넨을 토닥이며 중재에 나섰다.

"에센 님. 이 아이는 시리우스 제국의 황태자, 로넨이에요."

"황태자들은 다 그런가……."

에센이 어처구니없다는 듯 웃었다.

'내가 아는 황태자 한 놈도 성격 글러 먹었는데.'

로넨은 자신의 신분을 알았음에도 눈 하나 깜짝 않는 에센을 보며 내심 놀랐다.

본능적으로 건드려 봤자 좋을 것 없다는 느낌을 받았다. 로넨은 에센을 괜히 한번 노려본 후 아티를 끌어당겼다.

"아티, 가자!"

"응? 그래."

에센은 아티의 뒤를 따르며 옅은 한숨을 내쉬었다.

'불쌍한 아티.'

성격을 꼭 빼닮은 황태자들에게 시달리는 아티가 안쓰러웠다. 물론 입 밖으로 꺼내지는 않았다.

✦ ♛ ✦

침실에 돌아온 아티는 밀린 일거리들을 처리하기 시작했다. 처음에는 방 여기저기를 구경하며 간식을 먹던 로넨은 금세 지루해했다.

“아티~!”

“응?”

“멀었어?”

소파에 늘어지게 누워 발을 흔들거리는 모양새가 할 일 없는 백수 같아서 아티가 풋 웃었다.

“심심해?”

“아니, 뭐 꼭 그런 건 아니고…….”

아니라고 하지만 표정에 지루해하는 게 다 드러났다. 아티는 결국 책을 덮었다.

“산책이라도 갈까?”

“응! 갈래, 갈래!”

사실 로넨을 돌본다고 했을 때 사고라도 칠까 봐 내심 걱정했었는데 생각보다 얌전해서 아티는 크게 안도했다.

습관적으로 평소에 가던 길로 산책을 나온 아티는 정원의 요정과 마주쳤다.

“라…… 아니, 아티엔느 양.”

아티를 반갑게 부르려던 미카엘은 매서운 눈으로 자신을 주시하는 낯선 아이를 발견하고 서둘러 호칭을 수정했다.

그는 아이를 보자마자 정체를 알아보았다.

‘시리우스의 황태자 로넨이로군.’

외무부에서 일하며 소문을 들은 적이 있었다. 성격이 그리 좋지 않다지.

“오랜만이에요, 미카엘. 잘 지냈어요?”

"네. 최근에 좀 바빴던 것만 제외하면요."

"그러게요. 정말 오랜만에 보는 것 같아요. 일이 많이 바쁘신가 봐요."

"어쩔 수 없죠. 그저 묵묵히 하는 수밖에. 그나마 오늘은 짬이 나서 산책을 나온 참입니다. 곧 돌아가 봐야 해요."

아티가 안타깝다는 듯 미카엘을 보며 위로할 때였다.

"아티, 나 다리 아파."

그들이 대화하는 걸 가만히 듣고 있던 로넨이 아티의 옷자락을 잡아당겼다.

아까는 웬 희멀건 한 남자가 붙어 있더니 이번에는 또 뺀질거리는 얼굴의 남자가 아티에게 친한 척을 했다.

마음에 들지 않았다.

"그래? 여기 같이 앉을까?"

"응. 아티도 같이!"

아티는 늘 앉던 자리에 손수건을 꺼내 로넨을 앉힌 후 그 옆에 앉았다. 그리고 미카엘에게 손짓했다.

"미카엘도 옆에 앉아요."

"안 돼!"

로넨이 소리쳤다. 아티는 잠깐 당황했다.

"로넨. 미카엘 님도 같이 앉으면……."

"싫어. 아티랑 둘만 앉을 거야."

"왜 그래, 로넨."

로넨이 고개를 휙 돌렸다. 미카엘은 그런 로넨을 보며 하하 웃었다.

"괜찮습니다. 어차피 곧 가 봐야 하니까요. 아이가 아티를 많이 좋아하나 봅니다. 귀엽네요."

"아, 이 아이는……."

아티가 로넨의 소개를 하려고 했지만 로넨이 더 빨랐다.

"나는 시리우스의 황태자 로넨이다! 무례한 언사를 멈추도록 해라!"

로넨은 이번에야말로 자신의 신분을 듣고 상대방이 당황하리라 여겼다. 하지만 이번에도 허탕이었다.

미카엘은 오히려 사람 좋게 웃으며 로넨에게 예를 갖춰 인사했다.

"아, 황태자 전하셨군요. 미처 몰라뵈어 죄송합니다. 듣던 대로 정말 멋있으시네요."

"뭐, 당연하지!"

아무리 천하의 로넨이라 해도 칭찬해 주는 사람 면전에 대고 무안을 줄 수는 없었다. 거기다 칭찬에 약하기도 하고.

미카엘의 칭찬은 그게 끝이 아니었다.

"나이에 맞지 않게 의젓하다고도 들었고요."

"흣. 그럼, 그럼!"

"전하께서 계시니 시리우스 제국의 앞날이 밝습니다."

"뭘 좀 아네!"

우쭐하던 로넨은 문득 이상함을 느꼈다.

'응? ……이게 아닌데?'

천천히 시선을 들어 올리자 미카엘이 자신을 보며 미소 짓고 있었다.

어쩐지 놀아난 것만 같아 기분이 확 나빠졌다.

"간다며! 왜 안 가?"

"이제 갈 겁니다. 제 시간을 걱정해 주시다니 전하의 배려에 감탄을 금치 못하겠습니다."

"그, 그래."

이런 유형은 처음이라 로넨은 적잖이 당황스러웠다.

'아티 주변 남자들 다 이상해.'

에센은 물론이고 아드리안도 포함이었다.

"그럼 전 이만 가 보겠습니다, 황태자 전하."

"어서 가."

드디어 가겠구나 안심하려는 찰나, 미카엘이 갑자기 아티에게로 다가가더니 한쪽 무릎을 꿇으며 앉았다.

"여기 꽃잎이 떨어져 있네요."

그러고는 산뜻하게 웃으며 아티의 머리 위에 떨어진 꽃잎을 떼어 주었다.

"앗. 고마워요."

"별말씀을. 그럼 정말로 가 보겠습니다. 조만간 또 뵙도록 하죠."

"네. 조심히 가요, 미카엘 님!"

로넨은 사라지는 미카엘의 뒷모습을 보며 입을 떡 벌렸다.

'고수다……!'

지금까지 본 인간들 중에 가장 강력한 라이벌 후보라고 할 수 있었다.

✦ ♛ ✦

마리에와 나는 손쉽게 아카시아를 말벗으로 들이는 것을 허락받았다.

너무 어리다며 난색을 보이던 황후도 실제로 아카시아를 한 번 만나 보더니 두말하지 않고 동의했다.

그 소식을 들은 아카시아는 아주 기뻐했다.

"저 이제 오고 싶으면 와도 되는 거예요?"

"그럼. 당연하지."

"와아, 너무 좋아요!"

아카시아가 활짝 웃으며 손뼉을 쳤다. 그런 아카시아가 너무 귀여워서 절로 웃음이 났다.

나는 아카시아의 뺨을 만지작거리며 욕구 충족을 했다. 말랑말랑하고 쫀득쫀득한 게 너무 사랑스러웠다.

그때 찻잔을 내려놓은 마리에가 문득 깨달았다는 듯 물었다.

"그런데 아티, 로넨은 어디 있어?"

"로넨? 나중에 아드리안 온다고 했더니 도망갔어."

"오빠랑 사이 진짜 나쁘구나. 하긴 오빠가 좀 멀리하고 싶은 성격이긴 하지."

"그 정도는 아니고……."

"약혼자라고 감싸는 것 좀 봐. 어우, 눈꼴사나워. ……그런데 그 인간은 대체 혼자 왜 그런담?"

끝에 마리에가 뭐라고 중얼거린 것 같은데 제대로 듣지 못했다.

"뭐라고 했어?"

"아냐, 아무것도. 이번에 시리우스 사절단 맞이 파티에 올 거지?"

"응, 가야지."

한동안 파티가 없었기 때문에 오랜만의 참석이었다. 마리에가 안도의 한숨을 내쉬었다.

"너 없을 땐 대체 어떻게 살았지? 혼자 가는 건 죽어도 가기 싫더니, 아티 너랑 간다니까 그래도 좀 살 것 같아."

마리에의 말에 가슴이 짠해졌다. 내가 그렇게 소중한 사람이라는 것처럼 들려서.

한창 셋이서 수다를 떨며 정원에서의 티타임을 즐기고 있을 때였다.

부스럭—.

풀숲에서 난 소리에 고개를 돌리자 뭔가 익숙한 잿빛 머리칼이 삐쭉 보였다.

자세히 보니 로넨이 수풀에 숨어 무언가를 빤히 쳐다보고 있었다.

그 시선이 닿은 곳은 다름 아닌 아카시아였다.

'도망가더니 아카시아 보러 왔나 보네!'

로넨은 내가 자신을 발견했다는 사실을 눈치채지 못한 듯했다. 로넨이 너무 귀여워서 절로 웃음이 나왔다.

'그래 놓고 막상 만나면 틱틱대지.'

아는 척을 할까 말까 고민하고 있는데, 아카시아가 고개를 갸웃하더니 내가 보는 쪽을 향해 고개를 획 돌렸다.

"어!"

"……!!"

아카시아와 눈이 마주친 로넨이 화들짝 놀라 벌떡 일어났다.

"아티가 보고 싶어서 온 거야!"

그러고는 나한테 쪼르르 달려와서 팔을 붙잡았다. 아카시아의 눈에 불꽃이 튀었다.

"아티 언니한테 친한 척하지 마! 언니는 나랑 더 친하다고!"

"흥, 아니거든? 아티는 나랑 하루 종일 놀거든? 그러니까 나랑 더 친해!"

로넨이 온 뒤로 자는 시간 외에는 거의 함께 있곤 했지. 그 말에 아카시아가 울상을 지으며 로넨에게 소리쳤다.

"야!"

"왜!"

"너 미워!"

아카시아의 외침에 로넨이 흠칫 뒤로 물러났다. 새삼 충격이라도 받은 모양이었다.

한가롭게 차를 마시던 마리에가 쿡쿡 웃었다.

"우리 아티 인기 많네~!"

"하하……."

좋아해야 할지 말아야 할지 모르겠네.

이쯤 했으니 이제 싸움을 말리고 과자나 먹이려 자리에

서 일어났을 때였다.

머리 위로 짙은 그림자가 졌다. 고개를 돌리자 익숙한 붉은 눈동자가 눈에 들어왔다.

"너희가 아무리 말싸움을 해도 아티와 가장 친한 건 나다, 이 꼬맹이들아."

"!"

아카시아와 로넨이 두 눈을 크게 떴다.

아드리안을 어려워하는 아카시아는 우물쭈물하더니 시무룩하게 자리에 가서 앉았지만 로넨은 달랐다.

"이 악마! 왜 또 왔어?!"

"네가 내 아티 괴롭히고 있을까 봐."

"괴롭히는 건 악마 너겠지!"

"하루 종일 아티 옆에 붙어서 아무것도 못 하게 방해하는 게 누구지?"

"아, 안 방해했어!"

"보나 마나 심심하니까 놀자고 졸라 댔겠지."

"아니야!"

로넨이 점점 풀 죽어 가는 게 내 눈에도 보였다. 나는 로넨을 감싸 안으며 괜히 아드리안을 노려보았다.

"그러지 마세요, 전하."

아무리 그래도 아이 상대로 너무하잖아.

"아티! 저 악마가 나 괴롭혀!"

"그래, 그래."

나는 로넨을 달래다 다시 고개를 들었다.

그런데 평소처럼 뻔뻔하게 굴 것 같던 아드리안의 반응이 뭔가 이상했다.

"……그 녀석이 너를 독점하잖아."

왜 서운한 것처럼 구는 걸까. 오로지 나만 보는 눈빛에 또 가슴이 두근거렸다.

✦ ♛ ✦

시리우스 제국의 사절단을 맞이하는 파티가 열렸다.

아드리안은 파티에 참석하기 위해 밀린 일거리들을 처리한 후 자리에서 일어났다.

그보다 벌써 일을 끝마친 테르니가 꽃받침을 하고 헤실헤실 웃으며 아드리안을 보고 있었다.

아드리안은 인상을 팍 찌푸렸다.

"미쳤냐?"

"아니? 요새 파티에도 참석 못 하고 일만 했잖아. 얼마나 신나는데!"

휴가를 주지 않는 게 불만이다 그 말이었다. 아드리안은 테르니를 무시하며 지나치다 문득 물었다.

"테르니. 가브리엘도 오나?"

"응, 온대~!"

테르니가 발랄하게 대답했다. 아드리안의 매끈한 미간이 구겨졌다.

"그냥 매장시켜 버렸어야 했는데."

"동감!"
테르니의 대답에 픽 웃으며 집무실을 돌아본 아드리안은 무언가가 빠졌다는 것을 깨달았다.
집무실에는 테르니와 에센밖에 없었다.
"디아노는?"
"마리에가 파트너 없다고 끌고 갔어."
"저런."
아카시아를 말벗으로 들인 이후 마리에는 허구한 날 디아노를 불러내어 함께 놀았다.
그 탓에 아드리안은 아티와 단둘이 있을 시간을 빼앗겨 기분이 저조했다. 로넨 그 꼬맹이도 역시 재수 없고.
'디아노도 불쌍하군. 마리에 같은 성격 파탄자에게 붙잡히다니.'
"쯧."
혀를 찬 아드리안은 나머지 심복들을 향해 손을 내저었다.
"너희는 먼저 가 있어."
"왜? 나도 아티랑 같이 갈래!"
오늘도 눈치라고는 없는 테르니의 태도에 아드리안은 인상을 썼다.
"사이좋게 셋이서 입장이라도 하자고?"
분명 비꼰 말이었는데.
"와. 엄청 좋은 아이디언데? 그러자!"
테르니는 좋아했다.
'저 자식을 어떻게 처리하지?'

이글거리는 눈으로 테르니를 쳐다보고 있을 때, 가만히 지켜보던 에센이 나섰다.

"이거 놔!"

"넌 눈치 좀 길러라."

에센은 고개를 저으며 테르니의 뒷덜미를 붙잡았다.

"나한테 빚 하나 진 거다?"

에센은 일방적으로 아드리안에게 빚을 지우더니 테르니를 반대편 방향으로 질질 끌고 갔다.

"빚은 무슨."

짧게 웃은 아드리안은 곧장 릴리 궁으로 향했다. 그는 자신이 왔음을 알리고 밖에서 기다렸다.

이윽고 문이 열렸다.

"아드리안."

작게 웃으며 자신을 올려다보는 아티가 새삼 너무 예뻐서, 아드리안은 도무지 눈을 뗄 수가 없었다.

그렇지 않아도 반했는데 또 반한 것 같다.

"어서 가요."

아티는 자신을 빤히 바라보고만 있는 아드리안에게 먼저 손을 내밀었다. 아드리안의 기분이 좋아졌다.

"그래."

그는 혹시라도 아티가 손을 거둘세라 서둘러 작은 손을 붙잡았다.

아티가 먼저 손을 내미는 건 처음이라 기대를 하지 않을 수 없었다.

‘역시 정성은 통하나 보군.’

아드리안은 흡족해하며 기분 좋게 아티를 에스코트했다. 그들은 머지않아 플로렌스 궁에 도착했다.

입장하자마자 아드리안은 경계 태세로 홀 내부를 빠르게 훑었다. 최대한 아티와 가브리엘을 만나게 하고 싶지 않았다.

“전하. 누구 찾으세요?”

“가브리엘.”

“가브리엘을 왜…….”

아티가 어리둥절한 얼굴로 자신을 올려다보았다.

“만나면 귀찮잖아.”

“괜찮아요. 제가 무찔러 줄게요!”

아티가 주먹을 꽉 쥐며 힘차게 외쳤다. 아티를 보는 아드리안의 두 눈에서 꿀이 뚝뚝 떨어졌다.

‘내 약혼녀 너무 귀엽다.’

새삼 처음 약혼녀가 되었을 때의 아티가 생각났다.

아무것도 모르고 그저 순진하기만 했었는데, 어느새 아드리안도 종종 놀랄 정도로 성장했다.

“그럼 부탁할게.”

“네, 맡겨만 두세요!”

아티에게 정신이 팔렸던 탓일까, 아드리안은 자신에게 접근해 오는 타인의 기척을 뒤늦게 눈치챘다.

“허허. 이거 오랜만에 뵙습니다, 전하.”

네벨 재상이었다. 가브리엘은 어디에 간 건지 보이지 않았다. 그게 다행이라면 다행일까.

아드리안은 속으로 불만을 터트리면서도 겉으로는 내색 않고 덤덤히 고개를 끄덕였다.

“오랜만입니다, 재상 각하.”

일전에 아티가 납치당했을 때 네벨 저택에서 만났던 때가 마지막이었다.

아티 납치 사건을 떠올리니 그때의 상황이 생각나서 아드리안은 갑자기 기분이 나빠졌다.

“전하께서는 안 뵌 사이 더 잘생겨지셨습니다. 마치 한창때의 저를 보는 것 같군요!”

‘하하하.’ 하며 네벨 재상이 웃었지만 아드리안은 웃지 않았다. 장단을 맞춰 주고 싶지도 않았다.

하지만 재상은 상관하지 않고 떠들어 댔다.

“아까까지만 해도 가브리엘이 있었는데, 대체 어딜 갔는지, 원. 전하를 뵐 거라며 새벽부터 꽃단장을 하더군요.”

“아, 예.”

“전하께서도 보시면 깜짝 놀라실 겁니다. 오늘 가브리엘이 얼마나 예쁜지, 가브리엘밖에 안 보이더군요.”

아드리안의 표정이 점점 일그러졌다. 아까부터 거슬리는 점이 한 가지 있었다.

‘일부러 아티를 무시하는 거로군.’

재상은 등장하고부터 의도적으로 아티에게 시선도 주지 않았다. 마치 없는 사람처럼 대했다.

순하고 착한 아티야 자신이 무시당하든 말든 상관하지 않을 테지만, 아드리안은 아니었다.

"글쎄요. 내게는 내 약혼녀밖에 보이지 않아서."

아드리안은 부드럽게 웃으며 아티의 손등에 입을 맞추었다. 부드러운 장갑의 감촉에 약간의 아쉬움이 느껴졌다.

시선을 내리자 아티가 자신을 올려다보고 있었다.

'이번에도 역시 연기를 하고 있다고 생각하겠지.'

그래도 한 번쯤은 진심을 알아주지 않을까. 계속 표현하면.

아티는 아드리안을 보며 환하게 웃어 주었다. 마치 괜찮다는 듯.

온유해진 분위기를 깨는 목소리가 있었다.

"아아. 레이디 오비에도께서도 함께 계셨군요. 미처 몰랐습니다. 워낙 존재감이 없으셔서. 허허허."

아드리안은 그 말을 도무지 이해할 수가 없었다. 어떻게 아티가 존재감이 없다는 말을 할 수가 있지?

아무리 일부러 깎아내리려고 하는 말이라도 과연 그게 가능한가 싶었다.

'진짜로 아티밖에 안 보이는데.'

아티 또한 자신을 무시하고자 하는 재상의 의도를 눈치챘지만 굳이 반응하지 않고 환하게 웃으며 인사했다.

드러내면 지는 싸움이었다.

"안녕하신가요, 재상 각하."

아티의 인사에 재상도 빙그레 미소 지었다.

"오늘 옷차림이 수수하셔서 못 알아뵈었습니다, 레이디 오비에도."

"그런가요?"

"실례되는 말씀인 줄은 알지만, 좀 더 예비 황태자비로서의 품위를 신경 쓰시는 게 좋을 듯합니다."

발끈한 아드리안이 나서려 했지만 아티가 그를 붙잡았다. 그리고 아드리안에게만 들릴 정도로 속삭였다.

"괜찮아요. 제가 무찌른다고 했잖아요."

"아티."

"저만 믿어요!"

"……."

아무래도 걱정됐지만 아티가 웃는 바람에 아드리안은 맥없이 고개를 끄덕였다.

여전히 웃는 얼굴로 그들을 보던 재상이 아티를 보며 말했다.

"이런 공식적인 자리에서는 좀 더 전하와의 거리를 유지하시는 게 좋을 듯합니다만. 아무래도 황태자비로서의 자질이 부족한 것 같습니다."

"그렇게 생각하시는군요."

아티는 머릿속에 있던 재상에 대한 평가를 재조정했다.

'괜히 네벨이 아니군.'

분명 함부로 자신을 긁으면 안 된다는 것을 알 텐데 덤비는 것을 보면 수준이 가브리엘과 비슷했다.

어떻게 미카엘이 이런 집안에서 그렇게 자랄 수 있었는지 여전히 의문이었다.

재상의 충고를 가장한 헐뜯기가 계속 이어졌다.

"자고로 미래의 황후가 되기 위해선 그에 걸맞은 준비가 되어 있어야 하죠. 제 딸 가브리엘처럼 말입니다."
"새겨듣겠습니다."
"더 노력하셔야 할 겁니다."
"네."
아티의 태도가 고분고분하자 자신이 이겼다고 생각한 재상은 의기양양해졌다.
그 후로도 한참을 재상의 수다를 상대하던 아티가 갑자기 두 눈을 동그랗게 뜨며 손뼉을 쳤다.
"아!"
"……?"
짧은 외침에 재상은 물론이고 주변에 있던 다른 사람들까지도 아티에게 주의를 기울였다.
"일전에 제게 주셨던 장인 위르겐의 찻잔은 잘 보관했다가 황후 폐하께 드렸답니다."
장인 위르겐의 찻잔!
엄청난 물건에 사람들이 두 눈을 휘둥그레 떴다.
알음알음 소문이 났는지 아티와 재상의 근처로 사람들이 슬금슬금 모여들었다.
"그랬군요. 황후께서 기뻐하셨으면 좋겠습니다, 허허."
"물론 기뻐하셨죠. 하지만 어째서 제가 찻잔을 받았는지 이유를 알고 나서는 무척 슬퍼하셨답니다."
군중이 크게 들썩이며 웅성이기 시작했다.
"대체 무슨 잘못을 저질렀기에 위르겐의 찻잔을 줘야 했을까?"

"보통 일은 아닌 것 같은데."

"나 사실 들은 적 있어. 가브리엘 양 때문에 아티엔느 양이 큰 고초를 치렀대!"

"그거, 뜬소문인 줄 알았는데 진짜였어?!"

별일 아니라 여겼던 재상은 생각 외로 사람들의 반응이 격렬하자 크게 당황했다.

"일이 이렇게 잘 끝나서 다행입니다."

"실은 아직 그 충격 탓에…… 밤에 잠을 설친답니다."

"괜찮으신지요."

"네, 괜찮습니다. 그 정도에 힘들다고 투정 부린다면 재상 각하께서 말씀하신 것처럼 제가 황태자비 자격이 없는 거겠지요?"

웅성웅성—. 황태자비 자질까지 논하는 말에 소란이 더욱 거세졌다.

재상은 아티만 들을 거라 생각하고 내뱉은 말이 고스란히 자신에게로 돌아올 줄은 몰랐다.

'양순하게 웃는 얼굴이라 만만히 봤더니……!'

웃으며 일침을 꽂는 게 꼭 오비에도가의 후계자를 연상시켰다.

여기서 더 자극했다가는 잃을 게 많을 것 같다는 판단이 든 재상은 일단 한발 물러나기로 결심했다.

"이런, 제가 전하와 레이디 오비에도의 시간을 많이 빼앗은 것 같군요."

"아니요. 더 얘기해도 되는걸요."

아티가 환하게 웃자 재상도 같이 웃었다. 하하하, 호호호. 가식적인 웃음만 남은 시간이 흘렀다.

"큼, 그럼 저는 이만……."

재상은 웅성거리는 사람들 틈으로 서둘러 사라졌다. 아티는 그런 뒷모습을 보다 아드리안을 올려다보았다.

잘했죠? 하는 듯한 시선에 그는 아티의 머리를 쓰다듬었다.

"잘했어."

"제가 무찌른다고 했잖아요!"

"마담 루시가 잘 가르쳐 줬나 보군."

"맞아요. 아주 훌륭한 스승님이세요."

가끔 이상한 걸 가르쳐 줄 때도 있지만, 기본적으로는 아주 좋은 선생님이었다.

재상이 떠나자 흥미가 동했던 사람들의 시선도 점차 사라졌다.

이제야 사람들을 피해 홀 가장자리로 피하려던 아드리안은 인상을 팍 찌푸렸다.

"하나가 가니 더한 게 오는군."

"네? 아……."

아드리안을 따라 고개를 든 아티는 그 말의 뜻을 곧바로 이해할 수 있었다.

"아르칸젤로의 축복이 함께하시기를. 전하, 언제 오셨어요?!"

아드리안이 그렇게 경계하던 가브리엘과 기어코 마주쳐 버린 것이다.

가브리엘이 화사하게 웃으며 다가왔다. 이번에도 역시

아티에게는 시선도 주지 않았다.

'역시 그 아빠에 그 딸이구나.'

아티는 또다시 미카엘에게 출생의 비밀이 있는 건 아닌가 하는 의심을 했다.

"사실 아까부터 전하를 찾고 있었답니다. 안 보이셔서 아직 안 오신 건가 했는데, 이렇게 제 앞에 나타나시다니. 역시 우리는 운명인 게 분명해요!"

"아닌데."

"어머, 부끄러워하시긴~!"

아티는 순수하게 놀랐다. 어떻게 저렇게 지난 일들을 싹 잊어버리고 아드리안을 대하는 걸까?

그간 별별 사건을 겪으면서 황태자의 정색을 겪었을 사람이라고는 볼 수 없었다.

"비켜, 할 말 없으니까."

싸늘하게 말한 아드리안은 아티를 데리고 주저 없이 가브리엘을 지나쳤다.

가브리엘은 그 자리에 멈춰 선 채 입술을 깨물었다.

"어떻게 전하가 나한테 이러실 수 있지?!"

10년도 훌쩍 넘게 알아 온 사이였다. 어릴 때는 황성에서 거의 살다시피 하면서 아드리안과 놀았다.

그랬던 세월이 있는데, 어떻게 자신에게 이럴 수 있단 말인가.

이건, 배신이었다.

자신을 흘긋거리며 보는 사람들의 시선을 느낀 가브리엘

은 부채로 얼굴을 가리며 아무렇지 않은 척 웃었다.
하지만 속은 새까맣게 타들어 갔다.
'전하와 결혼하는 사람은 내가 되어야만 해.'
그렇게 자라 왔고 그렇게 믿어 왔다. 가브리엘은 화려한 파티장에 걸어 들어가면서도 멀어지던 아드리안의 뒷모습을 떠올렸다.
어느 정도 시간이 지난 후 아드리안은 아티를 데리고 홀을 나섰다.
두 사람은 릴리 궁으로 향하는 길목을 걸었다. 별이 쏟아질 것처럼 무수한 밤이었다.
그의 안색을 살피던 아티가 조심스럽게 물었다.
"괜찮아요?"
"뭐가."
"표정이 안 좋아서요."
"……아."
아드리안은 괜히 자신의 얼굴을 더듬었다.
아티와 함께 있을 때는 일부러라도 기분 나쁜 티를 내고 싶지 않은데 그게 힘들었다.
"별거 아니야. 그냥 떠올리고 싶지 않은 기억을 떠올려서."
"떠올리고 싶지 않은 기억?"
무심코 아드리안의 말을 따라 한 아티가 황급히 손사래를 쳤다.
"말해 달라는 건 아니에요. 말 안 해 주셔도 괜찮아요."

아티 딴에는 배려였지만 아드리안에게는 아니었다. 그는 허탈하게 웃으며 그녀를 비스듬히 내려다보았다.

"이거 좀 서운한데?"

"그렇게 들렸어요?"

"어. 많이."

어쩐지 아드리안이 자신에게 투정을 부리는 것 같아 아티의 기분이 묘해졌다.

"가브리엘에 대한 기억이에요?"

"맞아."

역시 예상했던 대로였다. 잠깐 뜸을 들이던 아티는 고개를 들었다가 줄곧 그녀를 보고 있던 아드리안과 눈이 마주쳤다.

'혹시 주제넘게 나서는 건 아닐까.'

그렇지만…… 아드리안에 대해서 더 많이 알고 싶었다. 아티는 용기 내어 물었다.

"그럼 무슨 기억인지 물어봐도 돼요?"

"얼마든지."

그의 대답에는 거침이 없었다. 그 역시 자신에 대해 아티에게 많이 알려 주고 싶었으니까.

떠올리기도 싫은 기분이지만 상대가 아티라면 뭐든 상관없었다.

"그 여자와 처음 만난 건……."

과거를 회상하는 아드리안의 두 눈이 어둡게 침잠했다.

아드리안, 9세.

아직 젖살이 빠지지도 않은 소년은 여타 다른 아이들과 다를 바 없는 어린아이였다.

다만 차이점이 있다면 날 때부터 황태자라는 이름하에 철저한 교육을 받았다는 것뿐.

그때의 아드리안의 인성은 그리 좋지 않았지만 본격적으로 파탄이 나지는 않았다.

가끔씩은 얄미운 동생 마리에에게 져 주기도 하는 다정한 오빠이기도 했다.

그 나이 때 아드리안이 가장 좋아했던 건 역시 말이었다. 몰아치는 바람 속을 달리는 말을 보고 있노라면 절로 속이 시원해서, 마음이 갔다.

어쩌면 날 때부터 자유와는 거리가 멀었던 스스로에 억압을 느꼈던 것일지도 모른다.

아드리안은 일과 이외에는 보통 마구간에 가서 시간을 보내곤 했다.

평소처럼 쉬는 시간에 마구간에서 시간을 보내던 아드리안은 문득 어머니를 오랫동안 찾아뵙지 못했다는 사실을 깨달았다.

'귀찮지만 그래도 찾아뵈어야겠지.'

그날은 유난히도 날이 좋았다. 아드리안은 가벼운 마음

으로 그레이스 궁으로 향했다.
그레이스 궁의 후원에 도착한 아드리안은 황후의 맞은편에 누군가 앉아 있는 것을 보았다.
푸른 머리칼을 가진 아직 어린 여자아이. 낯선 뒤통수였다.
"어머니. 저 왔습니다."
"호호, 아드리안 왔니? 네가 먼저 찾아오다니 아주 기쁘구나. 이리 와 앉으렴."
"네, 어머니."
아드리안은 군말 없이 황후 옆자리에 앉았다. 정확히는 황후와 푸른 머리칼의 소녀 사이의 자리였다.
황후가 웃으며 소녀를 소개했다.
"아드리안. 이 아이는 네벨가의 막내딸인 가브리엘이란다. 이 어미가 아주 아끼는 아이지. 종종 내 말 상대로 황궁에 입궁하곤 하니 친하게 지내려무나."
황후는 두 아이가 만난 것도 인연이라 생각해서 둘을 인사시켰다.
"네, 알겠습니다."
아드리안은 별생각 없이 대답하며 고개를 들었다. 아까부터 자신을 빤히 바라보는 시선이 느껴졌다.
가브리엘의 제비꽃을 닮은 눈동자가 둥그렇게 휘었다.
"안녕하세요, 전하?"
"응, 안녕."
"앞으로 잘 부탁드려요!"
"그래. 나도 잘 부탁해."

황후가 흐뭇하게 바라보는 게 느껴졌다.
아드리안은 딱히 별생각이 없었다. 환하게 웃으며 인사하는 모습에 나름 귀여운 꼬마라고 생각했다.
가브리엘이 자신에게 첫눈에 반한 것도 모르고…….
아드리안과 가브리엘이 인사를 끝내자마자 시녀가 다가와 황후의 귓가에 무언가를 속삭였다. 황후가 찻잔을 내려놓았다.
"아드리안. 잠깐 궁에 들렀다 올 테니 가브리엘과 이야기 좀 나누고 있겠니?"
"네."
황후가 떠나자 아드리안은 다소 난감해졌다. 한 번도 어린아이를 상대해 본 적이 없기 때문이다.
"가브리엘이라고 했지. 몇 살이야?"
"여섯 살이에요."
해사하게 웃는 가브리엘은 마치 천사처럼 귀여웠다. 아드리안은 크게 안심했다.
'아무래도 착한 아이인 것 같다.'
아드리안은 가벼운 마음으로 차를 마셨다. 이렇게 대충 시간을 때우다가 황후가 돌아오면 인사한 후 다시 마구간으로 갈 생각이었다.
'마구간을 더 증설했으면 좋겠는데.'
그런 생각을 하던 아드리안은 문득 자신을 빤히 바라보는 시선을 느꼈다.
고개를 돌리자 가브리엘이 보랏빛 눈동자를 깜빡이며 그

를 보고 있었다.

"……왜?"

"저도 마시고 싶어요."

"마시면 되잖아."

"하지만 전하가 마시는 게 더 맛있어 보여요."

다 같은 찻잎으로 우린 것인데 무슨 차이인지 알 수 없었지만, 아드리안은 자신의 찻잔을 가브리엘에게 밀어 주었다.

가브리엘은 아직 따뜻한 찻잔을 빤히 바라보다 홀짝 마셨다. 그리고…….

쪼로록—.

찻물을 바닥에 부어 버렸다.

말로 표현할 수 없는 충격에 아드리안은 얼어붙고 말았다. 황후가 아끼는 후원 바닥을 찻물이 흥건하게 적셨다.

"너, 너 뭐 하는 짓이야?"

"네? 뭐가요?"

"갑자기 차를 왜 바닥에 붓냐고."

"당연히 맛이 없으니까요!"

너무 당당해서 아드리안은 또다시 할 말을 잃어버렸다.

'차가 맛이 없으면 바닥에 그대로 부어 버려도 되는 거였나?'

아드리안의 상식에 큰 혼란이 왔다. 그리고 그때, 황후가 요란하게 돌아왔다.

"재밌게 놀고 있었니, 얘들아?"

"그게……."

아드리안이 뭐라 말하려 했지만, 황후가 더 빨랐다. 그녀는 바닥에 흥건한 찻물을 보더니 입을 틀어막았다.
"세상에……! 왜 이런 짓을 한 거니, 아드리안?!"
갑자기 자신의 이름이 불리자 아드리안은 깜짝 놀랐다.
"제가 그런 거 아닙니다."
"네 찻잔에 찻물이 없는데 지금 무슨 소리니, 아드리안? 말이 되는 소리를 하렴!"
아드리안은 자신의 찻잔을 살폈다.
당연히 가브리엘이 자신의 찻잔을 가지고 가 부었기 때문에 찻잔에는 찻물 한 방울도 남아 있지 않았다.
"그건 가브리엘이 제 찻잔을 가지고 가서……."
"어머, 어머! 지금 이 어린애한테 뒤집어씌우기라도 할 셈이니? 실망이구나, 아드리안!"
아드리안은 미치고 팔짝 뛸 지경이었다. 하지도 않은 일을 했다며 오해를 받다니, 억울해서 미쳐 버릴 것 같았다.
"정말로 제가 한 게 아닙니다!"
아드리안은 극구 부인하며 가브리엘에게로 시선을 돌렸다.
어이없게도 사태의 원흉인 가브리엘은 아무것도 모른다는 듯 얌전히 앉아 있었다.
"일국의 황태자라는 녀석이 이렇게 제멋대로 굴다니! 당분간 마구간에는 출입 금지다!"
콰광—. 아드리안은 엄청난 충격에 사로잡혔다.
마구간 출입 금지는 아드리안에게 내릴 수 있는 가장 끔찍한 벌이었기 때문에.
"이만 물러나거라!"

"……예."

황후의 명에 그레이스 궁을 빠져나가면서 아드리안은 억울함을 억눌렀다.

'아직 어리니까 그렇겠지. 어릴 때야 자기가 하고 싶은 대로 구니까.'

하지만 무구하게 웃으며 찻물을 쏟아붓던 얼굴이 떠오르니 뭔가 싸했다.

그 싸함이 결코 착각이 아니었음을 알게 되는 건 그리 머지않은 미래였다.

✦ ♛ ✦

마찬가지로 날이 유난히도 맑은 날. 황후가 가브리엘을 데리고 포인세티아 궁에 방문했다.

"가브리엘과는 오랜만이지?"

"예."

짧게 대답하며 아드리안은 가브리엘을 보았다. 자신을 빤히 보던 소녀가 생긋 웃었다.

'역시 지난번 일은 어쩌다 벌어진 사건이겠지.'

여전히 찝찝했지만 아드리안은 그런 마음을 억눌렀다. 과거에 사로잡혀 있는 건 제국의 황태자답지 못했으니까.

"아드리안. 가브리엘을 좀 봐주겠니? 갑작스러운 알현 일정이 잡혀서 말이지."

"네."

곧 에센과 테르니가 오기로 되어 있었지만 별문제가 있겠나 싶어 아드리안은 흔쾌히 승낙했다.

황후가 떠나고, 아드리안은 약속 장소로 향했다. 따라오라고 말하지 않아도 가브리엘은 잠자코 그를 따랐다.

"아드리안! 왜 이렇게 늦—. 어라, 누구야?"

먼저 와 있던 테르니가 가브리엘을 발견하곤 두 눈을 동그랗게 떴다.

옆에 함께 있던 에센은 아드리안이 오든 말든 옆에 누가 있든 말든 목줄을 하고 있던 사냥개를 쓰다듬고 있었다.

포인세티아 궁에 소속된 사냥개로 아드리안이 제법 아끼는 녀석이었다.

"어머니께서 잠깐 돌봐 달라고 말씀하셔서."

"아하! 안녕? 이름이 뭐야, 난 테르니야!"

해맑은 테르니의 인사에 가브리엘이 예의를 갖춰 인사했다.

"처음 뵙겠습니다. 가브리엘 플로라 네벨이랍니다."

"네벨?"

네벨 가문에 대해 그다지 좋지 않은 인상을 가지고 있던 테르니가 되묻자 가브리엘이 화사하게 웃었다.

"네. 황태자 전하와 사랑하는 사이지요."

"……?"

테르니가 가만히 아드리안을 돌아보았다. 관심 없던 에센까지 아드리안을 보았다.

'저게 무슨 말도 안 되는 소리지?'

어이가 없는 나머지 아드리안은 가브리엘을 멍하게 바라

보았다. 그 시선에 가브리엘이 양 뺨을 감쌌다.

"아무리 제가 사랑스럽다고 해도, 그렇게 보시면 부끄러워요!"

"……그런 거 아니야."

"후후, 부끄러워하시긴!"

아드리안은 자신을 빤히 바라보는 에센과 테르니를 돌아보며 적극적으로 항변했다.

"저거 다 헛소리니까 귀담아듣지 마."

"흐음. 소녀의 순정에 상처를 내는 건가, 아드리안?"

테르니가 실실 웃으며 아드리안의 어깨를 툭툭 건드렸다. 아드리안은 불굴의 인내심으로 테르니를 패는 것을 참았다.

"아니라고 했다."

"으응, 그래!"

헤실헤실 웃는 테르니 꼴을 보니 영원히 놀릴 구실을 잡은 것 같아 기분이 나빴지만 일단 넘어가기로 했다.

아드리안은 가브리엘을 방치해 두고 일단 에센과 테르니와 만난 목적부터 해결하기로 했다.

"테르니. 약속했던 물건은?"

"여기에 있지."

그들은 옹기종기 모여 테르니가 가져온 서류를 살펴보았다.

그것들은 일종의 치부책이었다. 테르니가 은밀히 모아 온 귀족들의 치부가 적혀 있었다.

"이거라면 아마 재수 없는 가정 교사 콧대를 눌러 버릴 수 있을걸?"

테르니가 자랑스럽게 뻐기자 에센이 작게 비웃었다.

"콧대를 누르다 못해 매장시키겠는데."

"그럼 더 좋고!"

에센과 아드리안은 합의하에 각자 필요한 부분을 나눠 들고 가기로 했다.

각자 본 다음에 다시 바꿔서 보기로 평화로운 협정을 마쳤다.

그렇게 9살 예비 폭군과 그의 측근들의 작당 모의가 이루어지고 있을 때였다.

"깨갱—!"

갑자기 들려온 소리에 세 사람은 동시에 고개를 돌렸다.

그곳에는 멀뚱히 서 있는 가브리엘과 쓰러져 있는 아드리안의 사냥개가 있었다.

"조나스!"

에센이 사냥개의 이름을 부르며 달려 나갔다. 그 뒤를 따라 한 발짝 내디딘 아드리안은 보고 말았다.

가브리엘이 손에 들고 있는 주머니를. 가브리엘에게 다가간 아드리안은 그 주머니를 빼앗았다.

그 속에는 초콜릿이 들어 있었다.

"뭐 하는 짓이야?!"

분노한 아드리안의 외침에 멀뚱히 그를 바라보던 가브리엘이 해사하게 웃었다.

"드디어 저를 봐 주시네요!"

"……뭐?"

아드리안은 저도 모르게 뒷걸음질을 쳤다.
가브리엘은 자신이 무슨 짓을 저질렀는지도 알지 못한 채 아드리안을 보며 웃었다.
“계속 저분들과 이야기하셨잖아요. 가브리엘은 심심했어요.”
가브리엘이 한 발짝 다가왔다.
“이제 저랑 놀아 주실 거죠, 전하?”
“…….”
죄책감이라고는 없이 그저 천진하고 무구한 얼굴의 가브리엘을 보며 아드리안은 이 여자애가 제정신이 아니라는 것을 확신했다.
그것은 그 자리에 있던 테르니와 에센도 마찬가지였다.

✦ ♛ ✦

그 사건 이후 아드리안은 필사적으로 가브리엘을 피해 다녔다.
차라리 엮이지 않는 편이 낫다는 판단이 들었기 때문이다.
하지만 가브리엘은 번번이 가문의 이름과 황후와의 친분을 이용해 아드리안을 만나러 오곤 했다.
하지만 아드리안은 가브리엘을 못 본 체 마구간에만 틀어박혀 있었다.
그렇게 일 년이 지나 아드리안이 10살, 가브리엘이 7살이 되었을 때도 가브리엘은 여전했다.
“전하. 전~하!”

"비켜."

"냉정한 척하셔도 전하 맘 다 알아요! 오늘도 부끄러움이 많으시네요, 후후."

아드리안은 질린 표정으로 가브리엘에게서 시선을 돌린 후 자신의 애마를 돌봤다.

얼마 전 황제와 황후의 반대를 무릅쓰고 겨우 데리고 온 말이었다.

'이름을 뭐라고 지으면 좋을까.'

멋진 이름을 지어 주려다 보니 아직 이름도 지어 주지 못할 정도로 아끼는 말이었다.

"후보를 정해 놨으니 내일은 꼭 이름을 정해 주마."

말갈기를 쓰다듬은 아드리안은 시종장의 호출에 마구간 밖으로 나왔다.

가브리엘은 어디에 갔는지 모습이 보이지 않았다.

'귀찮았는데 잘됐군.'

"황제 폐하께서 부르셨습니다. 논의할 문제가 있다고 하셨습니다."

"지금 찾아뵙겠다."

장갑을 벗어 시종장에게 건네며 아드리안은 크리스텐 궁으로 걸음을 옮겼다.

✦ ♛ ✦

황제와의 독대를 마친 아드리안은 다시 마구간으로 향했

다. 생각보다 대화가 길어진 탓에 벌써 날이 저물고 있었다.
'마지막으로 먹이를 준 후에 돌아가야지.'
아쉽지만 더 머물렀다가는 황후가 또다시 마구간 출입 금지 명령을 내릴지도 몰랐다.
마구간에 들어간 아드리안은 무언가 싸한 느낌을 받았다.
"……!"
그 느낌은 기우가 아니었다. 한 축사의 문이 열려 있었다. 아드리안이 아끼던, 곧 이름을 지어 줄 것이라 벼르던 애마가 온데간데없었다.
"이봐라!"
아드리안이 소리치자 허겁지겁 마구간지기가 달려왔다.
"도대체 관리를 어떻게 했기에 말이 탈출한 것이지?!"
"소, 송구합니다, 전하. 분명 잘 지키고 있었는데 레이디 네벨께서 지켜볼 테니 잠깐 들어가 쉬라 하시어……."
"……네벨?"
네벨이라면 가브리엘이다. 아드리안은 범인이 가브리엘일 것이라고 확신했다.
"일단 병사를 풀어 말의 행방을 수색하라 일러라."
"예, 알겠습니다."
그렇게 밤이 새도록 수색이 벌어졌으나 아드리안의 애마는 어디에서도 발견되지 않았다.
애마의 실종에 눈이 돌아 버린 아드리안은 네벨가에 직접 쳐들어가 가브리엘을 추궁하기에 이르렀다.
"대답해라, 가브리엘. 내 말을 어디에 숨긴 거지?"

"저는 몰라요. 무슨 일이 있었나요?"

"가브리엘!"

"저는 말을 구경하다가 금방 나와서 집으로 돌아갔는걸요. 그나저나 여기까지 오신 김에 차 한잔하시고 가세요!"

순진하게 두 눈을 깜빡이는 가브리엘을 보고 있자니 절로 욕지기가 나올 것만 같았다.

아드리안은 자리를 박차고 나왔다.

가브리엘은 끝까지 말을 숨겨 놓은 장소를 말해 주지 않았고, 몇 주 후 말은 황궁 어귀의 건물에 갇힌 채 사체로 발견되었다.

굶어 죽은 말을 본 아드리안은 큰 충격에 빠지고 말았다.

아드리안은 도저히 이 일을 그냥 넘어갈 수 없었다. 정식으로 네벨가에 책임을 물을 생각이었다.

그는 가브리엘을 찾아가 이번 사건에 대해 추궁했으나 그녀가 했던 말은 가관이었다.

"어라, 죽어 버렸네?"

가브리엘은 배시시 웃었다. 천사처럼 사랑스러운 웃음이었다.

줄곧 자신이 말을 가둬 놓았다는 사실을 잊어버리고 있다가 그제야 떠올린 것이다.

어린 아드리안은 크게 노했다. 짧게 살아온 인생에서 그렇게 길길이 날뛴 건 그때가 처음이었다.

하지만 황제와 황후의 반응은 차가웠다.

"가브리엘이 그럴 리가 없잖느냐, 아드리안. 그냥 덮거라."

"그래. 말은 또 사면 되잖니."

아무리 가브리엘의 짓이라고 주장해도 아드리안의 편을 들어 주는 사람은 아무도 없었다.

고작해야 에센과 테르니 정도일까.

"정말 가브리엘의 짓이 분명해요!"

하지만 어린 공자들의 발언에는 힘이 없었다. 그렇게 사건은 유야무야 덮이고 말았다.

그날 이후로 아드리안은 인간 혐오증에 시달리게 되었다. 특히 여자에 대한 거부 반응은 더욱 거세졌다.

'모든 여자가 다 그렇진 않을 거야.'

그랬지만…….

가브리엘이 심어 준 트라우마는 강력했다.

아드리안은 상대에게서 조금이라도 가브리엘과 비슷한 점을 발견하면 기겁하며 떨쳐 내었다.

그 탓에 '황태자가 여자를 싫어한다'는 소문이 파다하게 퍼졌다.

그것이 바로 가브리엘과 엮인 아드리안의 인성 파탄 난 성격의 전말이었다.

✦ ♛ ✦

모든 이야기가 끝나자 두 사람 사이에 침묵이 감돌았다. 아티를 흘긋 본 아드리안이 한마디 덧붙였다.

"마리에도 어릴 때부터 제법 시달려서, 가브리엘을 싫어하지."
"두 사람 다 고생이 많았네요……."
아티는 마음이 짠해졌다. 어릴 때 어떤 일이 있었는지는 몰랐는데, 그런 사건이 있었을 줄이야.
지금 가브리엘도 보통이 아니지만, 어릴 때의 가브리엘은 아무것도 모르는 어린아이라는 점에서 더 잔악했다.
"결혼할 여자를 데려오지 않으면 가브리엘과 결혼시키겠다니, 그때 진심으로 반역할 뻔했어."
"아하하……."
"에센이 있어서 다행이었지. 한철 잘 써먹었으니."
아티는 이번에도 어색하게 웃었다.
'에센 님 취급 뭐야.'
지독하게 이용당한 에센이 불쌍했으나 아티는 조용히 속으로 삼켰다.
아주 천천히 걸었는데, 어느새 저 멀리 릴리 궁 건물이 보이기 시작했다.
두 사람 모두 아쉽다고 느꼈지만, 서로의 마음을 알지 못했다.
아드리안은 잔상처럼 떠오르는 어린 시절의 기억을 애써 밀어내었다.
'어쨌든 그때는 그때고 지금은 지금이지. ……내 옆에는 아티가 있으니까.'
붙잡을 수 있을지 없을지는 확신할 수 없지만.
"너를 더 일찍 만났더라면 좋았을 텐데."

"……네?"

두 눈을 동그랗게 뜨며 자신을 바라보는 아티를 내려다본 아드리안은 옅게 웃으며 그녀의 머리를 쓰다듬었다.

아티는 먼저 지나치는 아드리안의 뒷모습을 보며 달아오른 뺨을 감쌌다.

'……이제 이 마음을, 숨길 수 없어질지도 몰라.'

서늘한 밤공기가 얼른 뺨을 식혀 주길 바라며 아티는 아드리안의 뒤를 따라 걸었다.

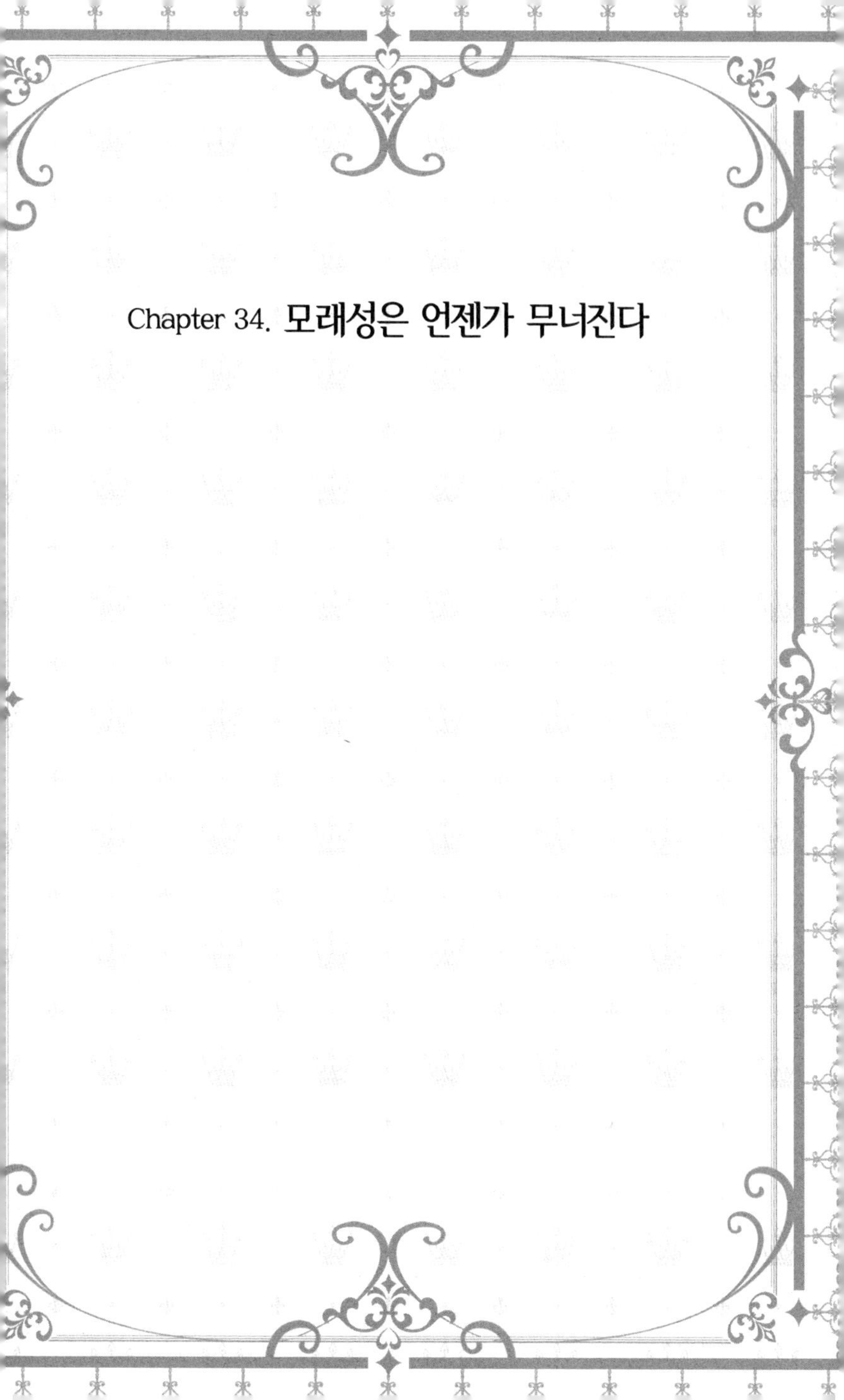

Chapter 34. 모래성은 언젠가 무너진다

Chapter 34. 모래성은 언젠가 무너진다

쾅쾅쾅!

누군가 문을 거칠게 두들겨 대는 소리에 헬머는 부스스 눈을 떴다.

맥주를 마시다가 어느새 잠이 들었는지 거실 테이블에 엎드려 있는 상태였다.

헬머는 뒷머리를 긁적이며 문가로 다가갔다.

'라라…… 는 아닐 테고, 옆집 한스 놈인가?'

어제 빌린 돈을 갚으라고 찾아온 모양이었다. 헬머는 고민도 없이 문을 열었다.

"……누구쇼?"

헬머의 목소리가 낮게 가라앉았다. 문밖에 서 있는 이는 초면의 사내였다.

"위르겐 헬머 씨 맞으십니까?"

"……맞소만. 뉘시냐 물었소."

헬머는 낯선 사내의 행색을 살폈다.

깔끔한 의복, 멀끔한 낯짝. 랭트리 구역에 거주할 만한 인물은 아니다.

"위르겐 씨를 뵙고자 하시는 분이 계십니다."

"그러니까 그분이 대체 누구냔 말이오."

"네벨 재상 각하십니다."

"……누구라고?"

"네벨 재상 각하께서 위르겐 씨를 뵙고자 합니다. 따라가 주셔야겠습니다."

헬머는 이를 악물었다. 그의 단단한 턱이 일순 부들거렸다.

달리어 라울 네벨. 익히 아는 이름이었다. 어찌 잊을 수 있겠는가, 그 이름을.

10년이 넘도록 증오하고 저주했다. 부디 처참하게 도륙당해 죽기를.

마음 같아선 직접 찢어 죽이고 싶으나 그에게는 책임져야 할 생명이 있었다.

"그래. 포기하지도 않고 나를 찾아온 연유가 무엇인지 참으로 궁금하군."

"재상 각하께서 기다리고 계십니다. 저택으로 안내하겠습니다."

권유하는 듯 말했으나 실상은 협박이었다. 문을 조금 더 열자마자 포진해 있는 사병들이 보였다.

헬머는 헛웃음을 터트렸다.

"앞장서쇼."

뭐라 지껄이는지 들어나 볼 생각이었다.

✦ ♛ ✦

네벨가의 응접실.

"어서 오게나. 오랜만이지? 그동안 어떻게 지냈는지 궁금하군. 영 소식이 없던데."

헬머가 모습을 드러내자마자 재상이 반색하며 반겼다. 헬머는 한쪽 입꼬리를 끌어 올리며 웃었다.

"여전히 뻔뻔하시군."

"허허, 무슨 그런 섭섭한 말을. 다 지난 일 아닌가?"

"……재상, 당신에게나 다 지난 일이겠지."

헬머의 비소에도 불구하고 재상은 웃는 낯을 지우지 않았다. 헬머가 자신에게 아직 앙심을 품고 있을 거라 예상 못 한 바도 아니었다.

"일단 앉지. 이야기가 길어질 것 같으니."

상석에 앉은 재상이 헬머에게 자리를 권했다. 헬머는 거부했으나 재상의 부하가 그를 억지로 끌어다 앉혔다.

"10년 전 그때 이후로 내가 자네를 얼마나 찾았는지 아는가?"

"알다마다. 그 덕분에 추적을 피하느라 꽤 곤욕스러웠으니."

날 선 말투에도 재상은 동요 없이 찻물을 한 모금 여유롭게 들이켰다.

"뜸 들이지 말고 나를 보자 한 연유를 말하시지."

"여전히 성격이 급하군, 위르겐 헬머."

재상은 찻잔을 내려놓았다. 그가 측근에게 눈짓하자 대기하고 있던 한 남자가 헬머의 앞에 얇은 서류 뭉치를 내려놓았다.

"……이게 뭐요?"

"계약서일세. 조건은 섭섭지 않을 테니 한번 살펴보게나."

헬머는 건성으로 서류를 살폈다. 장인 위르겐을 네벨가의 전속 장인으로 고용하겠다는 취지의 계약서였다.

재상이 자신한 대로 조건은 들어 본 대우 중 최고였다. 한창 활동할 때에도 이런 조건을 받아 본 적은 없었다.

"하하!"

헬머가 웃으며 고개를 들었다. 재상은 당연히 그가 이 제안을 수락하리라 믿어 의심치 않았다.

'알량한 감정놀음으로 넘기기에는 아까운 조건일 테지.'

자신감에 가득 찬 재상이 헬머에게 질문했다.

"어떤가?"

"어떻냐고?"

웃고 있던 헬머의 얼굴에서 순식간에 웃음기가 사라졌다. 헬머는 싸하게 굳은 얼굴로 계약서를 집어 들더니…….

쫘악—.

찢었다.

"!!"

충격에 두 눈을 부릅뜬 재상을 향해 헬머는 두 갈래로 찢어진 계약서를 집어 던졌다.

"과거에 본인이 한 짓은 생각도 못 하고 이딴 제안을 하다니. 뻔뻔한 것도 정도가 있지……."

헬머는 증오에 가득 찬 눈으로 재상을 노려보았다.

흉흉한 기세에 응접실 안의 측근들이 긴장하기 시작했다. 헬머는 개의치 않고 말을 이었다.

"내가 미쳤다고 친우를 살해한 자의 밑에서 일할 성싶나? 위선적이고 저열한 인간. 퉤!"

그는 붙잡는 손길을 단숨에 뿌리치고 응접실을 빠져나갔다. 파란이 지나간 응접실은 고요했다.

재상에게 용건이 있어 들렀다가 본의 아니게 대화 내용을 모두 들어 버린 미카엘은 멀어지는 헬머의 뒷모습을 눈에 담았다.

"위르겐 헬머, 라……."

워낙 유명한 장인이라 미카엘도 알고 있는 이름이었다.

작품 활동을 중단하고 행적을 감추었다던 장인이 어째서 자신의 부친과 만남을 가진 것인가.

또한 과거에 어떤 악연으로 얽혀 있는 듯했다.

네벨가와 관련된 비리는 미카엘 개인이 파악할 수 없을 정도로 많았다. 그래서 바로잡으려 노력해도 늘 한계에 부딪혔다.

미카엘은 장인 위르겐과 관련된 과거의 일이 심상치 않을 것이라 직감했다.

"한번 조사해 봐야겠군."

또 어떤 수를 써서 타인을 해쳤는지, 그리하여 얼마나 분노를 사게 된 건지 알아야만 했다.

'그래야 바로잡을 수 있을 테니까.'

부정한 부친의 얼굴을 보고 싶지 않은 미카엘은 그대로 뒤돌아 자신의 서재로 돌아갔다.

✦ ♛ ✦

아카시아와 로넨은 또래의 어린아이라는 점과 더불어 자주 어울렸다는 이유 때문인지 유독 둘을 붙여 놓으려는 황실 어른들이 많았다.

그중 하나가 바로 루드밀라 황후였고 베로니카 황후도 이런 상황을 꺼리는 기색은 없었다.

"소꿉친구가 연인이 되는 것도 좋지 않니, 베로니카?"

"언니의 그 못 말리는 취향은 여전하구나."

"무슨 소리! 다 아이들의 미래를 위해 큰 그림을 그려 보는 거지."

루드밀라 황후가 검지를 흔들었다.

"시리우스에 돌아간 뒤에도 둘이 편지를 주고받았다며, 이건 분명히 신호야!"

옛날에 아드리안과 가브리엘을 이어 주려 했으나 실패한 루드밀라 황후는 무척이나 흥분해 있었다.

"후후후. 두고 봐. 둘은 분명히 사랑을 하게 될 거야!"

루드밀라 황후의 호언장담에 베로니카 황후가 건성으로

고개를 끄덕였다.

“뭐, 백작 영애 정도면 괜찮지. 공주의 말벗에 황후와 공주의 총애를 받는 중이고, 만약 로넨이 좋다고 한다면 언니가 양녀로라도 들여서 시집보낼 거잖아?”

“어머, 베로니카. 내 계획을 벌써 들켰니?”

“언니 계획이야 뻔하니까.”

베로니카 황후가 옅게 웃었다.

종알종알 서로 이야기하며 놀고 있는 아카시아와 로넨은 베로니카 황후가 보기에도 썩 잘 어울렸다.

“미래의 며느릿감을 미리 알면 나도 좋지.”

갑자기 평민 여자와 사랑에 빠졌다며 세기의 로맨스를 펼치는 것보다 나을 것이다.

베로니카 황후가 낭만 없이 찻물을 들이켰다.

“어른들이 또 우리를 두고 음모를 꾸미는 중인가 봐.”

아카시아가 어른들을 가리키며 말했다.

“맨날 그러잖아.”

로넨은 무척이나 이 상황이 불만족스러웠다.

‘나는 아티랑 놀고 싶은데.’

아티가 파티 준비로 바쁘다며 루드밀라 황후한테 보내 버리는 바람에 지금 이 상황이 되어 버렸다.

아카시아가 귀여운 연분홍 눈동자를 깜빡였다. 장미석을 닮은 아름다운 눈동자가 로넨을 보았다.

“우리 어른들이 안 보이는 곳으로 갈까?”

“뭐? 왜?”

아카시아가 두 황후를 흘긋 보더니 시선을 내리깔았다.

"아니, 그냥. 신경이 쓰여서."

놀고 있는데 너무 강렬한 시선이 와서 박히니까 아카시아는 마음이 불편했다.

그렇지 않아도 공주 전하의 말벗이 되고 난 뒤에 집안 어른들이 온갖 기대의 말을 늘어놓았기 때문에 더 부담스러웠다.

'나는 그냥 언니들이 좋은 건데…….'

아카시아의 부모님부터가 잘 보여서 예쁨을 받아야 한다며 예법 수업을 대거 늘렸다.

"으음."

팔짱을 낀 채 뚱하니 앉아 있던 로넨이 아카시아와 어른들을 번갈아 보았다.

아카시아는 마음에 안 드는 녀석이긴 했지만 로넨의 친구였다.

"그래, 저쪽으로 가자."

아카시아의 팔을 잡고 로넨이 이끌었다. 베로니카 황후가 로넨한테 소리쳤다.

"멀리 가지 말고 근처에서 놀아! 길 잃어버리지 않게!"

"싫어!"

로넨이 아카시아를 돌아보았다.

"우리 달리자."

"응!"

둘은 손을 잡고 나란히 달렸다. 어차피 이 근처는 다 정원이라 어른들은 크게 신경 쓰지 않았다.

"정말……. 저건 누굴 닮아서 저렇게 삐딱한지 모르겠어."

베로니카 황후가 한숨을 내쉬니 루드밀라 황후가 풋 웃었다.

루드밀라 황후는 로넨이 누굴 닮았는지 아주 잘 알고 있었다.

"글쎄, 고집이 센 걸 보면 베카 너를 똑 닮았는데?"

"내가 저렇게 밉상이라고?"

"후후후."

베로니카 황후와 루드밀라 황후가 근황과 다른 이야기로 이야기꽃을 피웠다.

한참을 달려 정원 깊은 곳으로 들어간 로넨과 아카시아는 어른들을 따돌렸다는 생각에 까르르 웃음을 터뜨렸다.

"시종들이 더 이상 안 쫓아와!"

"그럼 여기서 좀 쉬자."

평소 달릴 일이 없는 아카시아가 자리에 주저앉았다. 로넨은 괜히 그게 신경 쓰였다.

"로넨, 너도 와서 앉아."

"그래."

검술 훈련도 하는 로넨은 힘들지 않았으나 군말 없이 아카시아 옆에 앉아 주었다.

"아티는 지금 뭐 하고 있을까?"

"언니는 파티 준비를 한다고 들었어."

"파티?"

"응. 바쁘대! 드레스도 고르고 이것저것 해야 한다고."

"아티는 뭘 입어도 예쁠 텐데."

로넨이 진심을 담아 말했다. 아티는 자신의 인생에서 처음 만난 천사였다.

"빨리 아티를 보고 싶어."

로넨의 말에 아카시아도 시무룩하게 고개를 끄덕였다.

"나도 아티 언니 보고 싶어."

두 어린애는 벌써부터 아티 금단 증세를 겪고 있었다.

로넨은 아티가 정말 좋았다.

"아티는 화도 안 내고 내가 하는 말 다 들어 준단 말이야."

미래의 신붓감으로 딱이었다.

자신이 원하던 이상형!

"아티 언니는 내 말도 잘 들어 줘. 언니는 늘 웃어 줘서 좋아. 맨날 귀엽다고 해 주고."

"그건 빈말일 거야."

"뭐야?"

아카시아가 인상을 쓰자 로넨이 헹 웃으며 놀리듯 말했다.

"아티는 착하니까~ 아티가 하는 말을 다 믿으면 안 된다고."

"아냐, 다들 내가 귀엽대!"

"대체 누가? 다 어른들이겠지. 어른들 눈엔 어린애는 다 귀여워!"

"아냐! 나더러 다 귀엽고 사랑스럽댔어!"

"그 말을 다 믿냐?"

로넨이 한심하다는 듯 혀를 차자 아카시아가 눈을 부릅

떴다.

“너! 당장 나한테 사과해! 내가 크면 아주 훌륭한 레이디가 될 거라고! 그때 가서 후회하지 마라!”

“누가 훌륭한 레이디야? 훌륭한 레이디를 하려면 최소한 우리 아티 정도는 되어야지.”

“아티 언니처럼 멋져질 거야!”

“네가?”

로넨이 비웃자 아카시아가 두 손을 꽉 쥔 채로 부들부들 떨었다.

“너랑 안 놀아!”

화가 난 아카시아가 로넨을 뻥 차더니 그대로 가 버렸다.

한 대 맞은 로넨은 정신을 못 차리고 널브러져 있다가 뒤늦게 정신을 차리고 일어났다.

“저게! 야, 나 황태자야!”

겁 없이 황태자를 때리는 못된 아카시아한테 어떻게 복수할까 일어났다가 아카시아가 시야에 보이지 않자 로넨은 살짝 후회했다.

“내가 말이 너무 심했나……?”

설마 진짜 가 버릴 줄은 몰랐다. 씩씩하게 자리에서 일어난 로넨이 당황했다.

“야, 진짜 갔어?”

어디 숨어 있는 것이 아닐까 싶었지만 주변을 어슬렁거린 결과 아카시아가 보이지 않았다.

“아니, 얘는 황태자를 놓고 혼자 가 버리면 어떡해?”

뒤늦게 미안한 마음이 들자 로넨이 적극적으로 아카시아를 찾기 위해 정원을 뒤지고 다녔다.

결국 처음 도망쳤던 그레이스 궁 쪽으로 돌아가 봤지만 아카시아는 보이지 않았다.

'대체 어딜 간 거지?'

황궁에 자주 오는 아카시아가 길을 잃어버렸을 리는 없었다.

"로넨, 아카시아는 어디 가고 너 혼자니?"

혼자 돌아온 로넨이 이상했는지 베로니카 황후가 물었다. 로넨은 대충 둘러댔다.

"숨바꼭질하는 중이야!"

"흐음. 아무튼 멀리 다니진 말렴."

"어."

엄마의 말을 건성으로 들은 로넨이 다시 처음 헤어졌던 정원 깊은 곳으로 돌아왔다.

"다른 곳으로 간 것 같은데 대체 어디로 간 거야?"

또 어른들에게 들키면 아카시아의 행방을 물어볼 것 같아서 로넨은 최대한 숨어 다녔다.

분명 아카시아라면 친숙한 루피너스 궁이나 릴리 궁으로 갔을 듯했다.

로넨은 정원을 헤집고 다니며 루피너스 궁과 릴리 궁에 가까운 쪽으로 아카시아를 찾으러 갔다.

하지만 아카시아는 그쪽에 없었다.

"대체 얘가 어딜 간 거지?"

아카시아가 진짜 많이 화가 난 모양이었다. 로넨이 전전긍긍하며 걱정하던 때였다.

"역시 에센 님밖에 없어요!"

멀리서 익숙한 아티의 목소리가 들려왔다.

나비가 꽃을 찾듯 로넨도 홀린 듯이 아티의 목소리가 들리는 방향으로 걸어갔다.

바빠서 놀아 주지도 않는 아티가 가까이에 있는데 어찌 지나칠 수 있겠는가?

'아티한테 아카시아 같이 찾아 달라고 해야지.'

마침 말을 걸 적절한 핑계도 있겠다, 로넨이 흑심을 품은 채로 가까이 다가간 순간이었다.

"또 아티는 누구누구를 만났나요?"

또렷한 아티의 말에 로넨이 고개를 갸웃했다.

✦ ♛ ✦

아티는 추후 있을 파티를 대비하여 에센에게 조언을 구하는 중이었다.

"누굴 만났냐라. 글쎄, 내가 직접적으로 이야기를 한 건 몇 없어."

에센이 오래전 기억을 더듬어 아티의 질문에 성심성의껏 답을 해 주었다.

"로그웨이 후작 부인이나, 벨더러 백작 부인 정도인데 어차피 시키는 말에 한두 마디 한 정도니까 크게 상관은 없을 거야."

아티는 모조리 외워 버리겠다는 기세로 고개를 끄덕였다.

그 모습이 귀여워 에센은 신경도 쓰지 않던 아티이던 시절의 기억을 열심히 더듬어서 답을 해 주었다.

"이렇게까지 열심히 하지 않아도 되는데."

"아니에요, 원래 아티는 에센 님이었으니까 제가 보고 배워야죠. 이제는 제가 아티잖아요!"

아티가 빙그레 웃었다. 에센도 마주 보며 웃었다.

"뭐, 노력하는 건 좋은 거지."

에센의 말에 아티가 고개를 끄덕였다.

"이번에 처음 뵙는 분이 많아서 걱정이 많았어요. 특히 오비에도 가문 방계 분들이랑은 정말 어찌해야 할지 곤란했어요."

"나는 그냥 존칭으로 불렀어. 테르니가 그렇게 하라고 시켰거든."

"아하."

아티가 고개를 끄덕였다. 그러고는 억울한 표정을 지었다.

"테르니 오라버니가 저한텐 제가 하고 싶은 대로 하라고 했거든요."

"테르니가 그랬어?"

"네! 제가 아티로서 완벽해지고 싶다고 하니까 이미 완벽하다면서 노력할 필요가 없대요."

"웃기네. 나한텐 아티로서 빵점이라며 맨날 완벽해지라고 한 놈이."

"그쵸? 어이없죠?! 어휴, 그래도 전 아티인 에센 님이 가까이 있어서 다행이에요."

"이젠 네가 아티니까 그런 거 신경 안 써도 돼."

잘만 이야기하던 에센이 갑자기 다른 곳을 쳐다보았다. 아티가 고개를 갸웃하자 에센이 인상을 썼다.

"왜 그러세요?"

"아니, 여기 누군가가 있는 것 같아서."

분명 기척을 느꼈는데 지금은 없다. 아니, 정확히는 희미한 기척이 숨을 죽이고 있는 게 느껴졌다.

'다 들은 건가.'

아티와 이야기를 한다고 잠깐 방심했다.

"에센 님?"

"나머지는 들어가서 이야기하자."

릴리 궁이라서 아티는 완전히 방심한 모양이었지만 에센은 뭔가 석연치 않은 기분을 느꼈다.

'뭐, 상관없겠지.'

악의를 품은 자도 아니고 기척으로 보건대 숨어 있던 건 로넨 황태자였다.

'아티를 좋아하니까 해를 끼치진 않을 거야.'

이 문제는 아드리안과 테르니에게 논의해서 회유하는 게 좋겠다고 생각하며 에센은 상황을 모르는 아티를 데리고 릴리 궁 안으로 들어갔다.

한편, 둘의 대화를 본의 아니게 경청한 죄로 너무나 감당할 수 없는 큰 비밀을 알게 된 로넨은 그 자리에 그대로 굳어 버렸다.
'내가 방금 무엇을 들은 거지?'

✦ ♛ ✦

아카시아를 찾으러 정원을 돌아다녔던 로넨은 결국 아카시아를 찾는 것도 포기하고 정원에 멍하니 있다가 순찰을 돌던 근위대에 의해 발견되었다.
"뭐야, 로넨. 내가 너를 놓고 간 게 그렇게 충격이었어?"
돌아온 그레이스 궁에서 로넨은 자신보다 먼저 돌아온 아카시아를 만날 수 있었다.
뒤늦게 충격받아 말이 없는 로넨을 본 아카시아는 오히려 더 미안해하며 말했다.
"미안해. 혼자 놓고 가서."
"아니, 괜찮아. 아카시아."
로넨은 자신이 왜 이러고 있었는지 설명해야 했지만 도무지 어떻게 말해야 할지 알 수 없어서 그저 고개만 숙였다.
시무룩한 로넨의 모습에 아카시아도 괜히 때렸던 걸 반성했다.
두 어린아이가 더욱 돈독해질 동안 로넨은 자신이 들은 충격적인 말을 생각했다.
'원래 아티가 에센이라고?'
그 남자가 아티라니 무슨 소리인가 싶었다.
로넨은 자신이 꿈을 꿨나 고민했다. 그렇게 궁으로 돌아와서 방에 혼자 남을 때까지 로넨은 계속 고민에 고민을 거듭했다.

"내가 잘못 들은 거겠지?"

아티가 아티가 아닐 리가 없었다. 아티가 아티가 아니라니, 이건 무슨 소리란 말인가?

"에센이 원래 아티이면 지금 아티는 아티가 아닌 건가?"

하지만 에센이 아티에게 이젠 네가 아티라고 했다.

"그럼 원래 아티는 뭐지……?"

로넨은 또래답지 않게 무척이나 똑똑했다.

황태자로서 시리우스 제국의 기대를 한 몸에 받아서 더욱 그러했다.

그런 총명한 로넨이 불 보듯 뻔한 진실에 가까이 다가가는 것은 그렇게 어렵지 않았다.

"아티가……."

아티가 모두를 속이고 있었다.

아티의 환한 미소가 눈앞에 아른거렸다.

로넨은 이른 잠자리에 들었다.

"이건 모두 꿈이야. 일어나면 다른 세상이 펼쳐질 거야."

하지만 눈을 꾹 감고 침대 위에 누워 있어도 낮의 대화가 귓가에 맴돌았다.

'아티가 우리를 속일 리가 없어.'

왜 속이겠는가? 이유가 없었다.

그렇다면 아까 그 대화는 뭐지?

로넨은 지금 당장 아티에게 달려가서 진실을 묻고 싶은

충동에 휩싸였다.

"아니야……."

아티를 만난다 해도 아무것도 묻지 못할 것이다.

새벽에 혼자 깨어난 로넨이 가만히 눈을 굴렸다. 누구한테 이 사실을 물어봐야 할지 모르겠다.

너무 감당하기 어려운 큰 사실이라서 로넨은 어찌해야 할지 몰라 끙끙 앓았다.

✦ ♛ ✦

에센은 요 며칠 귀빈들이 머무는 에메랄드 궁의 동태를 살폈다.

예비 황태자비의 수호 기사로서 에메랄드 궁에 마음대로 왕래할 자격이 없기에 그저 주시만 했을 뿐이지만 이렇다 할 소란은 없어 보였다.

"역시 말을 안 했군."

묘하게 에메랄드 궁이 조용한 것 같았다. 그러나 로넨이 자신이 아는 걸 입 밖에 내놓는 순간 파란만이 기다리고 있다는 생각에 에센은 이 평화를 소중히 여겼다.

"아드리안은 잘하고 있으려나?"

테르니와 아드리안에게 말을 했지만 셋이라고 해서 딱히 뾰족한 수가 있는 것은 아니었다.

아드리안이 따로 로넨에게 접근을 하려 했으나, 공교롭게도 로넨이 아프다며 에메랄드 궁에 처박혀 있었기에 만날 기회가 없었다.
에센은 반성했다.
릴리 궁의 내부가 안전하니까 방심했던 게 실수였다.
물론 굳이 잘잘못을 따지자면 에센의 실수라기보다 로넨을 놓치고 만 릴리 궁 소속 근위병들의 실수였으나, 이제 와서 잘잘못을 따지는 건 무의미했다.
이미 일이 벌어진 이상 이런 일이 왜 벌어졌는가보단 어떻게 수습할 것인가가 관건이었다.
"아드리안이 접근할 수 없으면 누구를 보내야 하지?"
에메랄드 궁은 테르니가 출입하기에도 어려운 장소였다. 역시 몰래 잠입하는 수밖에 없는 것인가.
이런 상황에서 의외로 묘수를 내놓은 것은 마담 루시였다.
"아티 님이 찾아가면 로넨 황태자님도 만나 주실 거예요."
"하지만 아티에게 이 사실을 말하는 건……."
"어머나, 당사자니까 더더욱 알고 계셔야죠!"
다들 내키지 않는 표정이었지만 아티도 알고 있어야 한다는 말에는 내심 동의했다.
에센이 우려했다.
"하지만 분명 알게 되면 신경을 쓸 텐데."
"당연히 신경을 쓰겠죠. 하지만 나중에 알게 되면 더 신경을 쓰실걸요?"
하지만 마담 루시는 그 정도로 꺾이지 않았다.
"그래도 알리지 마. 내 선에서 처리한다."
아드리안은 끝끝내 알리지 말라고 결정했지만, 에센은

고심 끝에 마담 루시의 조언에 따르기로 했다.
당사자를 빼놓고 벌어지는 일은 자신 역시 불쾌할 것이 뻔하기에.
사실을 전해 들은 아티는 예상대로 무척이나 놀랐다.
"로넨이 저희 비밀을 아는 것 같다고요?"
"확실한 건 아닌데, 로넨의 기척이었어."
눈을 동그랗게 뜬 아티의 표정이 걱정으로 물들었다.
"제가 실수한 건가요?"
"나도 같이 실수했지."
그리고 근위대도 실수했다.
에센이 사실만을 말했으나 아티는 신경이 쓰이는지 초조한 기색이었다.
"아드리안이 해결할 수 있을 거야. 너무 걱정하지 마."
"그, 그래도……."
"아직 별일 없잖아? 괜찮아. 그 꼬맹이, 건방지긴 했어도 널 좋아하는 건 사실이니까."
"그렇지만……."
사실 돌이켜 생각해 보면 그동안 릴리 궁이 안전지대로 여겨진 것도 신기한 일이었다.
그만큼 마담 루시가 잘 단속을 했기 때문이었겠지.
우울해하는 아티를 보며 에센은 괜한 말을 해서 근심거리를 던져 준 것은 아닌가 후회했다.
"저기, 에센 님."
"응?"

"제가 해결해 볼게요."

아티가 결연한 표정으로 말했다.

"네가?"

"네."

"무슨 수로?"

에센의 질문에 잠깐 움츠렸지만, 아티가 천천히 자신의 의견을 개진했다.

"로넨이 요 며칠 몸이 안 좋다고 들었어요. 시리우스 사절단을 응대하는 건 제 몫이니까 만날 수 있을 거예요. 그리고 사실을 털어놓고……. 협력을 구하려고요."

"꼬맹이가 사실을 말한다고 이해나 할 수 있을까? 그냥 긁어 부스럼 만드는 일일 수도 있어."

"그럼 에센 님은 제가 어쩌길 바라세요?"

"음?"

에센이 잠깐 고민했다. 에센이 바라는 건 아티가 상처를 받지 않는 일이었다. 최대한 안전하게 있었으면 했다.

'이걸 곧이곧대로 말하면 안 듣겠지.'

어떻게 말을 해야 자신의 의견에 아티가 귀를 기울이게 할 수 있을지 모르겠다.

에센은 자신보다 더 푸르른 아티의 눈동자를 빤히 바라보다가 한숨을 내쉬었다.

"사실을 털어놓는 건 위험하다고 생각해. 그냥 설득을 하는 건 어떨까? 아니면 우리가 연극 같은 걸 하고 있었다고 하면……."

"거짓말은 언젠가 탄로 나요."

아티가 슬픈 얼굴로 말했다.

"로넨은 똑똑하니까 제가 거짓말을 하고 있다는 걸 금방 알아차릴 거예요."

아티가 그렇다는데 에센이 무어라 하겠는가.

결국 항복한 건 에센이었다.

"……네가 원하는 대로 해."

아티가 미소 지었다.

"제가 진심으로 설득하면, 로넨도 알아줄 거예요."

아티의 말에 에센은 황실 인간들은 믿는 게 아니라는 충고를 해 주려다가 그냥 입을 다물었다.

그저 아티가 바라는 대로 이루어지길 바랄 뿐이었다.

✦ ♛ ✦

베로니카 황후의 시선이 앞에 앉은 자신의 아들에게 향했다.

시리우스의 하나밖에 없는 황자이자 황태자인 로넨.

고집도 세고 성질도 나빠서 웬만한 유모와 시녀는 물론이고 스승들조차도 손발을 든 무시무시한 사고뭉치가 도대체 무슨 일인지 유달리 조용했다.

"흐음."

로넨이 얌전한 건 좋은 소식이었지만 베로니카 황후는 기쁘지 않았다. 오히려 뭔가 좋지 않은 기색을 감지했다.

'저 사고뭉치가 아무런 이유 없이 얌전할 리가 없단 말이지.'

처음 하루 이틀은 유례없는 고요함을 반겼지만 지금은 아니었다.

'그날부터였지.'

로넨이 이런 태도를 보인 건 명확하게 그날 이후였다.

릴리 궁의 정원에서 발견된 날.

"로넨."

"어, 어?"

"무슨 일 있니?"

베로니카 황후의 말에 로넨이 딱딱하게 경직된 표정으로 고개를 가로저었다.

"아니, 없어."

"네가 좋아하는 간식을 앞에 두고 그러고 있는 건 처음 봐서 물어봤단다. 솔직하게 털어놓으렴, 아들."

"……."

로넨의 표정이 더 어두워졌다.

우물쭈물하는 로넨을 보며 베로니카는 긴가민가하던 생각에 확신을 가졌다.

베로니카는 아들을 무척이나 잘 아는 엄마였다.

아들의 표정과 태도 하나에 말하지 못한 무언가가 있다는 걸 쉽게 알아차렸다.

"걱정이 되어서 그래."

베로니카의 목소리가 자못 상냥해졌다. 다정한 목소리에 로넨의 표정이 풀렸다.

"네가 요 며칠 잠도 제대로 못 자고, 밥도 잘 못 먹고, 간식도 안 먹고, 그러니까 어미가 속이 상해서 그런단다."

달래는 목소리에 로넨의 마음이 크게 흔들렸다.

하지만 로넨은 자신이 알게 된 비밀이 엄청난 것이라는 걸 알고 있었다.

"별거 아냐……."

우물쭈물하는 로넨을 보며 베로니카 황후의 미간이 미미하게 좁혀졌다.

다른 때 같으면 이 정도만 해도 로넨이 못 이긴 척 털어놓았지만 이번엔 달랐다.

저 조그마한 입이 닫혀서 열릴 생각도 하지 않는 것이 불만족스러웠다.

'도대체 무슨 엄청난 일이기에.'

솔직히 베로니카 황후는 로넨이 엄청난 비밀 같은 걸 갖고 있을 거라고 생각하지 않았다.

끽해야…….

'그래, 예비 황태자비에 관한 첫사랑 문제 같은 거겠지.'

암울한 표정으로 로넨이 간식을 한 입 베어 먹었다.

평소엔 앉은 자리에서 다 해치우는 간식이었는데 깨작깨작 먹는 꼴을 지켜보다가 베로니카가 인상을 썼다.

로넨을 발견한 근위대가 이르길 황태자 전하께서 릴리궁 정원 근처에서 멀거니 서 있었다고 했다.

"혹시 아펜니노의 예비 황태자비에 관한 일이니?"

간식을 먹던 로넨이 두 눈을 크게 뜨더니 움찔했다.

“캑.”

먹던 간식이 사레들린 건지 캑캑대던 로넨을 보며 시종이 다급히 물을 갖다 주었다.

‘역시 그게 맞았군.’

베로니카가 빙그레 웃었다.

“무슨 일인데, 말해 보렴. 귀여운 첫사랑의 고민이니?”

간신히 물을 마시고 안정을 찾은 로넨이 붉어진 얼굴로 소리쳤다.

“난 절대 말 안 할 거야!”

“그렇게 부끄러워할 일은 아닌데.”

“아무튼 말 안 해!”

베로니카가 드물게 관심을 보이자 로넨은 문득 무서웠다.

평소엔 신경도 쓰지 않던 모후가 웬일로 신경을 쓴단 말인가?

로넨은 모후의 집요함을 누구보다 잘 알고 있었다.

‘이러다 들키는 건 아니겠지?’

아직 엄마한테 한 번도 이겨 본 적 없는 아들인 로넨이 불길한 예감에 몸을 부르르 떨었다.

‘아냐! 난 절대 말 안 할 거야!’

무슨 유혹이 들어오더라도 말하지 않을 자신이 있었다.

“절대 안 할 거야!”

“그래, 그래라.”

어차피 베로니카는 로넨이 감추고 있는 비밀이 아티와 관련이 있다는 걸 안 이상 얼마든지 구슬려서 알아낼 수 있다고 생각했다.

마저 간식으로 나온 초콜릿을 집어 먹으며 로넨이 베로니카의 눈치를 살피고 있을 때였다.

"폐하, 레이디 오비에도가 방문했습니다."

"예비 황태자비가?"

로넨의 눈빛이 흔들렸다. 놀란 듯한 기색에 베로니카가 잠시 고민을 했다.

"……왔으면 만나야겠지. 이곳으로 데려오도록 해."

"예, 폐하."

시종이 사라지자 로넨이 인상을 찌푸렸다.

"엄마, 나 좀 아픈 거 같은데."

"그러니? 내 눈엔 멀쩡해 보이는데."

끙끙 앓던 애가 피하려는 기색까지 보이자 베로니카는 의아해졌다.

도대체 무슨 일인데 저렇게 피하려고 하는 거람?

궁금증은 머지않아 풀릴 것이다. 베로니카는 느긋하게 마음을 먹었다.

✦ ♛ ✦

시종이 아티를 데리고 응접실에 도착했다.

"오비에도가의 아티엔느, 두 분께 인사 올립니다."

"어서 와요, 아티 양."

베로니카 황후가 미소로 응대했다.

"오늘은 무슨 일로 오셨죠?"

"다름이 아니라, 로넨 황태자 전하께서 몸이 편치 않다고 들어 제가 도울 일은 없을까 해서 와 보았습니다."

"어머, 상냥해라."

베로니카 황후가 만족스럽게 웃었다. 아티의 말을 듣던 로넨이 고개를 가로저었다.

"도울 일 같은 건 없어!"

물론 로넨의 외침은 처절한 비명으로 끝났다. 베로니카 황후가 가차 없이 로넨의 귀를 잡아당겼다.

"상냥하게 네 몸 상태를 살피러 와 준 레이디 오비에도에게 그게 무슨 무례니, 로넨."

"으아아악! 엄마!"

로넨이 고통을 호소했지만 베로니카는 눈 하나 깜짝하지 않았다.

"아파! 아프다고!"

로넨이 항복하자 베로니카가 귀를 놔주었다. 아티가 귀를 감싸 쥔 채 고통스러워하는 로넨을 안쓰러운 눈으로 바라보았다.

"그럼 이야기하다가 가렴."

베로니카가 자리에서 일어났다.

"자리를 비켜 주마."

다정한 미소에 아티가 고개를 꾸벅 숙였다. 손을 흔들며 베로니카가 응접실을 나가자 아티의 표정이 바로 굳어졌다.

로넨은 아무 말도 없이 고개를 돌렸다.

베로니카가 나서자 방에 대기하고 있던 시녀에게도 나가라는 듯 눈짓을 보낸 아티는 모든 시녀가 방을 나가자 방문을 점검했다.

'좋아. 단단히 닫혔어.'

아티의 시선이 로넨을 향했다. 로넨은 여전히 아티와 거리를 두고 있었다.

"로넨, 나를 안 볼 거니?"

아티의 목소리에 로넨의 작은 인영이 움찔했다.

"로넨, 하고 싶은 말이 있어서 찾아왔어."

"무, 무슨 말?"

로넨이 아티를 돌아보았다가 화들짝 놀라더니 그대로 다시 고개를 돌렸다.

로넨에게 가까이 다가간 아티는 꽉 움켜쥔 로넨의 작은 손을 잡아 주었다. 다행히 로넨은 아티의 손까지 피하지 않았다.

"다 아는 거지?"

"……!"

로넨의 눈동자에서 초점이 흐릿해졌다.

로넨은 아티가 이걸 이렇게 단도직입적으로 물어볼 줄은 몰랐다.

"내가 잘못 들은 게 아냐?"

망설이던 로넨이 웅얼거렸다. 아티가 서글프게 웃었다.

"정말, 정말이야?"

간절하게 바라보는 보라색 눈동자가 안타까웠으나, 아티

는 로넨을 속이지 않기로 했다.

아티가 천천히 끄덕이자 로넨이 다시 고개를 숙였다.

"로넨, 나 안 볼 거야?"

"아티가 그럴 리 없어."

"로넨……."

"정말 아티 수호 기사가 전 약혼녀고 지금은 아티가 약혼녀가 된 거야?"

"응."

"정말 아티가 사람들을 속인 거야? 왜? 아티가 원래 아티가 아니야? 그럼 아티는 원래 누구야?!"

감정이 벅차올라서인지 로넨의 눈가에 눈물이 그렁그렁했다. 손을 뻗어 손가락으로 눈물을 훔친 아티가 옅게 미소 지었다.

"모든 걸 말하진 못하지만, 네가 알게 된 이상 더 이상 속이진 않을게. 하지만 믿어 줘. 내가 어떤 나쁜 의도가 있어서 이러고 있는 게 아니라는 걸."

아티의 목소리는 다른 때보다 차분했고 담담했으며 한편으로는 쓸쓸했다.

로넨은 여전히 자신의 눈에 천사로 보이는 아티를 차마 외면할 수 없었다.

로넨이 고개를 끄덕이자 아티가 웃었다. 그것은 진정 눈부신 천사의 미소였다.

"정말 나쁜 의도 같은 거 없어?"

"응."

"맹세할 수 있어?"
"응."
"그럼 언젠간 왜 그랬는지 말해 줄 수 있어?"
"그래, 약속할게."
로넨이 소매로 자신의 눈물을 훔쳤다. 아티 앞에서 울 수 없었다. 헤헤 웃는 로넨을 보며 아티는 마음이 아팠다.
"그럼 아티 진짜 정체는 뭐야?"
로넨이 뒤늦게 찾아온 호기심을 드러냈다. 아티가 입에 손가락을 갖다 댔다.
"비밀."
"칫."
"언젠가 알려 줄게."
이 거짓 연극이 다 끝나는 날이 오면.
아티의 기약 없는 약속에 불만족스러운 듯한 기색을 보였던 로넨이 마침내 고개를 끄덕였다.
"그때까지 내 비밀 지켜 줄래?"
"……좋아!"
로넨이 웃으며 고개를 끄덕였다.
"그럼 나랑 좀 더 자주 놀아 주기!"
때를 놓치지 않고 로넨이 아티에게 요청했다.
"그리고 나랑 무도회에서 춤도 춰 줘야 해. 아직 약속해 준 거 잊지 않았어, 아티!"
"그래. 그럴게."
아드리안도 이런 상황이면 이해해 줄 것이라 생각했다.

로넨과 아티가 서로를 마주 보며 활짝 웃었다.

아직 모든 게 해결된 것도, 나아진 것도 아니었지만 그렇게 순조롭게 끝났다고 생각했다.

"그럼 아티, 우리 나가서 놀자! 정원에서 놀고 싶어."

"그래, 그러자."

"아티, 기다려. 내가 옷만 갈아입고 올게!"

좀 더 활동적인 옷으로 갈아입고 싶어서 로넨이 응접실을 나가기 위해 문을 열었다.

그러나 로넨은 자신의 목적을 달성할 수 없었다.

굳게 닫혀 있던 문이 열리고 나타난 것은 경악으로 물든 베로니카였다.

불신 가득한 베로니카의 시선이 아티를 향했다.

"어, 엄마."

놀란 로넨이 뒷걸음질을 쳤다.

베로니카가 아티를 향해 물었다.

"지금 이게 다 무슨 소리니?"

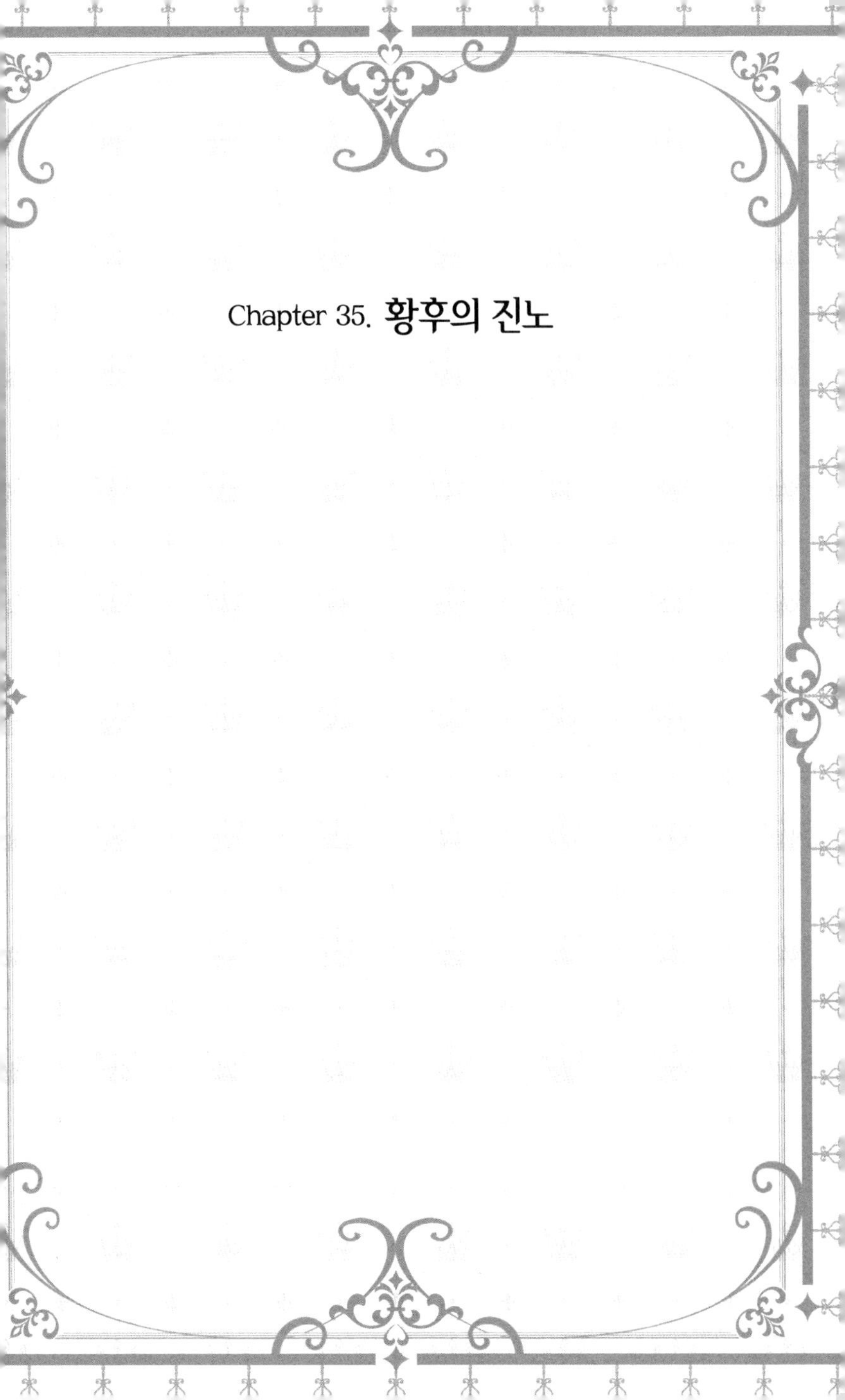

Chapter 35. 황후의 진노

Chapter 35. 황후의 진노

홀 안에는 싸늘한 분위기가 감돌았다. 느닷없이 불려 온 아티는 차가운 홀 가운데에 홀로 섰다.

황후의 옥좌에 고고하게 앉아 있던 황후가 아티를 홀로 맞이했다.

"아, 아르칸젤로의 축복이 함께—."

"인사말은 필요 없다."

칼로 자르는 듯한 냉정한 음성이 들려왔다. 아티는 덜덜 떨리는 손을 꽉 쥐고 고개를 숙였다.

아티의 말을 끊은 루드밀라 황후가 차갑게 명령했다.

"꿇으렴."

"네?"

"꿇려라."

황후의 명을 받든 시종들이 아티를 붙잡고 꿇렸다. 무릎을 꿇은 아티는 그저 입술만 깨문 채 고개를 숙였다.

로넨과의 대화를 베로니카 황후에게 들킨 이후, 줄곧 로넨과 함께 있다가 불려 온 참이었다.

'설명은 내가 들어야 할 게 아닌 듯하구나. 여기서 기다리렴.'

설명을 하겠다는 아티의 말을 무시하고 베로니카 황후가 가 버린 이후, 아티는 어느 정도 자신의 미래를 직감하고 있었다.

"폐하……."

무릎을 꿇으니 원래 자신의 자리로 돌아온 것만 같았다.

아래에서 올려다보는 루드밀라 황후는 너무나도 먼 사람이라서, 아티는 이것이 원래 자신의 위치라는 걸 알면서도 마음이 아팠다.

언젠가 이 순간이 올지도 모른다고 생각했다.

이 사람을 속인다는 사실을 자각할 때마다 깊어지는 죄책감에 어찌할 바를 몰랐다.

언제나 자상하게 웃어 주던 다정한 황후가 경멸 어린 시선으로 싸늘하게 쳐다보자 아티는 제 안에서 무언가가 부서져 나가는 기분을 느꼈다.

"내가 널 얼마나 아꼈는데, 감히 네가 날 속여?"

"황, 황후 폐하."

"그 부정한 입으로 나를 부르지 마라!"

입을 다물고 아티는 고개를 숙였다. 기가 찬지 루드밀라 황후가 헛웃음을 지었다.

"이 넓은 황궁에서 나를 속이려 드는 사람은 언제나 넘쳐났다. 네가 내 마음에 쏙 드는 완벽한 며느릿감은 아니어도 애가 싹싹하고 참하니까 괜찮겠거니 널 아꼈어."

황후가 얼마나 자신을 아꼈는지 알기에 아티는 고개도 들지 못했다.

황후의 노한 목소리가 홀에 울려 퍼졌다.

"난 널 믿었어. 그런데 감히 내 믿음을 배신을 해?"

차마 자신의 죄조차도 빌지 못하고 눈물을 흘리는 아티를 보며 루드밀라 황후는 더 깊은 배신감을 느꼈다.

황후가 막 무어라 입을 열려던 때였다. 홀의 문을 박차고 마리에가 나타났다.

"모후! 이게 무슨 일이야! 왜 그래? 아티는 왜 꿇어앉아 있어?"

상황을 모르는 마리에가 놀라서 다가와 아티를 일으켜 세우려고 했다.

"잘못을 했으니까 꿇어앉혔지."

"잘못? 무슨 잘못을 했는데?"

"그건 네가 직접 물어보지 그러니."

루드밀라 황후의 싸늘한 대꾸에 마리에가 아티를 쳐다보았다.

'모후가 단단히 화가 난 모양이신데, 도대체 무슨 짓을 저지른 거지?'

아티가 잘못을 할 리가 없다고 생각한 마리에가 아티를 두둔했다.

"엄마! 무슨 일인지는 모르겠지만 아티 말을 들어 보자. 응?"
분위기를 풀어 보기 위해 애교를 부리는 마리에를 보며 루드밀라 황후가 헛웃음을 지었다.
아티의 편을 드는 마리에가 황후로서는 그저 기가 막힐 뿐이었다.
"마리에, 넌 네가 지금 무슨 상황에 처해 있는지 모르는 게로구나."
황후의 말에 마리에의 몸이 멈칫했다. 분위기가 이상했다.
"뭐? 무슨 상황인데?"
길게 설명할 것도 없었다.
루드밀라 황후가 아티를 가리키며 입을 열었다.
"이 아이는 오비에도의 자식이 아니야."
"……?"
"네 궁에 있었던 비올라라는 이름의 시녀란다."
마리에가 두 눈을 동그랗게 떴다. 루드밀라 황후는 벌써 거기까지 파악하고 있었다.
사실 확인을 위해 부른 릴리 궁의 시녀가 진실을 모두 털어놓았기 때문이었다.
루드밀라 황후가 지끈거리는 머리를 누르며 다시 옥좌에 몸을 기댔다.
"뭐? 엄마, 지금 무슨 소리를 하는 거야?"
믿지 못하겠는지 마리에가 인상을 쓰며 되물었다. 루드밀라 황후는 간단하게 답했다.
"네가 심부름을 보냈던 시녀가 다음 날 네 오라버니의

약혼녀가 되어 우리 앞에 나타났다는 말이란다."

"뭐? 왜?"

"이유야 나도 모른단다."

루드밀라 황후가 아티를 바라보며 말했다.

"이제 물어봐야겠지."

마리에가 두 눈을 빠르게 깜빡였다.

아직도 상황 파악이 되지 않았다. 그러니까 심부름 이후 소식이 끊겼던 시녀가…….

"엄마, 농담이지?"

"이 모후가 네게 왜 그런 재미없는 농담 같은 걸 하겠니?"

아티를 일으키기 위해 붙잡고 있던 손을 저도 모르게 뗀 마리에가 인상을 썼다.

아티는 차마 마리에의 얼굴을 보지 못하고 고개를 푹 숙이고 있었다.

그럼 지금까지 이유 없이 친근감이 느껴졌던 것도 모두…….

"진짜야, 아티?"

마리에가 아티에게 물어보았다.

"진짜야?!"

하지만 아티는 어떤 말도 할 수 없었다.

"하."

마리에가 기가 막혀 헛웃음을 지었다. 온몸의 피가 싸늘하게 식었다.

깊은 배신감에 마리에의 눈가가 촉촉해졌다.

"뭐라고 말 좀 해 봐, 진짜야?!"

할 말이 없었다. 있을 리가 없었다.
마리에가 아티를 노려보았다.
"네가 어떻게 나한테 그럴 수가 있어?"
젖은 목소리는 이내 배신감으로 물들어 격해졌다.
"네가 어떻게 나한테 이럴 수가 있냐고!"
마리에 앞에서 그저 죄인이 된 채로 아티가 고개를 숙였다.
"죄송해요, 황후 폐하. 죄송해요, 공주 전하……."
죄송하다는 말 이외에 무슨 말을 할 수 있겠는가?
그들이 자신에게 얼마나 잘해 주었는지는 누구보다 아티 본인이 잘 알고 있었다.
'일이 이렇게 되면 안 되는 거였는데…….'
아티의 눈에 눈물이 흘렀다.
전부 자신의 욕심이 너무 과해 자초한 일이었다.
아드리안을 조금 더 옆에서 보고 싶다는 욕심만 버렸어도, 이렇게 될 일은 아니었을 텐데…….
아티의 말에 루드밀라 황후가 눈살을 찌푸렸다.
"네가 지금 죄송하다는 말이 나오는 모양이구나? 감히 황족을 기만해 놓고 죄송하다는 말을 해?"
노한 황후가 막 무어라 명하려던 찰나였다.
"전하, 전하!"
홀 밖이 소란스러웠다.
자신을 막는 근위대들을 모조리 뿌리치고 아드리안이 거침없이 홀 안으로 들어왔다.
로넨에게 소식을 듣고 바로 달려온 아드리안은 루드밀라

황후에게 무어라 말을 하려다가 무릎 꿇고 있는 아티를 보고 그대로 굳어 버렸다.

"……."

뒤를 돌아본 아티가 서럽게 눈물만 뚝뚝 흘리고 있었다.

"아드리안! 같이 가자니까!"

"전하!"

"야!"

뒤늦게 따라온 테르니와 디아노, 에센도 홀에 들어오자마자 아티를 보고 굳었다.

아티가 울고 있었다.

아드리안은 천 갈래 만 갈래로 찢어지는 마음을 느끼며 날아가 버리려는 이성을 간신히 붙잡았다.

"이게 무슨 짓입니까, 황후 폐하."

서늘한 목소리가 정적만이 가득한 홀 안에 고요히 울려 퍼졌다.

끓어오르는 분노를 삼키고 아드리안이 입을 열었다.

"설명해 주셔야겠습니다."

"네가 더 잘 알지 않니, 아드리안."

루드밀라 황후 역시 싸늘한 목소리로 응답했다.

"일국의 황태자로서 아주 잘하는 짓이구나. 감히 누굴 속이려고 들어?"

루드밀라 황후의 목소리는 이미 들려오지 않았다.

아드리안이 아티 옆으로 가까이 다가가 명령했다.

"일어나."

“꿇어!”

“일어나!”

아드리안이 소리 질렀다. 아티는 일어서지도 꿇어앉지도 못한 채로 엉거주춤했다.

억지로 아티를 일으키려는 아드리안을 보며 루드밀라 황후가 일갈했다.

“아드리안, 지금 네가 감히 이 모후를 무시하는 게냐? 네가 황태자의 지위에 있다고 눈에 뵈는 게 없는 모양이구나.”

루드밀라 황후의 진노에 아드리안이 치미는 화를 가라앉히기 위해 깊은숨을 내쉬었다.

자칫 잘못하면 이성이 날아가 버릴 것 같았다.

“아티가 무릎 꿇고 있는 게 마음에 안 들어서요.”

“그 아이가 잘못을 했으니 당연히 무릎을 꿇어야지.”

아드리안의 시선이 다시 아티를 향했다.

‘잘못을 했다고? 아티가?’

“이 일을 지시한 건 전부 저입니다. 이미 잘 아시지 않습니까? 고작 시녀에 불과한 아티가 무슨 엄청 대단한 짓을 벌였겠습니까?”

“그런다고 저지른 잘못이 사라지진 않는다!”

“아랫것이 잘못을 저지르면 윗사람이 책임을 지는 법이죠. 이번 경우도 그렇게 생각해 주시면 될 듯합니다.”

아드리안은 최대한 이성적으로 말하기 위해 애를 썼다.

하지만 도리어 그런 아드리안의 태도가 황후의 진노를 돋우었다.

"뚫린 입이라고 말은 잘하는구나! 이 어미는 네게 아주 큰 실망을 했다!"

옥좌의 손잡이를 붙잡은 루드밀라 황후가 아드리안을 노려보았다.

"일국의 황태가 어찌 이런 일을 벌인단 말이냐! 네가 지금 무슨 짓을 저질렀는지 자각은 하고 있는 게냐! 이 일을 황제 폐하께서 아시면 어떻게 될지, 또 온 나라에 알려지면 어떻게 될지는 생각해 봤어? 이건 황실의 수치다! 알겠느냐?!"

아드리안이 아티를 보았다. 아티가 아드리안을 보며 고개를 가로저었다.

참으라는 뜻이었다.

'이런 순간에도…….'

자신을 걱정하는 아티 때문에 아드리안은 마음이 찢어지는 고통을 맛보았다.

"아드리안!"

자신의 이름을 호명하는 황후의 목소리에 아드리안의 시선이 다시 돌아갔다.

아드리안이 입을 열었다.

"어쩌라고요."

"뭐야?"

"뭘 어쩌라는 말인지 모르겠다는 말이었습니다."

아드리안은 지긋지긋했다.

홀로 조용히 쌓아 뒀던 해묵은 감정이 슬금슬금 흘러나

왔다.
태어나고 싶어서 황태자로 태어난 것도 아니었다.
자신이 왜 자신의 태생에 온 인생을 바쳐 가며 책임을 져야 한단 말인가?
태어나기도 전에 정해진 운명에 휘둘리는 건 질색이었다.
그럼에도 지금까지 군소리 없이 잘 살아온 것은 모후와 부황이 자신에게 주는 애정과 기대를 아니까 실망시키고 싶지 않았던 것뿐이었다.
그 때문에 고되고 힘들었던 황태자 수업도 군말 없이 끝마쳤다.
흔히 나라와 미래를 짊어진다는 데에 부담감이 있는 건 절대 아니었다.
아드리안은 훌륭한 황제감이었고 지금도 훌륭한 황태자였다.
문제는 거기서 끝나지 않는 거였다.
"제가 대체 언제까지 모후의 기대를 만족시켜야 합니까?"
황태자로서의 의무와 권리.
귀찮은 적은 있어도 그 모든 게 버거웠던 적은 없었다.
버거운 건 오직 단 하나.
"제게 결혼을 강요했던 건 모후셨습니다. 잊으셨습니까?"
이 모든 상황의 원인.
"일주일 안에 약혼녀가 될 여인을 찾아오지 않는다면 그대로 가브리엘과 결혼시키겠다고 선언하셨죠."
아드리안이 화를 참기 위해 숨을 골랐다. 루드밀라 황후의 안색이 변했다.

"그건 네가 결혼을 할 생각이 없어 보이니까!"

"그래서요?"

황후가 흠칫했다. 아드리안의 목소리는 비이상적으로 차분했다.

"그래서 그러셨습니까?"

언제나 제 성질을 못 이겨 언성부터 올리던 녀석이 이렇게 차갑게 구는 것을 루드밀라 황후는 생전 처음 보았다.

"내가 그렇게라도 하지 않으면 네가 결혼을 할 생각이라도 했겠니?"

"안 했겠죠."

아드리안의 답은 거침없었다.

"하기 싫으니까."

루드밀라 황후가 숨소리를 누그러뜨렸다.

"아드리안, 나는 널 위해서 그런 결정을 내린 거란다."

아드리안이 표정을 일그러뜨렸다.

"제가 누구보다 인간을 싫어한다는 걸 모친인 황후께서 더 잘 아시지 않습니까?"

"고작 그런 이유로 이런 엄청난 짓을 벌였다는 거니! 그게 이유가 된다고 생각을 해!"

"그때 아티를 만들지 않았으면, 과연 제가 무사했을까요? 황후 폐하의 엄명에 따라 가브리엘과 결혼했겠죠."

"대체 가브리엘을 왜 그렇게 싫어하는 거니! 가브리엘이 싫으면 다른 영애라도 좋으니까—."

"다른 영애 누구요! 인간이 싫다는데 왜 못 알아들으세요!"
아드리안의 노성에 마리에가 끼어들었다.
"오빠, 엄마한테 그게 무슨 말버릇이야?!"
"넌 빠져. 낄 데 안 낄 데도 구분 못 하냐?"
"나도 이 사건의 당사자야!"
루드밀라 황후가 손을 들어 마리에를 제지했다.
마리에가 입을 다물자, 루드밀라 황후가 아드리안을 지그시 바라보았다.
"마치 이 모든 일이 나 때문에 벌어진 일이라는 것처럼 들리는구나, 아드리안."
"네."
아드리안이 고개를 끄덕였다.
"어머니 때문입니다."
아티가 놀라 아드리안의 소매를 붙잡았다. 그럼에도 아드리안은 말을 멈추지 않았다.
"저를 이렇게 만든 건 모후십니다."
홀에 잔잔한 파문이 퍼져 갔다. 아티가 놀라 아드리안의 소매를 당겼다.
"전하, 그만하세요. 전부 제 잘못이에요. 다 제가 잘못했어요."
아티가 빌기 시작하자 아드리안이 울컥했다.
"네가 뭘 잘못해!"
아티에게 잘못이 있다면 이 어이없는 상황에 장단을 맞춰 춤을 춘 죄밖에 없었다.

그런 아티가 두 사람의 분노를 고스란히 받고 있는 것에 아드리안은 마음이 찢어졌다.

누군가 때문에 이렇게 아픈 감정을 느껴 보는 건 생전 처음 있는 일이었다.

"울지 마. 일어나! 그렇게 있지 말라고! 아티, 네 잘못 같은 건 없다! 다 내 잘못이지!"

"아니에요, 전하. 이러시면 안 돼요. 아무리 그래도 황후 폐하와 공주 전하와 싸우시면 안 돼요."

이런 상황에서도 아티는 그런 말이나 하고 있었다. 아드리안은 속이 터졌다.

"넌 대체 왜!"

이런 상황인데도 둘을 두둔하냐고 뭐라고 한마디 하려는 순간이었다.

두 사람의 대화를 듣고 있던 루드밀라 황후가 아드리안에게 차갑게 말했다.

"아티는 누가 아직도 아티니? 오비에도에 아티엔느라는 영애는 없다."

황후의 보랏빛 눈동자가 아티를 향했다.

"넌 황족 기만 죄로 처형될 거다."

"!"

"!"

모두가 놀라 두 눈을 부릅떴다.

"황후 폐하!"

아드리안이 루드밀라 황후를 불렀으나 소용없었다. 황후

가 손을 들어 아티를 가리켰다.

"저 가짜를 당장 끌고 나가."

차가운 명령에 근위 기사가 아티를 향해 움직였다.

아드리안이 당장 칼이라도 뽑을 기세로 기사들을 노려보았다.

긴장감에 휩싸인 내부의 공기가 첨예한 대립에 날카로워진 순간, 돌연 테르니가 나섰다.

"……?"

거침없이 난입한 테르니는 그대로 아티에게 다가가 단호하게 말했다.

"일어나, 아티. 넌 지은 죄 없어."

아티가 눈물로 젖은 눈동자를 깜빡였다. 그걸 보고 표정을 굳힌 테르니가 정면의 옥좌에 앉아 있는 루드밀라 황후를 돌아보았다.

"죄송하지만 황후 폐하, 한 말씀 올려야겠습니다."

"이 상황에서 오비에도가 아직도 내게 할 말이 남아 있단 말인가?"

"네!"

테르니가 발랄하게 답했다. 방긋 미소 지은 테르니가 고개를 끄덕였다. 웃고는 있지만 평소와 같은 얼빠진 미소는 아니었다.

"폐하께서 하신 말씀 중 한 가지 사실을 정정하고 싶네요."

"……?"

"아티, 그거 꺼내."

테르니가 그거라고 두루뭉술하게 말했지만 무엇을 말하는지 모를 리가 없었다.

아티는 덜덜 떨리는 손으로 언젠가부터 품고 다녔던 블루 다이아몬드를 꺼냈다.

목걸이 안에 박힌 글자가 정확히 '아티엔느 세빌 라바트 오비에도'로 빛나고 있었다.

그 글자를 확인한 테르니가 자신의 품 안에서 사파이어를 꺼냈다.

푸른 사파이어 안에는 '테르니 아기라 오비에도'라는 글자가 빛났다.

그것을 증거로 테르니는 입을 열었다.

"저희 오비에도 가문은 아티를 정식으로 딸로서, 동생으로서 입양했습니다. 이 목걸이가 그 증거이죠."

루드밀라 황후의 표정은 변화가 없었다. 테르니는 차분하게 말을 이었다.

"황제 폐하의 승인도 얻었기에, 서류상으로도 문제가 없고 고로 저희 오비에도가 황후 폐하께 속인 건 아티가 제 부모님의 친딸이 아니라 입양 딸이라는 사실밖에 없습니다."

테르니가 빙그레 미소 지었다.

"그러니까 황족 기만 죄는 아닌 것이죠."

황제 폐하의 승인이라는 말에 루드밀라 황후는 황제는 진실을 미리 알고 있었다는 사실을 깨달았다.

깔끔한 정리에 루드밀라 황후는 기가 찼다.

"그런 눈 가리기로 내 진노를 빠져나갈 수 있을 것 같으냐?"

“저는 진실을 말하고 있을 뿐입니다.”

테르니의 금빛 눈동자가 아티를 담았다. 울고 있는 아티를 보며 테르니의 미소는 자취를 감추었다.

아티는 그런 매서운 표정을 짓고 있는 테르니는 처음 보았다.

테르니가 아티를 감쌌다.

“폐하. 그래도 아티는 저희 오비에도의 사람입니다.”

루드밀라 황후의 표정이 변했다.

그건 공식적으로 오비에도 가문이 이 문제에 발을 빼고 있지는 않을 거란 선언이었다.

동시에 아직 ‘황실의 사람’이 아니니 황명을 통해야만 공식적으로 처벌할 수 있다는 말이기도 했다.

루드밀라 황후가 노려보는 가운데 테르니가 웃으며 아티를 일으켜 세웠다.

“일어나, 가자. 너한텐 돌아갈 집이 있어!”

테르니의 손이 닿자 아티가 차오르는 눈물을 삼켰다.

아티가 일어나 테르니의 부축을 받고 홀 밖으로 나가려는 때였다.

루드밀라 황후가 그걸 보고만 있을 리가 없었다.

“당장 잡아 와!”

근위병을 움직이려고 하자, 이번엔 아드리안이 막았다.

“모후.”

아드리안의 붉은 눈동자가 루드밀라 황후를 담았다.

“계속 이러시면 후회하실 겁니다.”

"네가 지금 감히 내게 경고를 하는 거니?"
"경고일지 충고일지는 지켜보면 아시겠죠."
두 사람이 날카롭게 대립하는 와중에 테르니와 아티는 홀 밖으로 나섰다.
루드밀라 황후가 어이없어서 웃었다. 황후가 된 이후로 단 한 번도 이런 일은 없었다.
'본때를 보여 줘야겠군.'
황후의 차가운 목소리가 시종장을 불렀다.
"앨버트, 황후의 엄명이다."
시종장 앨버트가 고개를 숙이자 황후는 일부러 아드리안을 바라보며 명령했다.
"오늘 이 시간부로 오비에도 사람은 누구도 황궁에 발을 들이지 못할 것이다."
황궁으로의 모든 출입을 금지시킨다는 명령에 시종장이 고개를 숙였다.
"명을 받듭니다."
끝내 악수를 놓는 루드밀라 황후를 노려보다가 아드리안이 홀을 나왔다.

✦ ♛ ✦

로넨에게서 아티에게 큰일이 났다는 말을 듣자마자 아드리안이 뛰쳐나갔다.
아드리안의 뒤를 간신히 따라잡아 허겁지겁 도착한 홀

한가운데에서 무릎을 꿇고 울고 있는 아티를 본 테르니는 마음이 아팠다.

테르니는 누군가를 보고 그렇게까지 이성이 날아갈 정도로 동요한 게 처음이었다.

충격으로 굳어서 망정이었지 아니었으면 아드리안 못지 않은 행패를 부렸으리라.

'……그리고 살아남지 못했겠지.'

이성을 꽉 붙든 건 덜덜 떠는 아티의 존재였다.

"죄송해요."

어떻게든 아티를 이 상황에서 벗어나게 해 주고 싶었다. 홀을 벗어난 아티는 아직도 충격으로 몸을 떨었다.

"죄송해요."

고장 난 것처럼 같은 말만 되풀이하는 아티를 보며 마음이 미어졌다.

"네가 죄송할 건 없어, 아티."

"하지만, 저 때문에, 괜히, 가족들까지."

걸어가던 아티가 발을 멈추었다. 아티의 눈에서 눈물이 뚝뚝 떨어졌다.

"……죄송해서 못 가겠어요."

아티가 멈춰 버리니 테르니도 방법이 없었다.

"괜찮아, 아티."

테르니가 괜찮다고 하는데도 아티는 고개를 가로저었다.

"아니에요. 후작 각하와 부인께 폐를 끼치고 싶지 않아요."

"그래서 집에 돌아가고 싶지 않다고?"

아티가 작게 고개를 끄덕였다. 테르니가 웃으며 물었다.
"왜?"
"두 분 다…… 좋은 분들이시니까……."
줄어드는 목소리는 옅은 울음소리에 묻혔다.
테르니는 코끝이 찡했다.
이런 상황에서도 부모님을 생각하는 아티가 이상하고 귀여웠다.
"울지 마, 아티."
손을 뻗어 아티의 눈물을 닦아 주면서 테르니는 처음 느껴 보는 감정에 사로잡혔다.
테르니는 외동이었다.
처음부터 외동이었고 계속 외동으로 자라 왔다.
형제가 부럽지 않은 건 아니었으나 자신을 낳고 몸이 상한 엄마한테 동생을 낳아 달라고 떼쓰는 것도 철없던 한때의 이야기일 뿐이었다.
그래서 '아티엔느'의 존재도 처음엔 그저 갖고 싶었던 장난감, 그 이상도 이하도 아니었다.
에센일 땐 확실히 더 그랬지.
언제부터였을까, 정말로 동생이 생긴 게 좋아진 것이.
사람들이 말했다. 특히 마리에와 디아노가 그랬다. 형제는 정말 짜증 나는 존재이며 가끔씩 죽이고 싶다고.
테르니는 아티를 죽이고 싶다고 생각한 적이 없었다. 하지만 아티가 자신과 놀아 주지 않으면 괜히 더 행패를 부리고 싶어지긴 했다.

아티가 짜증을 내는 것도 좋았다.

자신이 벌인 사고에 한심해하면서도 도와주는 것도 좋았고, 자신의 헛소리에 동조해 줄 때도 좋았다.

정말로 생겨 버린 것이었다.

늘 바라고 바라던 동생이.

이제 아티가 없는 테르니의 삶은 상상할 수 없는 것이나 다름없었다.

'동생…….'

그래서 가끔 아티가 처음부터 자신의 인생에 있었으면 어땠을까 상상해 보았다.

이랬을 거고 저랬을 거고 이것도 해 주고 저것도 해 주고 하면서 상상했던 것이 헛소리처럼 떠들고 다니던 '우리들의 뒷동산'이었다.

"아티, 넌 우리가 싫어?"

"아니요……."

"그러면 됐어."

닦아 줬는데 또 흘러내려서 눈가가 엉망이었다.

테르니는 조심스럽게 아티의 눈물을 닦아 주고 그 작은 몸을 끌어안았다.

"넌 진짜 내 동생이니까, 나한테 미안해할 필요 없어."

아티의 눈에 다시 눈물이 차올랐다. 테르니가 일부러 밝은 목소리로 말했다.

"정말 괜찮아. 엄마 아빠도 신경 안 쓸걸? 설령 황제 폐하께서 진노하신다고 해도 여차하면 영지에 내려가서 평생 수도에 못 올라오는 일이 전부일 거야. 그래도 돼. 우리 가문은 돈도 많고, 영지도 좋고, 사업도 잘되고, 또 성도 예쁘거든."

정말 괜찮지 않다는 걸 알고 있었지만 당사자가 해맑게 말하니 무어라 말할 수가 없었다.

아티를 품에서 놓아준 테르니가 웃었다.

"여차하면 아티랑 평생 낚시하면서 살면 되겠다!"

"저 낚시할 줄 몰라요."

"나도 몰라!"

가볍게 답한 테르니가 손을 내밀었다.

"자, 가자."

아티는 여전히 이 손을 잡아도 될지 확신할 수 없었지만, 그럼에도 스스로 뻗어서 붙잡았다.

아티의 조심스러운 손짓을 보며 테르니가 짐짓 심각하면서도 단호하게 말했다.

"누가 뭐래도 넌 오비에도야, 아티."

그 말 한마디가 주는 안도가 얼마나 큰지 테르니 본인은 알고 있는 걸까?

다시 눈물이 차올랐다. 방금 전까지와는 다른 눈물이었다.

"내 동생은 눈물이 참 많네."

테르니가 장난스럽게 말하며 아티의 눈물을 닦아 주었다. 그렇게 서 있으려니 멀리서 익숙한 인영이 보였다.

허겁지겁 달려온 요제프 후작이 둘을 보며 깜짝 놀랐다.

"아니, 이게 무슨 일이냐?!"

요제프 후작은 다른 것에 놀란 게 아니라 아티가 울고 있는 것에 놀란 듯했다.

테르니가 활짝 웃으며 소리쳤다.

"아빠, 나 사고 쳤어!"

"그래, 사고를 쳐도 네가 쳤겠지."

요제프 후작이 울고 있는 아티를 보며 허둥지둥했다.

"아니, 우리 아티가 왜 울고 있는 거냐?"

울지 않으려고 했는데, 요제프 후작이 '우리 아티'라고 말을 하니 저도 모르게 눈물이 또 흘렀다.

다시 울어 버리는 아티를 보며 테르니가 씩 웃었다.

"그거야 우리 아티가 눈물이 많아서지."

테르니가 손에 힘을 주었다. 아티의 손을 놓치지 않겠다는 듯.

"자, 돌아가자. 우리 집으로."

✦ ♛ ✦

집으로 돌아온 테르니는 그레이스 궁에서 벌어진 일을 토씨 하나 빠지지 않고 전부 설명했다.

"—그래서 이렇게 된 거야!"

모든 이야기를 경청한 오비에도 후작 부부 내외의 반응은 비교적 차분했다.

"아, 역시 그거였군!"

"그렇구나."

특히 카밀라의 반응은 더더욱 덤덤했다.

“어쩐지 오비에도가의 황궁 출입을 금지한다는 명령이 내려왔다고 했더니.”

부자와 양딸의 귀가보다 황명을 전하는 파발이 더 먼저 저택에 도착했었던 참이었다.

때문에 카밀라는 자세한 내막은 몰랐지만, 어떤 일이 벌어졌다는 사실만은 알 수 있었다.

테르니의 이야기를 모두 들은 카밀라가 어깨를 으쓱였다.

“언젠가 이런 날이 올 줄은 알았지만 정말 왔구나.”

테르니가 이 미친 계획을 하겠다고 나댔을 때부터 후작 부부 내외는 언제고 이런 날이 올 거라고 생각했다.

카밀라의 싸늘한 시선에 테르니가 웃음을 터뜨렸다.

“아니, 엄마! 감상은 그게 끝이야?”

“뭐, 무슨 말을 더 하겠니.”

카밀라의 시선이 테르니에게서 아티로 미끄러져 움직였다.

한심한 아들 녀석보다 신경이 쓰이는 것은 새로 생긴 딸이었다.

소파에 앉은 채 어깨를 움츠린 아티는 척 보기에도 안쓰러웠다.

비 맞은 아기 새처럼 잔뜩 몸을 움츠린 채 덜덜 떠는 아티를 보며 카밀라가 테르니를 향해 물었다.

“그래서 저렇게 된 거니?”

끄덕끄덕.

테르니가 고개를 끄덕였다.

"죄송해요. 제가……."

간신히 입을 연 아티가 내뱉은 말에 카밀라가 깊은숨을 내쉬었다.

"네가 죄송할 게 뭐가 있겠니."

아티의 어깨를 도닥여 주던 카밀라의 시선이 그 눈물진 얼굴에 향해 있었다.

"이번 일에 네가 책임이 있다면 '가지지 못한 것'밖에 더 있겠니."

가지지 못했기 때문에 더 많이 가진 사람의 말을 들을 수밖에 없었다는 두둔에 아티가 고개를 들어 카밀라를 바라보았다.

어쨌든 선택은 자신이 했고 이 상황에 동조했으니까, 그런 변명으로 도망칠 수 없다는 건 알고 있지만 충분한 위로는 되어 주었다.

드디어 자신을 마주 보는 아티를 상냥하게 내려다보며 카밀라가 활짝 미소 지었다.

"우리 딸 얼굴이 엉망이구나."

왈칵 눈물이 샘솟았다.

"……후작 부인."

"어머니라고 불러야지, 아티."

짐짓 엄하게 말을 한 카밀라가 옅게 미소 지었다.

시선을 내리까는 아티의 속눈썹이 파르르 떨렸다. 카밀라가 가벼운 목소리로 아티를 위로했다.

"걱정할 것 없어, 아티. 만약 오비에도가 망하면 시멘 왕국으로 튀면 된단다. 거기에 내 친정이 있거든."
"엄마, 그럴 일은 없어요~!"
테르니가 놀리듯 답하자 카밀라가 미소 지었다.
"맞아, 우리 가문은 돈도 많고 영지도 크니까."
카밀라와 테르니가 깔깔 웃자 요제프 후작도 어쩔 수 없다는 듯 웃어 버렸다.
"그래, 뭐 여차하면 낚시나 하며 살자꾸나."
"오! 아빠, 낚시하는 법 알아? 나는 몰라!"
"이 아비도 모른다만……."
"그래?! 아티도 모른대!"
한심한 부자의 대화를 무시하고 카밀라는 엉망이 된 아티의 얼굴을 매만지며 말했다.
"아무리 황실이 대단하다고 해도 권세가 하나를 명분도 없이 마음대로 처리할 수는 없단다."
물론 황실이 그런 막대한 권력을 가졌을 때도 있었지만 지금은 아니었다.
"귀족의 긍지와 권위는 우리가 다스리는 봉토에서부터 나오는 것. 네가 걱정할 일은 없단다. 여차하면 영지로 내려가 버리면 되는 일이니까."
테르니가 고개를 주억거리더니 잘난 척을 했다.
"봐 봐. 내가 아까 말했잖아, 아티."
상황이 그렇게 간단하고 쉽지 않다는 걸 알고 있다.
아티는 자신의 마음의 짐을 덜어 주기 위해 가족들이 일부러 가볍게 말하고 있다는 사실도 알고 있었다.

참고 있던 눈물이 흘러나왔다. 아티는 결국 참지 못하고 울어 버렸다.

"아, 이런. 울리려고 한 소리는 아니었는데."

카밀라가 당황하며 아티를 조심스럽게 끌어안았다. 가벼운 손길이 등을 토닥여 주자 참으려고 했던 눈물이 더 터져 나왔다.

도대체 얼마나 울었을까.

제정신이 든 것은 한참 뒤였다.

그렇게 울어 버리고 나자 뒤이어 민망함이 몰려와 얼굴 전체가 새빨갛게 물들었다.

"죄, 죄송해요."

"이제야 부끄러운 거니?"

카밀라가 쿡쿡 웃으며 놀리듯 말했다.

아티는 고개도 들 수 없었다. 하지만 왜일까, 전보다 마음이 편하다. 마음껏 울어 버린 후라 그런지 오히려 시원했다.

카밀라가 아티의 꽉 쥔 주먹으로 손을 뻗었다.

하얗게 질린 손을 부드럽게 편 카밀라가 그 안에 있는 것을 보며 부드럽게 미소 지었다.

황궁에서 나올 때부터 목숨 줄처럼 쥐고 있었던 것.

"아티, 이 사실 하나는 절대 잊지 말렴."

아티의 이름이 적힌 블루 다이아몬드 목걸이가 모습을 드러냈다.

카밀라가 그것을 손수 아티의 목에 걸어 주며 눈을 빛냈다.

"너는 '오비에도'라는 걸."

✦ ♛ ✦

루드밀라 황후의 명령으로 오비에도가의 사람들은 모조리 황궁 출입 금지를 당했지만, 테르니와 요제프 후작은 출근을 해야 했다.

재무 대신인 요제프 후작이 재무청에 출근을 하자 1급 비서관부터 말단 사무관까지 걱정스러운 기색으로 요제프 후작을 맞이했다.

모두들 어째서 요제프 후작이 출입 금지를 당한 건지 자세한 사정은 알지 못했지만, 큰일이 일어났다는 것은 알고 있었다.

"황제 폐하께서 부르셨습니다, 각하."

"이미 알고 있네."

출입 금지를 당했는데 황궁 내로 들어올 수 있었던 이유는 오로지 황후의 명령을 무시할 수 있는 황제의 명령이 있었기 때문이었다.

서류를 뒤적이던 요제프 후작이 비서관들을 보며 물었다.

"급한 안건들은 이게 전부인가?"

"예. 그 안건들은 오늘 내로 봐 주시면 됩니다."

"그렇군. 나머지 안건들은 모두 자택으로 보내게. 거기서 처리하도록 하지."

"예, 각하."

비서관이 깍듯하게 고개를 숙였다. 다들 대체 무슨 일이냐고 묻고 싶은 표정이었지만, 평소와 다름없는 요제프 후작의 태도에 질문을 간신히 삼켰다.

그리고 그게 현명한 선택이었다.

✦ ♛ ✦

대제국 아펜니노를 다스리는 지고한 황제, 카를로만.

카를로만 황제는 우수에 가득 찬 눈빛으로 고개를 푹 수그렸다. 별걱정이 없을 것 같은 황제에게 갑자기 닥친 시련.

그것은 바로 어제 일어난 사건 때문이었다.

"폐하! 어찌 제게 이러실 수 있단 말입니까?!"

오비에도 가문의 황궁 출입 금지를 명령한 루드밀라 황후는 그 길로 크리스텐 궁에 방문했다.

오비에도가의 아티 입양 건에 대해 황제의 승인이 있었다는 사실에 대해 따지려고 왔던 루드밀라 황후는 그대로 한바탕하고 돌아갔다.

황제는 우울했다.

"이를 어찌하면 좋으려나."

루드밀라 황후가 단단히 화가 난 듯했다.

카를로만 황제는 루드밀라 황후가 그렇게까지 화가 난 모습을 처음 보았다.

마리에도 화가 나서 황후 뒤를 이어 따지고 돌아갔다.

단단히 화가 난 모습을 보건대, 카를로만 황제는 자연스레 오비에도로 돌아갔다는 아티가 걱정스러웠다.

“허. 괜찮은 아이였는데.”

어쩌다가 들켰단 말인가?

카를로만 황제는 ‘까짓거 그럴 수도 있는 일 아닌가?’라고 생각했지만 진노한 루드밀라 황후의 눈치를 보느라 아무 말도 하지 못하고 눈치만 보고 있었다.

“폐하, 괜찮으십니까?”

독대를 청한 오비에도 후작 요제프가 걱정스럽게 황제를 올려다보았다.

카를로만 황제는 맥없이 고개를 끄덕였다.

“나는 괜찮네.”

“폐하께서 괜찮으시다니 다행입니다.”

“글쎄, 과연 그럴까?”

의미심장한 카를로만 황제의 말에 요제프 후작이 엉성하게 웃었다. 헛기침을 한 그가 다시 입을 열었다.

“황후 폐하께선 괜찮으십니까?”

“아니. 개빡쳤어.”

“개빡…….”

황제가 쓸 만한 표현은 아니었다.

지고한 황제 입에서 나온 뜻밖의 표현에 요제프가 굳어 있는 사이 카를로만 황제가 이해한다는 듯 고개를 끄덕였다.

“마리에의 표현일세.”

"아, 역시……."

황실 식구 중에 이런 표현을 쓰는 사람은 마리에 공주뿐이었다.

황제가 한숨을 크게 내쉬었다.

"아드리안도 개빡쳤다고 하더군."

"아……."

"물론 마리에 본인도 개빡쳤다고 했다네."

"그, 그렇군요."

"덕분에 배신자라는 소리를 듣고 있지. 지금 황궁 내에서 내 처지가 말이 아닐세."

"예……."

카를로만 황제가 앞에 놓인 차를 마치 술처럼 단숨에 들이켰다.

요제프 후작이 직접 황제의 찻잔에 차를 다시 따랐다.

"황후 눈치 보느랴, 마리에 등쌀 견디느랴, 아드리안 반항을 지켜보느랴 얼마나 힘든지 아나?"

"네……. 힘드시겠습니다, 폐하."

카를로만 황제가 고개를 절레절레 흔들었다.

요제프 후작은 사람 좋은 미소를 짓다가 조심스럽게 여쭈었다.

"하면 폐하께서는 처음부터 에센 경이 아티엔느인지 알고 계셨습니까?"

"아니, 거기까진 몰랐네. 그냥 적당히 어디서 데려왔겠거니 했지."

카를로만 황제가 처음 아드리안이 '아티엔느'라는 레이디와 결혼하겠다고 선언했을 때를 떠올렸다.
사실 카를로만 황제는 루드밀라 황후가 아드리안에게 강경하게 자신의 뜻을 밀어붙이는 걸 내심 불안하게 여기고 있었다.
아드리안이 반쯤 미쳐서 데려온 오비에도가의 숨겨진 여식을 묵인해 준 건 그런 이유도 있었다.
"그러고 보면 폐하께서는 아티엔느가 가짜인 걸 알면서도 묻지 않으셨죠."
요제프 후작의 말에 카를로만 황제가 픽 웃었다.
"짐이 자네를 아는데 숨겨 놓은 자식이 있을 리가 없지 않은가?"
"그…… 건 그렇죠."
"게다가 아티엔느가 언젠가 '다시 숨을 수도 있느냐'는 내 질문에 때가 되면 그럴 수 있다고 답한 것도 자네였고."
요제프 후작은 처음부터 황제에게 진실을 숨길 생각이 없었다.
테르니는 황제조차 속여야 한다고 했지만 그런 게 가능할 리가 없다.
이게 카를로만 황제가 오비에도 후작을 총애하는 이유였다.
"짐이 떠보는 말에 이실직고를 하는데 굳이 노여워할 필요는 없지."
거기에 황제는 목적이 있었다.
"알아서 네벨을 묶어 준다는데, 짐이 거절할 것이 무에 있겠는가?"

커져 가는 네벨가의 위세를 잡아 놓을 필요가 있었다. 가브리엘이 황태자비가 된다면 건잡을 수 없어질 테니까.

재상을 견제하려던 당초의 목적도 잊고 며늘아기가 좋아진 것도 사실이었지만 말이다.

"나중에 살펴보니 애가 괜찮아서 황태자비가 되면 꽤나 좋겠거니 했는데 한 번 애가 바뀌었을 줄은 나도 몰랐네."

"저희도 놀랐습니다."

"에센이 도망을 쳤다지?"

"네."

"허허."

카를로만 황제가 너털웃음을 지었다.

"황후에게 안 그래도 오비에도의 레이디만 출입 금지를 시키고 나머지는 출근해야 하니 풀어 주자고 말을 해 봤는데 욕만 먹었네. 절대 풀어 주지 말라더군. 풀어 주면 평생 날 보지 않겠대."

"단단히 화가 나신 모양이십니다."

"뭐, 그럴 만도 하지. 황후는 자신을 속이는 걸 무엇보다 싫어하지 않는가?"

지금에 이르기까지 수많은 기억이 뇌리를 스쳐 지나갔다.

"이 황궁에 들어와서 많은 일이 있었으니까."

카를로만 황제가 의미심장하게 미소 지었다. 요제프 후작도 웃으며 고개를 끄덕였다.

그러다가 현재 이 상황에 생각이 미치게 된 황제가 혀를 찼다.

"쯧. 덕분에 나만 죽어나고 있네."

"고생이 많으십니다."

"그래도 의외야."

"무엇이 말입니까?"

"아드리안 그 녀석은…… 평생 누구를 좋아한다는 감정조차 모르고 살 줄 알았거든."

카를로만 황제의 단언에 요제프 후작이 고개를 갸웃했다.

"에이, 그 정도는 아니십니다."

"허, 참. 딱 보면 모르나? 인간을 싫어하지 않나. 타고나길 그런데 어렸을 때부터 사람에 둘러싸여 살아서 그런지 더 질색을 하더군. 마리에를 보게. 같은 환경이었는데 그 아이는 사람을 좋아하지 않나?"

"그러고 보니……."

"뭐, 그래서 더 아드리안을 제왕감이라고는 생각했지."

황제가 심드렁하게 덧붙였다.

"그 누구도 사랑하지 않는다는 말은 그 누구에게도 흔들리지 않는다는 말이니까."

차라리 아드리안이 누구도 사랑하지 못하는 게 나을 수도 있다는 생각을 한때는 했었다.

"황제란 고독한 자리일세. 이 자리에 앉은 자의 괴로움과 고독, 고통을 알아주는 사람은 없어. 오로지 홀로 감내해야 하는 것이지."

"그래서 지금 괴로우십니까?"

"그걸 말로 해야 하나? 나 지금 배신자 취급받고 있다니까?"

얼마나 고독한지 이루 말로 다 할 수 없을 정도였다. 요제프 후작이 어색한 웃음을 흘렸다.

"폐하께선 이 일을 어떻게 보십니까?"

"나도 모르겠네."

"예?"

황제가 무언가를 가늠하는 듯이 두 눈을 가늘게 떴다.

"황후가 꺾일지, 아드리안이 꺾일지 나도 알 수 없다는 말일세."

중요한 건 둘 중 하나는 반드시 꺾일 거란 사실이었다.

"나도 그렇지만 황족은 기본적으로 정을 그리워하면서 정작 본인들은 정이 없는 일족이라네. 만인의 사랑을 받는다는 건 보통 그런 게지. 이 넓은 황궁에서 부족한 것이 무엇이 있겠나? 있다면 그건 바로 사람과 사람의 정이지. 그래서 그리워하지만 결국 자신의 특수한 위치 때문에 온전한 정을 나눌 수는 없는 걸세."

그리고 그것이 근본적으로 황족을 태생부터 특별하게 만들었다.

"이 황궁 안에서 나고 자란 녀석들은 그걸 잘 몰라. 나도 그렇고, 마리에도 그렇고, 아드리안도 그렇지. 하지만 황후는 아닐세. 황후는 다르다네."

카를로만 황제의 시선에 애틋함이 물들었다.

"궁 밖에서 정을 경험하고 그게 무엇인지 알고 있지. 그래서 그렇게 사랑을 좋아하는 거야. 황후를 이 차가운 황궁에서 버티게 한 것이 바로 사랑이었으니까."

요제프 후작이 고개를 끄덕였다. 카를로만 황제가 깊은 한숨을 내쉬었다.

"하지만 아드리안은 그런 황후를 이해할 수 없겠지."

아예 모르는 것은 이해할 수 없는 법이었다. 알지도 못하는 걸 어찌 이해를 하겠는가?

요제프 후작이 어깨를 으쓱였다.

"결국 누가 이기냐의 문제라는 것입니까?"

"뭐, 그렇다네."

심드렁하게 답한 황제가 눈을 빛냈다.

"자네는 누가 이길 것이라 보는가?"

"글쎄요."

요제프 후작이 말을 아꼈다. 진지하게 고민을 하던 후작이 약간의 시간이 흐른 뒤에 입을 열었다.

"저는……. 아드리안 전하께서 이기실 거라 생각합니다."

"호오. 어째서지?"

"제 막내딸을 포기하시지 않을 테니까요."

"오호라."

확신에 가득 찬 요제프 후작의 말에 황제가 빙그레 웃었다. 요제프 후작이 일어나 예를 갖췄다.

"폐하, 당분간 자택에서 근신하겠습니다. 황후 폐하의 진노를 가라앉히기 위해선 그편이 좋겠지요."

"안 그래도 그러는 편이 좋다고 생각했네. 자넬 한동안 보지 못한다니 슬프군."

그렇게 말하는 황제는 전혀 슬프지 않은 표정이었다.
“명하실 일이 있다면 언제든지 불러 주십시오.”
“근신을 하는데 오히려 기뻐 보이는군?”
“단란하게 가족과 지낼 수 있을 테니까요. 슬픔에 앓아 누운 막내딸도 챙기고 말이죠.”
애정이 어린 발언에 황제가 두 눈을 가늘게 떴다.
“자네가 그렇게 말할 정도로 마음에 든 모양이군.”
“원래 딸을 갖고 싶어 했습니다.”
“그렇다고 해도 어지간히 마음에 든 것 아니고선 그 표정은 안 나올 텐데.”
손가락을 까딱이며 후작을 살펴보던 카를로만 황제가 이내 무언가를 깨달은 표정으로 요제프를 바라보았다.
“설마 이대로 영지로 도망이라도 가려고?”
“글쎄요. 카밀라가 가고 싶다면 따라가야겠지요.”
황제가 인상을 썼다.
“도망은 안 되네.”
“…….”

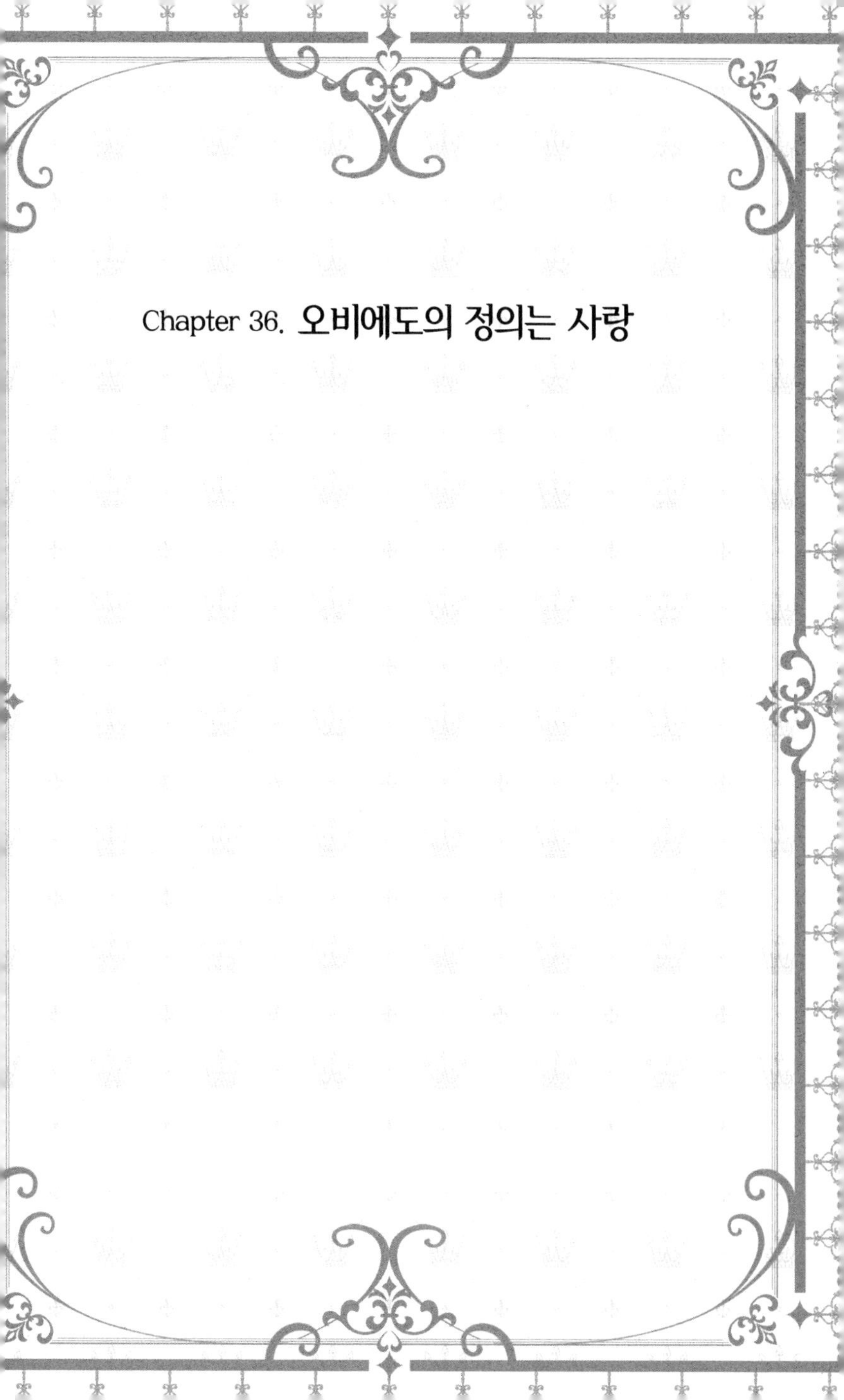

Chapter 36. 오비에도의 정의는 사랑

Chapter 36. 오비에도의 정의는 사랑

펑펑 울고 난 뒤에 긴장이 풀린 모양인지 갑자기 아티의 온몸에 고열이 들끓기 시작했다.

쓰러진 아티를 보다가 출근 시간까지 늦은 테르니는 아티를 간호한답시고 출근도 안 하겠다는 당초의 계획을 고쳤다.

"아드리안! 아드리안!"

황궁 앞에서 근위대가 막아섰지만 요제프 후작도 출근한 상황이라 테르니가 아드리안 황태자를 걸고넘어지자 어쩔 수 없이 들여보내 주었다.

포인세티아 궁에 들어온 테르니는 거침없는 기세로 황태자의 침실 문을 박차고 안으로 들어갔다.

"뭐야?"

셔츠도 잠그지 못한 채로 일어난 아드리안이 테르니를 곱게 흘겨보았다.

"뭐긴 뭐냐, 오빠 등장이시지!"
"뭐?"
"아티가 쓰러져서 일어나지 못하면 다 너 때문인지 알아!"
두통에 이마를 문지르던 아드리안의 행동이 멈췄다. 완전히 돌변한 눈빛으로 아드리안이 살벌하게 반문했다.
"지금 뭐라고?"
공기가 한순간에 얼어붙었다.
아드리안이 내뿜는 살벌한 기세에도 불구하고 평소라면 꼬리를 말고 도망쳤을 테르니는 물러서지 않았다.
"아티가 앓아누웠어."
"아티가 아픈데 넌 왜 여기 와 있는 거지? 제정신인가?"
"아드리안, 내가 왜 왔는지 진짜 모르겠냐?"
테르니가 팔짱을 낀 채로 아드리안을 노려보았다.
평소에도 정신이 나가 있긴 하지만 오늘 테르니는 유난히 제정신이 아니어 보였다. 물론 아드리안도 정상적인 상태는 아니었다.
"지금 나와 뭘 하자는 거지? 대체 뭐 때문에 왔는데? 같잖은 신경전 집어치우고 네 입으로 말해."
"일을 이렇게 만든 건 너야."
"뭐?"
아드리안의 표정이 구겨졌다. 테르니는 웃음기 없는 표정으로 아드리안을 마주 보았다.
"만약 아티가 일어나지 못하면 난 널 절대로 용서하지 않을 거다, 아드리안."

아드리안은 기가 막혔다.

"오빠랍시고 으스대기만 하고 동생 하나 제대로 챙기지도 못한 주제에 그게 무슨 소리지?"

"내가 제대로 안 챙겼냐? 너 때문에 앓아누운 거잖아!"

"네가 뒤집지 않아도 이미 내 속은 충분히 뒤집어져 있다. 아직 내 인내심이 널 봐주고 있을 때 그쯤하고 꺼져."

"누군 안 봐주고 있는 거 같냐? 이건 다 네 책임이고 아티를 지키지 못한 것도 다 네 책임이야."

테르니가 경고했다.

"만약 이 일이 원만하게 수습되지 못하면 난 네게 아티를 영원히 보여 주지 않을 거다."

아드리안이 기가 막혀 웃었다.

"네가 뭔데? 그렇게 말하는 네 녀석도 친오빠는 아니잖아?"

"헛소리하지 마라, 아드리안. 오비에도 가문의 이름을 빌려줄 때부터 나는 이미 아티와 가족이 되기로 결정한 거였다. 이제 와 피가 이어지니 마니 따윈 상관없어."

아드리안의 표정이 와작 구겨졌다.

무어라 항의하고 싶은 기색이었으나 테르니가 그런 걸 받아 줄 리가 없었다.

"화 풀리기 전까진 안 돌아온다."

멋대로 선언한 테르니가 그대로 뒤돌아 나갔다.

"거기 서!"

아드리안이 소리쳐 봤지만 소용없었다.

깔끔하게 무시하고 가 버린 테르니를 보면서 아드리안이

따라나서려고 했지만 이내 머리가 깨질 것처럼 지끈거려 다시 주저앉고 말았다.

어제 보았던 눈물 흘리는 아티가 눈앞에 선했다.

결국 아드리안은 손에 잡히는 검을 던져 버렸다.

살벌한 소란에 포인세티아 궁의 시종들은 숨을 죽이고 몸을 사렸다.

황궁의 분위기는 살벌했다.

가장 살벌한 건 황태자의 포인세티아 궁이었지만, 황후의 그레이스 궁도 그에 못지않았다.

약 하루의 시간이 지나자 황제의 승인이 포함된 관련자들의 징계가 내려졌다.

징계자 중 대다수가 황태자의 최측근이었고 그 대상엔 황태자 본인도 포함이었다.

명분은 다음과 같았다.

"황태자 전하를 제대로 모시지 못한 죄를 물어 이하 측근 3인에 대한 징계를 내린다."

가장 먼저 징계를 받은 건 테르니였다.

“이하 보좌관인 테르니 아기라 오비에도를 3개월 정직과 3년 감봉을 하도록 한다.”

테르니의 반응은 비교적 가뿐했다.

“어차피 화가 풀릴 때까지 출근하지 않을 생각이어서 상관없는데?”

안 나갈 생각인데 정직(停職)이라면 오히려 감사합니다 외쳐야 할 상황이었다.

테르니는 오히려 해임이나 파면되지 않은 게 의아했다.

“어차피 오비에도 가문에도 징계가 있었으니 상관없나?”

테르니의 태도에선 졸지에 자택 근무 처지인 요제프 후작에 대한 미안함 따윈 찾아볼 수 없었다.

“아빠도 같이 저질렀잖아?! 자업자득이야!”

“이런 놈을 자식이라고 두다니…….”

“어쩔 수 없어, 아버지! 날 견뎌! 날 세상에 내보낸 건 아빠니까!”

물론 깝죽대던 테르니가 뒤이어 카밀라 후작 부인에게 철저하게 응징당한 것은 비밀이 아니었다.

테르니의 입을 마법으로 봉인한 카밀라가 두 사람의 징계 소식을 듣고 자신의 의견을 말했다.

“황궁에서 일을 크게 키울 생각은 없는 모양이네요. 이 정도로 끝내는 걸 보면.”

“뭐, 황후 폐하는 몰라도 황제 폐하께서는 진노하지 않으셨으니까.”

“이후의 처분이 문제겠죠.”

카밀라는 솔직히 말해 황궁의 소식보다 다른 것이 걱정이었다.

"읍! 읍읍읍!"

말을 하고 싶은지 온갖 애교를 피우는 테르니를 빤히 지켜보다가 카밀라가 손을 휘저었다.

옅은 빛과 함께 테르니의 입을 봉인했던 마법이 풀렸다.

"아~! 드디어 목소리 나온다!"

카밀라가 매섭게 경고했다.

"한 번만 더 네 아버지한테 까불면 영원히 봉인해 놓는 수가 있다, 아들."

"넵! 앞으론 절대 깝치지 않겠습니다!"

테르니의 답변에 카밀라가 만족스럽게 웃었다.

테르니가 뒤이어 2층 계단으로 가는 문을 흘긋 보며 목소리를 낮춰 물었다.

"아티는 어때요?"

카밀라가 한숨을 내쉬었다.

"여전히 일어나지 못하고 있단다. 의원이 다녀갔는데 스트레스로 앓아누운 거라 하더라."

"엄마, 마법! 마법이 있잖아! 마법으로 치유하자!"

"네 엄마는 치유 마법에 재능이 없었어. 그리고 병이 아니라서 치유가 불가능하단다."

"히잉."

테르니가 시무룩해졌다. 아티가 일어나지 못할까 봐 낑낑대는 테르니를 보고 있자니, 이제야 좀 철이 든 것 같아

카밀라는 만족스러웠다.

"괜찮아, 아들. 금방 털고 일어날 거란다."

"그래. 우리가 정성껏 간호할 테니까 바로 나아질 거다."

"그럼 나 꽃 갖고 올래!"

예쁜 꽃을 보면 아티도 기분이 좋아질지 모른다면서 누가 붙잡을 새도 주지 않고 테르니가 튀어 나갔다.

"아무튼, 저 녀석……."

못마땅하게 혀를 차는 카밀라를 감싸며 요제프 후작이 테르니를 두둔해 주었다.

"제 딴엔 생각을 해서 그런 걸 테죠. 너무 노여워하지 마십시오, 부인."

"대체 누굴 닮아서 저런 건지 모르겠어요."

"누구든 닮았겠지."

요제프 후작이 카밀라를 빤히 바라보았다. 카밀라가 고개를 갸웃하자 요제프 후작이 헛기침을 했다.

"나의 태양. 배고프지 않소? 우리끼리라도 먼저 저녁을 먹는 게 어떻겠소?"

"뭐, 나쁘지 않은 생각이네요."

카밀라가 고개를 끄덕이며 동의하자 요제프 후작이 눈에 띄게 안도했다.

✦ ♛ ✦

"황후 폐하의 명령입니다. 황태자 아드리안은 지나치게

방만하고 가장 죄가 괘씸하니 우선 근신을 명하노라, 반성하며 이후 내릴 처분을 기다리도록."

근신 명령과 함께 루드밀라 황후가 보낸 근위대가 포인세티아 궁을 포위하듯 감쌌다.

이 명령을 받은 아드리안의 반응은 비교적 간단했다.

"헛소리 집어치워."

말이 근신이었지 거의 유폐나 다름없는 처사였다.

아침 댓바람부터 테르니가 속을 뒤집어 놓고 간 것도 모자라 근신 명령까지 내려오다니, 아드리안은 더 이상 참고 있을 수가 없었다.

"전하! 황후 폐하께선 근신을 명하셨습니다!"

"아드리안 전하! 나가시면 안 됩니다!"

"전하!"

포인세티아 궁의 시종들이 몸을 던져 뜯어말렸으나 아드리안 하나를 이겨 내지 못했다.

궁을 나서자 이번엔 황후가 보낸 근위대가 아드리안을 막고 나섰다.

아드리안은 그들을 아주 간단하게 이겼다.

스르릉—.

칼을 뽑은 아드리안이 기사와 병사들에게 선언했다.

"죽고 싶으면 막아."

서슬 퍼런 경고에 근위대가 흠칫했다. 당연히 죽고 싶은 사람은 없었으므로 아드리안은 무사히 포인세티아 궁을 빠져나왔다.

아드리안이 황후의 근신 명령도 무시하고 궁을 나와 달려간 곳은 황제 궁인 크리스텐 궁도 아니었고 황후 궁인 그레이스 궁도 아니었다.

말을 타고 달려 궁 밖을 나가 도착한 곳은 오비에도 저택이었다.

“저, 전하.”

“비켜.”

오비에도 저택의 사병들은 처음엔 말을 탄 누군가가 다가오는 것을 보고 막아서려 했으나, 아드리안 황태자인 것을 알아보고 물러났다.

막 아드리안이 저택 안으로 거침없이 들어가려고 했을 때였다.

“아니, 이게 누구야. 우리 고귀한 황태자 전하 아니셔?”

품에 꽃을 한 아름 들고 있는 테르니가 아드리안의 앞길을 막아섰다.

“비켜라.”

“아니아니, 그럴 순 없지.”

“너랑 실랑이하고 있을 시간 없어. 비켜.”

“내가 비키면 뭐 하게?”

“아티를 데려갈 거다.”

“어디로?”

“황궁.”

테르니가 한숨을 내쉬었다. 아드리안은 당장 비키지 않으면 죽일 기세로 테르니를 노려보고 있었다.

"아드리안, 진심으로 물을게. 제정신이야? 아티를 그 살벌한 황궁으로 데려가겠다고? 아티를 말려 죽일 셈이야?"

아드리안은 답하지 않았다. 자신을 지나쳐 가려는 아드리안의 앞을 간신히 막은 테르니가 낮게 경고했다.

"안 돼. 돌아가."

아드리안의 살기 어린 눈빛이 테르니를 향했다.

"죽고 싶은 건가?"

"날 죽여도 되는데, 아티는 못 보내. 이 상황에서 황궁에 돌아가면 뭐가 나아질 거 같아? 상처받고 쫓겨나기만 하겠지."

아드리안이 이를 악물었다. 뼈아프지만 테르니가 하는 말은 전부 맞는 말이었다.

"네가 여기서 이렇게 있을수록 상황은 아티에게 더 안 좋게 돌아갈 거야."

상황이 아티에게 더 안 좋게 돌아간다는 말에 아드리안이 반응했다. 테르니가 깊은 한숨을 내쉬었다.

"네가 막무가내로 굴어도 너는 아무 상관 없겠지만, 아티는 아니야. 네가 이럴수록 아티는 더 곤란해진다고."

자신을 가로막은 테르니의 팔을 붙잡은 아드리안이 인상을 일그러뜨렸다.

"아티를 위해서라면 돌아가."

눈길조차 주지 않더라도 그 뒷모습만이라도 멀리서나마 보고 싶은 마음이 흘러넘쳤다.

이 안에 그녀가 있는데 볼 수가 없다. 그만한 지옥이 또 어디 있을까.

"……그래."

치미는 충동을 간신히 억누르고 아드리안이 물러났다.

자신을 위해서가 아니라, 아티를 위해서.

✦ ♛ ✦

아티가 눈을 뜬 건 새벽이었다. 온몸이 식은땀에 젖어 있었다.

잠결에 여러 가지 소리를 들었던 것 같은데 열에 들떠서 제정신이 아니었던지라 아무것도 생각나지 않았다.

"여긴……."

낯선 곳이었다.

동시에 지나치게 친숙하게 느껴지기도 했다.

익숙한 릴리 궁의 침실이 아닌 낯선 곳에서 눈을 뜬 아티는 일순 인상을 썼다.

침대 옆에 장식된 싱그러운 꽃의 향기가 몽롱한 현실감을 일깨워 주었다.

"내가 왜 이런 곳에……."

그러다가 문득 생각난 사실에 몸을 떨었다. 한기가 느껴졌다.

"……맞아, 쫓겨났었지."

언제나 다정하고 상냥하게 웃어 주던 황후와 마리에가 자신을 힐난하던 것이 떠올랐다.

비난받는 것보다 자신을 인정하고 사랑해 준 두 사람을

실망시켰다는 사실이 못 견디게 힘들었다.

두 손으로 팔을 감싸 안은 채 아티는 몸을 웅크렸다.

이제 정말 모든 것이 끝이었다.

연극은 막을 내렸고 더 이상의 배우는 필요 없었다. 가짜 약혼녀는 퇴장해야 할 시간이었다.

"끝내자."

이 마음도 접을 생각이었다.

아티의 뺨에 눈물이 흘러내렸다. 자신의 욕심으로 이리 된 것 같아서 마음이 아팠다.

진작 이 마음을 접었으면, 싹이 트기 전에 묻어 버렸으면 일이 이렇게 되진 않았을 텐데.

"아냐, 아직 늦지 않았어."

모두 자기 자리로 돌아가는 것뿐이었다.

아티는 침대에서 벗어나 자신의 옷가지를 찾았다. 짐을 챙기기 위해서였다.

오비에도에 이대로 계속 신세를 질 순 없었다.

아픈 몸으로 나가 당장 뭘 할 수 있을지 막막했지만, 자신을 가족으로 받아 주는 그들에게 더 이상 피해를 입히고 싶지 않았다.

비록 황후와 마리에는 실망을 시켰지만 가족들까지 실망을 시킬 수는 없으니까.

처음부터 가져온 것이 없어서 가지고 나갈 것도 없었다.

입고 온 옷, 작은 가방 하나.

아직 어둠이 내려 있을 때, 누구도 모르게 사라질 생각이었다.

시종들마저 잠이 든 시간을 틈타 조심스럽게 아티가 계단을 내려왔다.

현관 홀에서 커다란 현관문을 열기 위해 손잡이를 잡은 순간이었다.

"아티."

가느다란 목소리에 아티의 몸이 흠칫 굳었다.

"거기서 뭐 하니?"

가벼운 질문이었지만 몸이 떨렸다. 아티는 어떤 말도 할 수 없었다.

다행히 아티를 부른 목소리는 더 이상 아무 말도 하지 않았다.

그녀는 이대로 눈을 질끈 감고 나가 버릴까 생각했다.

어차피 떠나려고 했으니까 괜찮지 않을까 싶었으나 이내 들려온 다정한 목소리에 등을 떠밀던 충동이 눈 녹듯 사라졌다.

"어디로 떠날 생각이니?"

카밀라의 목소리는 차분했다.

고요하고 차분한 목소리가 묻는 예상치 못한 말에 당장 뛰쳐나가고 싶은 충동이 쉽게 진정되었다.

문의 손잡이를 돌리기 위해 주었던 힘을 풀고 아티가 뒤를 돌아보았다.

계단에 서 있는 카밀라는 잠옷에 숄을 두른 간단한 차림새로 아티를 그저 내려다보고 있었다.

"떠나기 전에 인사는 하고 가야지. 안 그러니?"

계단을 내려오는 카밀라의 발걸음이 느긋했다. 아티는 차마 고개도 들지 못했다.

"아티."

천천히 걸어온 카밀라가 아티의 손을 잡았다. 옅은 미소에 아티의 눈가가 다시 촉촉하게 젖었다.

"그래. 마음이 허할 땐 가끔 외국도 나가고 세상도 봐 주고 그러는 게 좋단다. 잘 생각했구나, 우리 딸."

그게 아니라 차마 도망을 가려고 했다는 말을 할 수 없었다. 아티는 말없이 고개만 숙였다.

전부 다 알 텐데도 카밀라는 더 이상 추궁도 질문도 하지 않았다.

"여행도 좋지만 아직 몸이 좋지 않으니 좀 더 나아지면 나가는 것이 어떠니, 아직도 열이 펄펄 끓는데 말이야. 인사도 없이 널 보냈다가는 네 오빠에게 나만 원망을 살 게 뻔하단다."

"……부인."

"엄마라니까 자꾸 호칭을 까먹는구나."

아티의 뺨을 타고 눈물이 흘렀다. 카밀라는 다정하게 아티의 어깨를 다독여 주었다.

"……제가 정말 여기 있어도 되는 걸까요?"

"네가 여기 있고 싶다면."

그녀의 의문에 카밀라가 미소 지었다.

"네가 떠나고 싶다면 떠나야지. 말리지는 않을 거야. 서운하겠지만, 어쩔 수 없지."

붙잡을 줄 알았는데 카밀라는 의외의 말을 했다.

물기 어린 눈으로 자신을 바라보는 아티를 안쓰러워하며 카밀라가 말을 덧붙였다.

"대신 어디로 가는지는 말하고 가야 한단다. 걱정되니까 매번 소식도 보내오고."

아티가 눈을 깜빡였다. 넘치는 눈물을 참기 위해서였는데 별 소용이 없었다.

"그러다가 힘들 땐 언제든지 다시 돌아와도 돼. 집은 언제나 널 환영한단다, 딸아."

도망가려던 마음은 이미 사라진 지 오래였다.

다정하게 안아 주는 엄마의 품에서 아티는 참았던 눈물을 흘렸다.

이제 그녀에게도 이곳은 집이었다.

✦ ♛ ✦

디아노는 가만히 눈을 깜빡였다.

굳게 닫힌 황태자의 침실 앞에서 디아노는 몇 시간째 같은 자세로 서 있었다.

어제 갑자기 근신 명령을 무시하고 황궁을 뛰쳐나간 아드리안 황태자는 버림받은 강아지가 되어 돌아왔다.

황태자의 탈주 소식에 불같이 화를 낸 루드밀라 황후의 명령에 따라 침실에 유폐되다시피 했는데 놀라운 건 아드리안이 얌전히 명령에 따랐다는 점이었다.

"전하께선 도대체 무슨 생각을 하시는 거지?"

디아노는 아드리안의 성미를 누구보다 잘 알고 있었다.

분명 황궁을 다 박살 내 놓을 기세로 뛰쳐나갔는데 이렇게 갑작스러운 태세 전환이 의아하기만 했다.

"무슨 일이 있었나?"

디아노가 뒷목을 긁으며 고개를 갸웃했다.

어쨌든 디아노의 의무는 황태자인 아드리안을 지키는 것이기 때문에 문 앞에 서 있었을 때였다.

"거기서 뭐 하냐?"

"아, 에센 경."

디아노를 부른 에센은 굳게 닫힌 황태자의 침실과 침실의 문 양옆을 근엄하게 지키고 있는 황후의 병사를 보았다.

"쯧."

혀를 찬 에센이 디아노를 끌고 갔다.

"명령 내려왔다. 가자, 들으러. 우리도 징계야."

"아, 넵."

디아노가 에센을 따라 포인세티아 궁을 나서 릴리 궁으로 돌아갔다.

릴리 궁은 포인세티아 궁보다 더 심각한 분위기였다.

포인세티아 궁이 숨죽인 분위기라면 릴리 궁은 그냥 죽어 있었다.

단 한 사람을 제외하고.

"오호호홋, 어서 와요. 디아노 경."

마담 루시는 이 시국에도 여유로웠다.

심지어 명령을 전하러 온 앨버트 시종장과 단란한 티타임까지 갖고 있었다.

"모두 오셨군요. 흠흠."

디아노와 에센이 어이없게 바라보자 의식을 한 건지 앨버트 시종장이 자리에서 일어났다.

"어머나? 더 천천히 마셔도 되는데~."

"흠흠. 잘 마셨습니다, 역시 마담 루시가 직접 내려 주신 차는 향부터 다르더군요."

"오호홋, 자주 오세요. 기꺼이 대접해 드릴게요."

"말씀만 들어도 감사합니다."

마담 루시와 하하 호호 단란한 대화를 나눈 시종장이 에센과 디아노를 의식하며 다시 한번 헛기침을 했다.

"황후 폐하의 명령입니다."

앨버트가 명령서를 펼쳤다.

"가장 먼저 황태자의 수호 기사로서 황태자를 올바른 길로 보좌해야 할 의무를 저버렸으므로 이에 기사 디아노 샤비 베네데토에게 견책과 3년 감봉을 명한다."

"명을 받듭니다."

디아노가 무릎을 꿇고 황후의 명령을 받았다. 이어 에센의 차례가 돌아왔다.

"황태자의 기행에 소극적으로 참여한 죄를 물어 기사 에센 하민 아르벨로아에게 견책과 대기 명령을 내리니 자택에서 근신토록 하라."

에센이 표정을 구겼다.

"이의 있습니다. 저는 처음부터 이 멍청한 계획에 반대했는데요."

"그러면 시말서를 제출할 때 이의 신청서도 같이 제출하도록 하십시오."

이의 신청서라는 소리에 에센의 표정이 한층 더 구겨졌다.

가볍게 에센의 항의를 넘어간 앨버트가 이번엔 다소 부드러운 태도로 마담 루시를 바라보았다.

"황태자의 유모로서 황태자를 올바른 길로 이끌어야 할 의무를 저버리고 황태자의 기행에 동참한 죄를 물어 뒤센느 백작, 루시아나 라헬 뒤센느에게 견책과 대기 명령을 내리니 자택에서 근신토록 하십시오."

"예. 기꺼이 명을 받들겠습니다."

"견책을 받은 세 사람 모두 이번 주말까지 시말서를 제출하셔야 합니다."

"오호호. 그 정도야 뭐."

마담 루시는 가뿐하게 답했으나 에센의 표정은 펴지질 않았다. 디아노는 그저 나라를 잃은 표정이었다.

세 사람뿐만 아니라 릴리 궁과 포인세티아 궁의 시종과 시녀들에겐 따로 가벼운 징계가 있었다.

"황후 폐하를 모시느라 오늘도 고생이 많으시지요, 앨버트 님. 자, 제가 준비한 쿠키랍니다. 쉬실 때 드세요."

"감사합니다, 마담 루시. 감사히 잘 먹겠습니다."

마담 루시가 앨버트 시종장을 배웅하는 동안 두 사람은

나라 잃은 두견새가 되어 버렸다.

"흑. 이제 무슨 돈으로 아카시아 간식을 사 주지……?"

"넌 걱정하는 게 고작 그거냐?"

"에센 경은 부자라서 좋으시겠습니다."

디아노의 말에 에센의 표정이 다른 의미로 구겨졌다. 돈이 많기는 했지만 에센에겐 다른 문제가 있었다.

아르벨로아 백작은 이른 나이에 은퇴를 해서 영지에 내려간 상태였다.

"뭐, 집에서 연락이 오긴 할 테지."

생각만 해도 귀찮았다.

에센은 아르벨로아 저택이건 성이건 갈 생각을 접었다. 처음부터 갈 곳은 따로 있었다.

에센이 자리에서 일어나자 디아노가 의아한 표정을 지었다.

"어딜 가십니까?"

디아노의 의문에 에센이 손을 흔들었다.

"근신하러."

✦ ♛ ✦

"……그래서 여길 온 거다?"

테르니가 팔짱을 낀 채로 드물게 떨떠름한 표정을 짓고 있었다.

"어."

간단하게 답한 에센이 옆을 돌아보았다.

“야, 조심히 옮겨. 땅에 닿잖아!”
“예, 주인님!”
아르벨로아가의 하인들이 에센의 명에 따라 마차 세 대 가득 실어 온 짐을 옮기고 있었다.
바로 오비에도의 저택으로.
“하. 나 참.”
테르니가 어이없어서 헛웃음을 짓자 에센이 고개를 치켜 들었다.
“뭐, 불만 있냐?”
“그럼 없겠냐! 여기 우리 집이야!”
오비에도 저택에 예고도 없이 들이닥친 에센은 자기 집처럼 편안하게 들어갔다.
어릴 때부터 하도 오고 갔던 저택이니 편안할 수밖에 없었다.
느닷없는 소란스러움에 카밀라가 밖에 나왔다가 익숙한 얼굴을 보고 반가워하며 맞이했다.
“어머, 이게 다 뭐니? 아니, 이게 누구야, 에센 왔니?”
“카밀라, 오랜만이에요.”
“그래. 오랜만에 보는구나.”
카밀라의 손등에 키스한 에센이 사람을 홀리는 미소를 지었다. 카밀라는 흐뭇해하며 에센을 환영했다.
“엄마, 쟤 내쫓아! 당장!”
“테르니, 손님에게 이 무슨 무례니?”
“쟤가 왜 손님이야? 불청객이지! 에센 너 나가! 여긴 우리 집이야!"

테르니는 에센의 속셈을 잘 알고 있었다. 아티를 노리고 온 거겠지. 테르니는 에센의 흑심을 경계했다.

'아티는 내가 지킨다!'

저택에서 일어난 때아닌 소동에 결국 집무실에서 일을 보던 요제프 후작까지 나와 보았다.

"이게 대체 무슨 소란이야……?"

"오랜만에 뵙습니다, 각하."

"오, 에센 경 아닌가?"

깍듯한 인사에 요제프 후작이 반갑게 맞이했다. 테르니는 뒤에서 에센을 차디찬 시선으로 노려보고 있었다.

"그런데 저 짐은 다 뭐지?"

요제프 후작의 질문에 에센이 어깨를 으쓱였다.

"여기서 신세 지려고 왔습니다."

"……?"

요제프 후작이 당황하는 것도 잠시 카밀라가 웃으며 좋아했다.

"그래서 이렇게 짐을 바리바리 싸서 온 거니?"

"네. 내쫓으실 수 없게 작정하고 왔습니다."

"어머나, 서운하다. 내가 우리 에센을 내쫓을 것 같니?"

"당연히 아니죠, 카밀라."

카밀라는 아니고 오비에도의 두 남자가 그럴 예정이었다.

테르니가 다급히 요제프 후작을 보았으나 카밀라를 거역할 수 없는 요제프 후작은 슬그머니 고개를 돌렸다.

외면당한 테르니가 난동을 부렸다.
“안 돼! 허락할 수 없어!”
카밀라가 미소 지으며 산뜻하게 말했다.
“재는 무시하렴.”
“네.”
카밀라와 함께 2층으로 향하며 에센이 테르니에게 승리자의 미소를 지어 보였다.
“으아아아아! 저거, 저거!”
테르니가 소리를 질렀으나 신경 쓰는 사람은 아무도 없었다.

“아티는 어디 갔지?”
카밀라의 배려로 손님방에 자신의 짐을 전부 옮기는 데 성공한 에센이 가장 먼저 찾은 것은 다름 아닌 아티였다.
“아티는 방에 있어.”
여전히 뾰로통한 테르니가 성의 없이 답했지만 에센은 신경도 쓰지 않았다.
“어쨌든 이 사건에 나도 책임이 있으니까 황궁에 있을 수 없으니 꺼져야지.”
테르니는 여전히 뚱한 표정이었다.
“그런데 왜 여기로 왔어?”
“나도 한땐 오비에도였으니까.”

테르니의 표정이 보기 좋게 구겨졌다. 스스로 무덤을 판 꼴이라 딱히 할 말도 없었다.

'동생이라며 놀릴 땐 좋았겠지.'

에센은 자신도 그 지우고 싶은 흑역사를 이렇게 재활용할 수 있을지 예상치 못했다.

"있게 해 줘."

"자택 근신 처분이었잖아."

"어디서 근신하는지는 내가 정해."

"아, 예."

테르니가 포기하자 에센이 다시 첫 질문으로 돌아갔다.

"아티는 어때?"

심드렁했던 이전과는 달리 테르니가 한숨을 내쉬며 고개를 가로저었다.

"아직도 못 일어나고 있어."

에센의 표정이 어두워졌다.

그때 밖에 또 다른 소란이 일어났다.

✦ ♛ ✦

에센이 일으킨 소란이 채 가시기도 전에 오비에도가(家)는 이번엔 다른 손님을 맞이하게 되었다.

"오호호홋."

웃음소리만 들어도 누구인지 알 수 있는 마담 루시는 릴리 궁을 정리하고 수도에 있는 자신의 저택도 정리한 뒤

말끔한 차림새로 오비에도 저택을 찾았다.

막무가내로 쳐들어왔던 에센과는 달리 마담 루시는 우아하게 방문했다.

"어머, 루시~!"

"카밀라~."

간드러지는 목소리와 함께 마담 루시를 맞이한 카밀라의 만면에 환한 미소가 피어올랐다.

"루시~! 이게 얼마 만이야~."

"오호호, 전에 황궁 왔을 때 같이 봤어야 했는데 내가 궁을 옮기는 바람에 못 봤지."

"아아, 맞아. 못난 아들과 예쁜 딸을 도와줘서 고마워, 루시."

"아니, 뭘~! 나도 즐거웠는걸."

"그나저나 무슨 일이야, 루시가 이렇게 저택에 온 건 오랜만이네."

"그러게. 황궁에서 산 지가 오래돼서 황궁 밖을 나온 것도 오랜만이야. 많이 바뀌었더라."

두 사람이 감동의 재회를 하고 있는 동안, 2층 응접실에서 이 상황을 내려다본 테르니와 에센은 서로의 얼굴을 보고 있었다.

"에센, 마담 루시랑 같이 오기로 했어?"

"아니."

에센이야말로 당황스러웠다.

두 사람이 그러든 말든 오랜만에 친구를 만난 카밀라도

마담 루시도 잔뜩 들떠 있었다.

"아하. 너도 대기 명령을 받았구나?"

"오호호, 그렇다니까. 그래서 쉬는 김에 너하고 놀려고 왔지."

"어머나, 그래도 돼?"

"안 될 건 또 뭐람?"

마담 루시가 의미심장하게 웃었다.

"게다가 내 주인은 아직 '예비 황태자비 아티엔느' 님이 신걸."

릴리 궁에 혼자 남으면 뭐 하느냐, 또 황후 폐하께서 단단히 화가 나셔서 황궁에 붙어 있는 것도 눈치 보인다.

이런저런 하소연을 하던 마담 루시가 싱긋 웃었다.

"그래서 카밀라랑 놀아야지— 라고 생각했어. 오호호호."

"어머나, 나는 좋아."

대화를 훔쳐 듣던 에센과 테르니가 인상을 찡그렸다.

서로를 돌아보는 에센과 테르니의 눈빛은 명백히 같은 생각을 품고 있었다.

'이 시국에 놀러 오다니, 제정신인가?'

남 말할 처지는 아니었지만 역시 마담 루시는 아드리안을 키울 만했다고 생각하며 두 사람이 고개를 주억거렸다.

겉으로 드러내진 않았지만 마담 루시에게도 생각은 있었다.

'분명 이러다가 나중에 후회하겠지.'

마담 루시는 황궁에서 누구보다 루드밀라 황후를 잘 아는 사람이었다.

"오호호, 내일은 같이 쇼핑이나 갈까?"

"그것도 나쁘지 않지."

활짝 웃는 카밀라를 보면서 마담 루시가 같이 미소 지었다.

✦ ♛ ✦

침실에 처박힌 아드리안은 계속 이 상황에 대해 생각해 보았다. 아티를 보지 못하는 상황은 그 자체로 독이었다.

결국 아드리안은 얌전히 잡혀서 유폐된 지 하루 만에 다시 침실을 나섰다.

"전하! 이러시면……."

"비켜. 죽이기 전에."

이번에도 황후의 근위대들은 거침없이 나서는 아드리안을 막지 못했다.

포인세티아 궁을 나선 아드리안이 향한 곳은 오비에도 저택도, 릴리 궁도, 그레이스 궁도 아니었다.

귀빈이 머무는 에메랄드 궁으로 간 아드리안이 찾아간 건 다름 아닌 시리우스의 베로니카 황후였다.

"뭐니, 아드리안."

느닷없이 찾아온 아드리안의 방문에 베로니카는 불쾌한 티를 숨기지 않았다.

"이모님이셨습니까?"

"뭘 말이니?"

"모후께 말한 게 이모님이시지 않습니까?"

베로니카는 부정도 긍정도 하지 않았다.
때아닌 소란에 로넨이 발걸음 했다가 들어오지도 못하고 문 앞에서 멈춰 섰다.
베로니카는 서두르지 않았다. 마시던 차를 느긋하고 여유롭게 즐기다가 내려놓고 아드리안을 돌아보았다.
"그럼 내가 어찌해야 했을까?"
"이모님."
"넌 네 모후를 속였다, 아드리안."
베로니카가 단호하게 맞받아쳤다.
"거기에 대한 반성은 없는 거니?"
"제가 왜 반성을 해야 하죠?"
아드리안의 대답에 베로니카가 헛웃음을 지었다.
"네가 뭘 잘못한 건지 모른다는 거니?"
"제가 뭘 잘못했는데요?"
"네 모후를 속였잖아."
"대신 모후께서 원하시던 대로 해 드렸잖습니까."
아드리안이 피곤한 기색을 숨기지 않으며 말했다.
"이 거짓을 원한 건 처음부터 모후셨습니다."
"그래서 너는 죄가 없다는 말이니?"
아드리안은 가만히 베로니카가 내려놓은 찻잔을 바라보았다. 뭔가를 예감한 베로니카가 인상을 찡그렸다.
"아니요."
아드리안이 베로니카의 찻잔을 그대로 건드려 떨어뜨렸다.
쨍그랑—!

"그저 이모님께서 끼어들 자리는 아니라고 경고하고 싶은 겁니다."

박살 난 찻잔이 경고하는 바는 명확했다.

"로넨이나 잘 챙기십시오."

협박이나 다름없는 말에 베로니카가 분노했다.

"아드리안, 원망을 하고 싶은 상대를 찾고 있나 본데 잘못 찾아왔다. 난 내가 해야 할 일을 했을 뿐이야."

"예. 많이 하십시오."

아드리안이 고개를 끄덕였다.

"저도 제가 해야 할 일을 하고 있을 뿐이거든요."

"저게……!"

"엄마!"

베로니카가 아드리안을 붙잡으려고 하자 로넨이 뛰어가 말렸다.

로넨은 지금 아드리안 따위보다 자신의 모후가 더 걱정되었다.

베로니카를 말리는 로넨을 흘긋 본 아드리안이 아무 말 없이 넘어갔다.

그나마 로넨이 달려와 제때 알려 준 덕분에 아티가 처참하게 끌려 나가는 건 막을 수 있었으니까.

"아드리안! 거기 안 서?!"

베로니카가 화가 나서 날뛰든 말든 가볍게 무시한 아드리안은 그대로 에메랄드 궁을 나왔다.

다음으로 갈 장소는 이미 정해진 것이나 마찬가지였다.

아드리안은 그레이스 궁으로 향했다.

✦ ♛ ✦

그레이스 궁에 아드리안이 등장하자 궁을 지키던 근위병들이 당황했다. 시종들이 황급히 루드밀라 황후에게 이 소식을 알렸다.

"황후 폐하, 아드리안 황태자 전하께서 오셨습니다."

"뭐라? 또 근신 명령을 어겼어?"

루드밀라 황후가 불쾌한 기색을 드러내며 인상을 찡그리자, 어떻게 안 것인지 문을 박차고 본인이 등장했다.

그 무례한 행동에 황후의 분노도 극에 달했다.

"아드리안! 이게 무슨 짓이니!"

아드리안이 가만히 루드밀라 황후를 올려다보았다. 루드밀라 황후도 같이 아드리안을 노려보았다.

"황후 폐하, 오비에도 후작가에 내린 명령을 철회해 주십시오."

아드리안의 요구에 루드밀라 황후는 기가 찼다.

"이제 인사도 하지 않는구나."

"인사할 기분이 아니어서요."

"점점 무례가 도를 지나치는구나."

"부정은 하지 않겠습니다."

일부러 무례를 저지르고 있는 거니까.

일부러 시위하듯 이러는 걸 루드밀라 황후가 모를 리가

없었다.

“네가 이런다고 상황이 나아질 것 같니? 더 악화시킨다는 생각은 안 해?”

“더 악화될 게 뭐가 있겠습니까, 제 옆에 아티가 없는데.”

“뭐야?!”

루드밀라 황후가 자리에서 일어났다. 아드리안은 반응하지 않았다.

뒤늦게 들어온 시종이 루드밀라 황후의 귀에 무어라 속삭였다.

“아드리안! 너 에메랄드 궁에도 갔었니?!”

“예.”

부정하지도 않는 아드리안을 보며 루드밀라 황후는 기가 막혔다.

“베로니카에게 도대체 뭐라고 한 거야! 넌 시리우스와 전쟁이라도 하려는 거니?!”

“하고 싶다면 피할 생각은 없습니다.”

“이 제국 신민의 피가 네겐 그리 가볍다는 거냐!”

“그런 의미는 아니었는데요.”

“네 지금 태도가 그렇다고 말하고 있지 않니?!”

그게 뭐든 지금 아드리안에게겐 의미가 없는 일이었다. 루드밀라 황후가 격노했다.

“네가 이 나라의 황태자로 남아 있고 싶다면 당장 돌아가서 사과하고 와! 어서!”

황후의 엄명에도 아드리안은 꿈쩍도 하지 않았다.

미동조차 하지 않는 아드리안을 보며 숨을 죽인 건 그레이스 궁의 시종들이었다.

"싫습니다."

아드리안이 거절했다. 루드밀라 황후가 두 눈을 부릅떴다.

"허. 네가 아직 정신을 못 차린 모양이구나. 반성도 하지 않고 감히 내 앞에서 이따위 행패를 부려?"

"반성이요?"

아드리안이 헛웃음을 지었다.

"제가 뭘 반성해야 하죠?"

"아드리안 브리스츠 카이텔 반 자켈 아펜슨!"

"네. 경청하고 있습니다, 황후 폐하."

루드밀라 황후의 눈동자가 선득하게 빛났다.

"네가 기어이 선을 넘는구나."

아드리안은 물러섬 없는 한결같은 태도로 응수했다.

"선은 모후께서 먼저 넘으셨죠."

"하! 이제 네가 뵈는 게 없는 모양이구나."

"그런 건 진작부터 없었습니다."

"뭐야?"

아드리안이 머리를 쓸어 올렸다. 오직 한 가지 생각 때문에 머리가 뜨거웠다.

"오비에도가에 찾아갔었습니다."

"그건 들어서 안다."

"예, 알고 계시겠죠."

아드리안은 자신이 궁 밖을 나가는 순간부터 사람이 붙

는다는 걸 진즉 알고 있었다.

그 사람을 붙일 사람이 누가 있겠는가?

“오비에도에 내린 명령, 철회해 주십시오. 아티를 황궁으로 데려와야겠습니다.”

루드밀라 황후가 헛웃음을 지었다.

“그럴 수 없다. 내가 왜 네 말에 따라야 하지?”

“당연히 제가 원하기 때문이죠.”

“네가 원하면 내가 다 해 줘야 한다는 거니?”

“예. 그동안 제가 어머니의 기대에 어긋나지 않게 행동했으니까요.”

“내 기대에 어긋나지 않게 행동했다는 녀석이 감히 그런 짓을 벌여?!”

“어머니께서 원하셨잖아요.”

아드리안이 싸늘하게 응수했다. 그럼에도 다시 불타오른 황후의 분노는 피할 수 없었다.

“내가 원한 건 이런 게 아니었다! 어디 거짓으로 이 어미의 눈을 속이려고 드느냐!”

“아티의 출신은 거짓일지언정 제가 아티를 사랑한다는 사실은 진실입니다.”

“하! 대체 언제부터? 에센이 아티일 적에도 사랑을 했느냐?”

“예. 어쩌면.”

아드리안이 비통하게 입술을 깨물었다.

“아티가 와 주기만을 기다렸던 걸지도 모르죠.”

루드밀라 황후의 표정이 기이하게 변했다.

루드밀라는 아드리안이 이런 표정으로 이런 말을 하는 걸 생전 처음 보았다.

'이 애가 진정 내 자식이란 말인가?'

루드밀라 황후는 당연히 아드리안의 모후인 만큼 누구보다도 아드리안을 잘 알았다.

아드리안은 정이 없고 사람을 달가워하지 않지만 가까이 다가가면 내쫓지는 않는 그런 아이였다.

하지만 누구 하나를 특별하게 생각하지도 않아서 언제나 그것이 못내 아쉽고 불쌍했다.

'사랑하는 사람이 생기면 나아질 거라고 생각했지.'

모두들 루드밀라 황후가 자신의 이기심 때문에 아드리안에게 결혼을 강요한다고 생각했지만, 루드밀라 황후는 나름대로 아드리안을 소중히 여겨서 내린 결정이었다.

"……정말 그 아이를 사랑하는 거니?"

"그걸 말로 대답해야 아시는 겁니까?"

문득 루드밀라 황후는 무릎 꿇고 빌기만 하던 아티가 생각났다.

자신에게 대드는 아드리안을 가장 먼저 말리던 것도 그 아이였다.

분노는 사라지지 않았지만 아드리안의 변화를 목격한 충격에 조금은 잊혔다.

"내 아들이……."

루드밀라 황후는 아드리안이 영원히 변하지 않을 거라 생각했던 사람 중 하나였다.

사랑이 사람을 변하게 한다고 굳게 믿으면서, 아드리안만큼은 절대 변하지 않을 거라 믿은 자기모순은 대체 어디서부터 시작된 걸까?

그렇다고 해도 루드밀라 황후는 아티를 용서해 줄 생각이 없었다.

"그래도 안 된다. 그런 앙큼한 아이가 네 옆에 붙어 있었다니 용서할 수 없구나. 그대로 황후가 되어 널 이용해 먹을 속셈이었겠지."

"어머니, 제발!"

아드리안이 참지 못하고 소리를 질렀다.

"아티를 붙잡은 건 접니다! 제가 황위를 잇기만 하면 떠나려고 했던 아이라고요!"

"그 말을 어떻게 믿니? 아드리안, 넌 지금 속고 있는 거야!"

"속긴 뭘 속습니까! 애초에 어머니가 가브리엘 미친 여자랑 결혼만 안 시키려고 했어도 저도 이런 일까진 안 벌였어요."

"뭐야?! 거기서 가브리엘이 왜 튀어나와?"

"모후께서 먼저 제게 가브리엘과 결혼시키겠다 하시지 않으셨습니까?!"

루드밀라 황후는 아드리안의 말을 이해할 수 없었다.

이것은 또 다른 충격이었다.

"그러니까, 내가 가브리엘과 결혼시키겠단 말만 안 했어도 그런 짓을 벌이지 않았다는 말이니?"

"예. 버텼겠죠. 무슨 일이 있어도."

"……."

루드밀라 황후가 잠시 아드리안의 말을 이해해 보려고 노력했다.

몇 번을 이해해 보려고 노력하고 노력해도 나오는 결론은 하나였다.

"아니, 대체 가브리엘을 왜 그렇게 싫어하는 거니?"

"말로 설명해도 못 알아들으시잖아요."

"그래도 해 보렴. 이대로 아무 말도 하지 않으면 가브리엘과 널 결혼시키겠다."

"하."

끓어오르는 화를 참으려는 건지 아드리안이 다시 한번 머리칼을 쓸어 올렸다.

뭐 하나 녹일 것 같은 강렬한 눈빛으로 아드리안이 입을 열었다.

"이기적이고 자기중심적인 데다 겉과 속이 다르고 자기에게 이득이 될 사람한테만 살갑게 굴죠."

"아드리안! 가브리엘은 착한 아이야. 네가 그런 생각을 갖고 있는지 몰랐구나. 내 아들이 이렇게 편협한 생각을 갖고 있었다니 이 모후는 놀랐다."

"편협한 생각이 아니라 진실입니다. 모후께선 가브리엘을 예뻐하기만 하지, 어떤 애인지 신경도 안 쓰시지 않습니까!"

"그게 무슨 말이니, 아드리안!"

"아티가 모후를 속였다고 해도 그건 가브리엘이 모후에

게 보이는 가식보다 못한 겁니다. 저 때문에 모후를 속이면서도 죄책감에 힘들어했던 아이라고요. 그 아인 나랑 다르게 착하니까!"

"아드리안!"

황후의 호령에도 아드리안은 말하는 걸 멈추지 않았다.

"전 아티 아니면 누구와도 결혼 안 합니다."

아드리안이 선언했다.

"아티 없으면 못 삽니다."

하얗게 질린 루드밀라 황후가 경악하며 반문했다.

"그럼 아티가 죽으면 따라 죽기라도 하겠다는 거니?"

"제가 왜 따라 죽을 거라 생각하십니까?"

아드리안이 강한 어조로 말을 덧붙였다.

"살릴 겁니다."

"……!"

"금단의 마법에 손을 대는 한이 있더라도 반드시 살려 낼 겁니다. 썩어 가는 몸에 살리든, 아예 새로운 몸에 살리든, 반드시 살려 내서 제 황후로 만들 겁니다."

"아드리안!"

아드리안이 몸을 돌렸다.

멋대로 들어와서 휘저어 놓고 돌아가려는 아드리안을 황후가 불러 보았지만 그는 멈추지 않았다.

아드리안이 제멋대로 응접실을 나가려는 순간이었다.

[멈춰라.]

아드리안을 비롯한 모든 사람의 행동이 멈췄다.

모두가 멈춘 장소에 유유히 들어온 것은 다름이 아닌 카를로만 황제였다.

"못난 놈."

아펜슨 황실을 상징하는 눈에 새겨진 드래곤의 문양이 빛나고 있었다.

"윽."

아드리안은 한쪽 눈을 부여잡고 무릎을 꿇었다.

황제가 건 금제에 저항하려 들자 타오를 것 같은 고통이 엄습했다.

아펜슨 황가의 직계만 갖는 드래곤의 증표는 황위를 이으면 황제의 직계에게만 남고 사라졌는데 이것이 즉 드래곤의 영혼을 이어받았다는 증거였다. 고로 황제는 미약하나마 용언을 쓸 수 있었다.

"네가 내 용언을 거부하려면 먼저 황제가 되어야 한다, 아들아."

카를로만 황제가 허공을 휘휘 젓자 공간을 짓누르던 압박이 사라졌다.

"아드리안 황태자를 궁으로 데려가라."

"예, 폐하."

황제의 명령에 근위대가 움직였다. 아드리안은 근위 기사에 의해 끌려 나가면서 복도에서 기웃대는 마리에와 마주쳤다.

"호구 자식."

"……."

못마땅한 표정으로 마리에가 욕을 했다. 아드리안은 닥치라는 의미로 마리에를 노려보았다.

마리에와 실랑이를 할 기력이 없었다.

아티가 보고 싶었다.

지금 당장 아티를 보지 않으면 미칠 것 같았다.

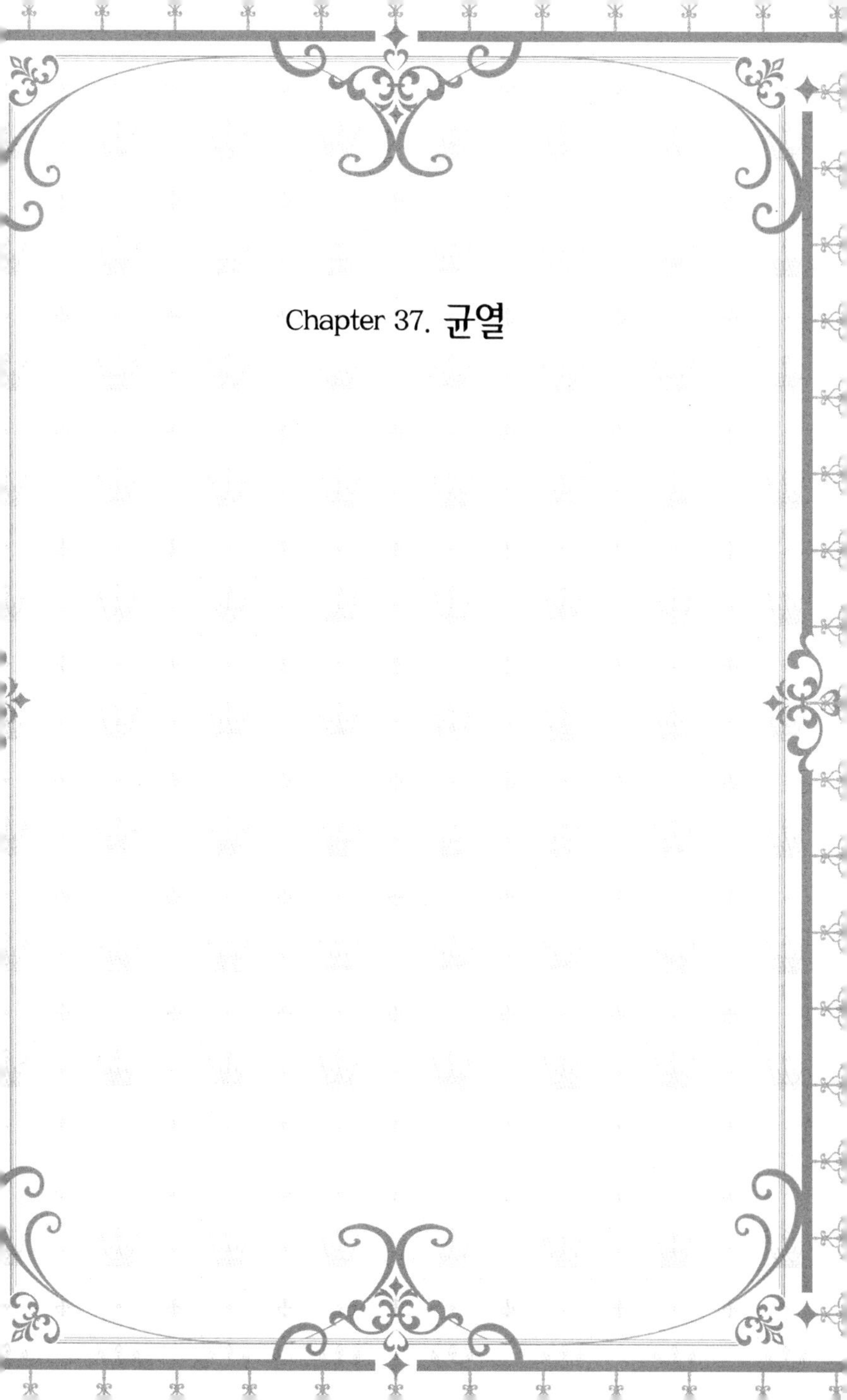

Chapter 37. 균열

Chapter 37. 균열

황궁의 분위기는 한층 더 살벌해졌다. 황태자를 감시하는 눈도 더욱 많아졌다.

이번에는 무엇보다 황제의 명령이 있었기 때문에 아드리안도 이전과 같이 막무가내로 침실 밖을 나갈 수는 없었다.

"전하, 괜찮으십니까?"

디아노가 걱정스럽게 물었다.

그나마 아드리안을 볼 수 있는 건 그의 측근이자 호위 기사인 디아노가 유일했다.

창밖으로 순찰하는 근위병들을 지켜보다가 아드리안이 디아노를 돌아보았다.

"디아노."

"네, 전하."

"너, 나 믿지?"

"예? 믿기는 하는데, 갑자기 왜……."

아드리안이 명령했다.

"벗어."

디아노는 이 명령을 어떤 의미로 받아들여야 할지 알 수 없었다.

디아노가 머뭇거리자 아드리안이 의자에 걸려 있는 옷을 던졌다.

"입어."

"……?"

디아노가 알쏭달쏭한 표정으로 주섬주섬 아드리안이 던진 옷을 집어 들었다.

"이건 전하의 옷 아닙니까?"

"맞아. 그니까 갈아입어."

디아노가 뒷목을 긁다가 주섬주섬 옷을 갈아입었다.

디아노가 옷을 갈아입는 동안 아드리안은 창밖의 근위병과 기사들을 주시했다.

'아주 작정하고 깔아 두셨군.'

황후의 근위대와 황제의 근위대가 같이 궁을 봉쇄하니 빠져나갈 틈이 없었다.

아드리안은 자신의 계획을 점검했다. 그러는 와중에 디아노가 옷을 다 갈아입었다.

"다 갈아입었습니다, 전하."

"그래? 이리 내."

디아노의 옷을 받은 아드리안이 주저할 것 없이 옷을 갈아입었다. 디아노가 고개를 갸웃했다.

"뭐 하시는 겁니까?"

"바꿔치기."

"……?"

옷을 다 갈아입은 아드리안이 적당한 기사용 로브를 뒤집어쓴 뒤 디아노에게 명령했다.

"저기 들어가서 자는 척해. 내가 돌아올 때까지 절대 바깥으로 나가지 마."

"네? 전하, 과연 이런 걸로 될까요?"

아드리안이 가리킨 '저기'에 해당하는 침대에 들어가면서 디아노가 걱정스러워했다.

뒤집어쓴 후드로 머리 색을 완전히 가린 아드리안이 말했다.

"되게 해야지."

✦ ♛ ✦

디아노인 척 방 밖을 나온 아드리안은 이렇다 할 제지 없이 무사히 궁 밖으로 나올 수 있었다.

'봐준 거로군.'

애초에 급하게 머리만 숨긴 거라 얼마든지 알아보려면 알아볼 수 있을 텐데, 기사들은 아드리안을 그냥 지나쳤다.

'그러고 보니 부황께서는 아티를 마음에 들어 하셨지.'

좋아하는 사람이 좋은 사람이어서 아드리안은 처음으로

다행이라는 생각을 했다.
아티가 보고 싶어 무작정 찾아간 곳은 당연하게도 오비에도 저택이었다.
'이 저택이 이렇게 컸었던가?'
이따금 파티가 열릴 때 제법 자주 방문했는데 아드리안은 단 한 번도 크다는 인상을 받은 적 없었다.
하지만 지금은 그 넓은 황궁보다도 견고한 성채처럼 느껴졌다.
"아티……."
저곳에 아티가 있다.
그 사실 하나만으로 조급했던 마음이 조금은 풀어졌다.
아드리안은 오비에도 저택 근처를 서성였다.
이렇게 있다가 우연히 창밖을 바라보는 아티와 눈이라도 마주칠지 모른다는 미련을 버리기 힘들었기 때문이었다.
'아니면 설마, 아직도 아픈 건가?'
아티가 어떤지 알 도리가 없으니 미칠 지경이었다. 아드리안은 날뛰고 싶은 충동을 간신히 잠재웠다.
디아노인 척 가장해서 들어갈까 싶었지만, 들키지 않을 리가 없었다.
'황궁 안은 어떻게 넘겼지만…… 오비에도 사병은 알아보겠지.'
사병의 눈을 피해 몰래 침입할까 생각을 안 해 본 건 아니었으나, 아직은 문제를 일으키고 싶지 않았다.
"아티가 곤란해질 테니까."

하지만 이대로 돌아가긴 아쉬웠다. 보지 않아도 괜찮았던 시절이 분명 자신에게도 있었을 텐데 그런 건 기억조차 나지 않았다.

“아티…….”

파탄 난 현 상황보다 아드리안을 미치게 하는 건 애끓는 그리움이었다.

이렇게 누군가가 보고 싶어서 미쳐 버릴 것 같은 기분은 처음이다.

앞으로 평생 이대로라면 제정신으로 살아갈 수 없을 터였다.

‘그런 불행은 절대 오게 하지 않아.’

무슨 짓을 벌여서라도 아티를 제 곁에 놔둘 생각이었다.

제 손에 피를 묻혀서라도, 그게 설령 금기에 손을 대는 짓이라고 해도.

“아드리안?”

서성대던 아드리안을 알아차린 누군가가 불렀다. 아드리안은 낯익은 목소리에 고개를 돌렸다.

에센이 어이없다는 듯 아드리안을 보고 있었다.

“네가 왜 오비에도가에 있는 거지?”

“근신 받아서 당분간 여기서 지낼 건데.”

순순히 대답한 에센이 아드리안의 옷차림을 보고 인상을 찌푸렸다.

“기사로 가장해서 나온 거야?”

“어.”

"그 옷은 디아노?"

아드리안이 고개를 끄덕였다.

에센은 저도 모르게 헛웃음을 지었다.

이런 짓까지 해서 황궁을 나오다니, 자신이 알고 있던 아드리안이라면 하지 않을 짓이었다.

'안색도 좋지 않네.'

평소라면 신경도 쓰지 않았겠지만 곧 죽을 것처럼 안색이 어두운 아드리안을 두고 에센도 모질지는 못했다.

에센이 한숨을 내쉬었다.

'하, 정말 내가 어쩌자고 이런 놈이랑 엮여서.'

연적을 동정하는 멍청한 짓을 하고 싶지는 않았지만 에센에게 아드리안은 연적이기 이전에 어린 시절부터 함께한 친구였다. 거의 형제나 다름없는 사이.

'……멍청한 짓이라는 건 알지만.'

모두 죽마고우로 자란 자신의 탓이다.

"아티는 괜찮아."

에센의 말에 아드리안이 고개를 들었다. 간절한 눈빛은 언뜻 보기엔 광기 어려 괴기했다.

"아직도 아프긴 한데 어제 일어나서 죽도 먹고 약도 먹고 잤대. 나도 보진 못했는데, 테르니의 말이니까 믿어도 될 거야."

"정말인가?"

"그래. 의원도 어제보다 나아졌다고 했으니 괜찮겠지. 오비에도 식구들 덕분에 아티의 상태는 나아지고 있으니 걱정할 필요는 없다."

"그렇군."

여전히 아티를 볼 수 없었지만 아티가 괜찮다는 소식을 듣는 것만으로 끓는 그리움을 진정시킬 수 있었다.

"다행이다."

에센은 웃어야 할지 울어야 할지 모르는 표정이 되어 버렸다.

아드리안이 안도를 하다니.

'살다 보니 별의별 일을 겪는군.'

에센이 떨떠름하게 있으려니 아드리안이 갑자기 에센을 뚫어져라 보았다.

"뭐, 왜?"

"아니, 네가 이렇게 친절하게 구는 이유가 뭔가 싶어서."

"하. 잘해 줘도 난리네."

에센이 인상을 찡그리자 아드리안이 헛기침을 했다.

"그래서, 고맙다고."

"……?"

내가 방금 무슨 소리를 들은 거지? 에센이 두 눈을 동그랗게 떴다.

여장을 해 줘도 들어 본 적 없는 '고맙다'는 말을 생전 처음으로 들은 에센이 경악 어린 표정을 짓자 아드리안은 머쓱해졌다.

"아무튼, 소식 들었으니 이만 들어가 본다."

아쉬움에 떠나지 못했던 발걸음을 돌리며 아드리안이 에

센에게 당부했다.

"아티를 잘 부탁해."

그렇게 돌아가는 아드리안을 보며 에센은 아직도 자신이 무슨 말을 들은 건지 믿지 못했다.

고맙다고? 재가?

허, 그거참…….

"죽을 때가 되었나?"

에센은 자신도 모르게 아드리안이 어디서 시한부 판정이라도 받고 온 것이라고 믿기로 했다.

그편이 더 현실적이었으니까.

✦ ♛ ✦

몇 차례 폭풍같이 황궁을 휩쓴 사건이 여럿 터졌으나, 정작 이 소란의 내막을 자세히 아는 사람은 별로 없었다.

아는 사람은 딱 두 종류로 구분되었다.

첫 번째로는 사건의 당사자들, 베로니카 황후와 로넨 황태자도 여기에 해당했다.

두 번째로는 간접적으로 사건을 목격한 사람들인데, 사건의 중심지인 그레이스 궁의 측근 시종들이 이에 해당했다.

당연히 황후의 측근인 시종들은 모두 입이 무거웠으므로 심지어 황궁 안에 있는 사람들조차 무슨 일이 벌어진 것인지 알 수 없었다.

"그 소문 들었어? 황태자 전하께서 황후 폐하와 싸우신

이유!"

"그거 아티엔느 님 때문에 싸운 거라며!"

"맞아, 황후 폐하께서 아티엔느 님을 혼내서 황태자 전하가 화나셨다고 들었어!"

"어? 나는 아티엔느 님 몸이 약해지셔서 황태자 전하께서 황후 폐하가 일을 많이 맡겨서 그렇다고 항의하신 걸로 아는데?"

시녀들이 각자 자기가 아는 정보를 꺼내 놓았다. 가장 먼저 말을 꺼낸 시녀가 고개를 가로저었다.

"다 틀려. 진실은 이거야."

모두가 숨을 죽이고 그 시녀가 하는 말을 기다렸다. 처음 말을 꺼낸 시녀가 목소리를 낮추어 말했다.

"아티엔느 님이 바람나셨대."

"……?!"

"상대는 에센 경이라나 봐."

모두가 믿기지 않는 표정으로 시선을 교환했다.

"말도 안 돼!"

"진짜?!"

"어머, 이게 무슨 일이야!"

……이렇게 아티를 둘러싼 소문이 무성해졌다.

가브리엘은 황궁 내에 돌아다니는 소문을 자신의 사람들

을 통해 전해 들었다.

"바람이 났다고?"

가브리엘의 예쁜 얼굴이 구겨졌다.

"정말 황궁에 그런 소문이 퍼졌어?"

"예, 가브리엘 님."

"말이 된다고 생각해?"

"소문은 소문일 뿐이니까요."

황궁에 퍼진 소문은 여러 가지 버전이 있었다.

"둘이 바람났다고? 그건 절대 아냐."

한번 그렇게 엮어 보려다가 망한 기억이 있는 가브리엘은 이번엔 답지 않게 신중한 태도를 취했다.

자세한 사정이야 어찌 되었건 중요한 건 황후와 황태자의 사이가 갈라졌다는 것이었고 그게 바로 아티엔느 때문이라는 건 이견이 없었다.

"도대체 이게 무슨 일이지?"

그 얄미운 아티엔느가 골탕 먹는 일이라면 반길 만했지만 가브리엘조차도 지금 상황은 의아했다.

황궁에서는 대내외적으로 아티가 몸이 약해서 오비에도가로 요양을 갔다고 했다.

실제로 오비에도가에 의원이 들락날락하고 있었기에 사람들은 전부 황궁의 말을 믿는 분위기였다.

"흐음……."

뭔가 재미있을 것 같은 냄새가 난다.

가브리엘이 자리에서 일어났다.

"입궁 준비해, 지금 당장 황궁으로 간다."
이게 어떻게 된 일인지 직접 알아내 주겠어!

황궁은 삭막했다.
다른 사람이라면 알아차리지 못할 테지만 자주 황궁을 드나드는 가브리엘만은 알아차릴 수 있었다.
"가브리엘 양, 황후 폐하께서 기분이 좋지 않으십니다. 이만 돌아가시는 게 어떠십니까?"
루드밀라 황후의 측근 시녀인 메리가 가브리엘에게 조언했다.
당연히 가브리엘은 누구 말을 듣는 사람이 아니었다.
"제가 황후 폐하의 기분을 풀어 드리려고 왔어요. 선물도 가져왔으니 어서 고해 주세요."
"이런……."
가브리엘이 설득되지 않자 메리 시녀장이 곤란한 표정을 지었다.
"그럼 부디 조심해 주세요. 황후 폐하의 심기를 거스르지 않도록."
"호호, 뭘 그런 걸 신경 쓰고 그러세요? 저를 보시면 황후 폐하께선 오히려 기분이 좋아지실 거라고요!"
가브리엘이 넘치는 자신감으로 웃었지만 메리는 그러지 못했다.

"황후 폐하, 네벨가의 레이디 가브리엘이 알현을 청합니다."
"들여보내라."
평소와 달리 가브리엘은 조금 긴장했다.
들려오는 황후의 목소리가 평상시보다 저조했기 때문이었다.
'하지만 나를 보면 기뻐하실 거야.'
가브리엘의 예상대로 수심에 가득 찬 루드밀라 황후는 가브리엘을 보자마자 미소 지었다.
"아르칸젤로의 축복이 함께하시길."
"어서 오거라, 가브리엘."
"폐하!"
가브리엘이 환하게 웃으며 루드밀라 황후의 가까이에 다가갔다.
"폐하께서 몸이 편찮으시다는 이야기를 듣고 바로 찾아왔어요. 어디가 편찮으신 건가요?"
"헛소문을 듣고 왔구나, 요즘 기운이 없어서 그럴 뿐이니 걱정 말렴."
"폐하께서 기운이 없으시다니, 이 가브리엘 너무 슬퍼요."
가브리엘이 울먹이자 루드밀라 황후가 달래 주었다.
"걱정 말렴, 큰일은 아니니."
단지 요 며칠 일어난 일 때문에 심기가 어지러워서 생긴 증상이었다.
루드밀라 황후가 달래는데도 가브리엘은 울먹임을 멈추지 않았다.

'이 착한 애를 왜…….'
루드밀라는 며칠 전 아드리안이 했던 말을 떠올렸다.

"이기적이고 자기중심적인 데다 겉과 속이 다르고 자기 이득이 될 사람한테만 살갑게 굴죠!"

루드밀라 황후는 아드리안의 말이 역시 틀렸다는 생각을 했다.
'가브리엘만큼 살뜰한 녀석도 없지.'
자신이 아프다는 소리에 바로 달려오는 착한 가브리엘을 아드리안이 곡해를 하고 있는 게 틀림없었다. 나쁜 녀석 같으니라고.
"폐하, 이 가브리엘이 폐하를 위해 선물을 준비해 왔어요."
"오호, 선물?"
"네!"
가브리엘이 눈짓했다. 가브리엘이 데리고 온 시녀가 준비된 선물을 황후 앞에 늘어놓았다.
"어머나, 이건……."
무척이나 귀한 물건이 황후 앞에 놓였다. 값비싼 향유와 태피스트리.
빛나는 크리스털 병에 담긴 향유는 맑은 빛깔을 지니고 있었다.
"그레노르산 향유구나."
"역시 황후 폐하! 알아보시는군요."

"제법 오랜만에 보는구나. 거리가 꽤 멀어서 갖고 오는데 많은 노력이 필요했을 텐데."

"역시 폐하께선 알아주시는군요! 아버지께 졸라 한 상자를 들여왔는데 나머지는 다 상하고 단 두 병만 최상급의 상태를 유지해서 황후 폐하께 드리려고 한 병을 챙겨 왔어요."

"고맙구나, 가브리엘."

루드밀라 황후로서도 구하려면 얼마든지 구할 수 있었으나 가브리엘이 자신을 생각한 것이 기특했다.

이어 가브리엘이 태피스트리를 펼쳤다.

지금은 유실된 직조 공법으로 일일이 수작업을 통해 만들어진 태피스트리는 지금 당장 막 날아오를 것 같은 드래곤이 새겨진 걸작이었다.

"이건……."

가브리엘은 황후가 감탄하기만을 기다렸다. 루드밀라 황후는 아름다운 태피스트리를 바라보았다.

"아주 오래된 태피스트리로구나. 그럼에도 상하지도 않고 관리 상태가 좋아."

"네! 샤를로트 공주가 로만 왕국으로 시집을 가면서 가져갔던 지참금 중 하나라고 해요."

샤를로트 공주는 아펜니노 건국왕의 막내딸이었다. 루드밀라 황후가 직접 일어나 태피스트리를 가까이서 보았다.

'역시 마법의 기운이 느껴져.'

몇천 년 전에 만들어진 태피스트리가 새것처럼 멀쩡한데는 이유가 있었다.

“아주 귀한 것을 선물해 주었구나.”
이건 황가의 보물이기도 했다.
황후의 치하에 가브리엘의 표정이 환해졌다.
“뭘요, 황후 폐하! 다 폐하를 존경하고 위하는 제 마음이죠!”
하지만 루드밀라 황후는 가브리엘이 생각하는 것만큼 기쁘지 않았다.
이런 귀한 것을 대체 어떻게 구해 왔단 말인가? 이건 돈을 주고도 살 수 없는 물건이었다.
‘샤를로트 공주가 죽었을 때 부장품으로 같이 묻혔다고 알고 있는데.’
황후의 시선이 차가워졌다.
“가브리엘, 이런 귀한 것은 대체 어떻게 구한 것이니?”
미소를 머금은 루드밀라 황후의 질문에 가브리엘이 더 환하게 미소 지었다.
“실은 제가 구한 게 아니고 아버님께서 구해 오셨어요. 엄청 아끼시던 물건인데 제가 황후 폐하께 드리려고 가져왔답니다!”
“아하, 네벨 재상이…….”
네벨가의 권세가 높다는 건 알고 있었지만 이런 걸 소유하고 있다는 건 금시초문이었다.
떨떠름한 마음을 감추고 황후가 부드럽게 미소 지었다.
“고맙구나, 가브리엘. 안 그래도 요즘 기분이 뒤숭숭했단다.”
“폐하께서 기운을 차리셔서 다행이에요! 귀한 물건을 들고 온 보람이 있네요!”

가브리엘은 절대 아티엔느가 구할 수 없는 물건을 들고 온 자기 자신에게 칭찬을 했다.

"이런 건 다른 누구도 쉽게 못 구하죠!"

"그래, 그런 물건이지."

진위 여부를 가릴 것 없이 더할 나위 없는 진품이었다. 가브리엘은 황후가 칭찬하자 콧대가 높아졌다.

"역시 황후 폐하께선 알아주시네요. 아버님께서도 이걸 구하는 데 굉장히 힘들었다고 하셨어요. 아버님의 보물 중 하나였는데 제가 졸라서 받았답니다. 제가 아니었으면 주지도 않으셨을 거예요."

"가브리엘이 많은 사랑을 받는 모양이구나."

"네! 아버님께서 저를 얼마나 아끼시는데요. 이 향유도 정말 갖고 싶다고 졸라서 아버님이 저를 위해 구해다 주신 거예요!"

"그렇구나, 잘했다."

가브리엘이 자기가 얼마나 열심히 구해 왔는지 이야기를 늘어놓을수록 황후의 표정은 어두워졌다.

평소라면 귀엽게 들어 줬을 텐데 마음이 여유롭지 못한 상황이라서일까?

'가브리엘이 이렇게 말이 많았던가.'

자식들이 너무 쉽게 어른이 되어 버린 반동일까, 황후는 늘 가브리엘의 어린애 같은 점이 귀엽다고 생각했다.

이런 어리광을 숨기지 않는 점도.

"그래서 폐하, 도대체 무슨 일 때문에 그렇게 언짢으셨던 거예요?"

"별일 아니란다."

"폐하, 제가 듣기로는 아드리안 황태자 전하와 싸우셨다는데 괜찮으세요?"

"그 이야긴 넘어가자꾸나."

"아티엔느 양은 왜 오비에도로 돌아갔어요? 그렇게 몸이 아프대요? 듣기로는 오비에도 후작가에 의원들이 들락날락거린다고는 하는데……."

시녀들이 내온 차를 마시는 황후의 손이 떨리고 있었다.

루드밀라 황후는 안 그래도 심기가 어지러운데 아티의 이야기를 듣고 싶지 않았다.

"가브리엘."

"아, 그러고 보니 황궁에서 그런 소문도 돌아다니더라고요! 아티엔느 양이 에센 경과 바람이 났다는! 정말 그것 때문에 황태자 전하가 화나신 거예요?"

황후는 그런 헛소문이 돌아다니는지 이제 알았다.

적당히 아랫것들의 입을 막아 놓았으니 이 상황에 대해 이러저러한 말이 많을 거라는 건 알고 있었다.

그런데 바람이라니. 황후의 기분이 곤두박질쳤다.

"저는 무슨 일이 있어도 황후 폐하 편이에요! 아티 양은 솔직히 말해서 황태자비로서 자질이 부족했어요. 사교 활동도 안 하고, 또 레이디들과 친분도 부족하잖아요."

황후는 아티가 숫기가 없긴 하지만 그 정도는 아니었다고 지적하려다가 그만두었다.

왜 자신이 아티를 변호하고 싶은 마음이 드는 건지 그저 짜증스러웠다.

"그리고 황태자 전하도 너무하세요! 저같이 완벽한 황태자비감을 두고 어떻게 그런 여자를 데려올 수가 있어요? 보는 눈이 정말 없……."

"가브리엘."

루드밀라 황후가 가브리엘 말을 끊었다.

아무리 그래도 자기 자식의 욕을 가만히 듣고 있을 부모는 없다.

우아하게 미소 지은 황후가 문을 가리켰다.

"오늘은 내가 몸이 좋지 않구나. 이만 돌아가렴."

"네, 네?"

"그리고 당분간은 입궁하지 않는 게 좋겠다. 내가 부를 때까지 입궁하지 말렴."

"네?!"

사실상 출입 금지 명령과 같은 청천벽력에 가브리엘이 두 눈을 크게 떴다.

황후의 화사한 미소는 여전히 다정했으나 가브리엘은 알지 못할 두려움을 느꼈다.

"폐, 폐하. 왜 그러세요? 제가 뭐 잘못했나요?"

나가라는 명령이 들리지 않는지 가브리엘이 당황한 표정으로 되물었다.

"아니, 그런 일은 없단다. 아까 말하지 않았니, 내 몸이 안 좋다고."

황후는 그저 미소로 응수할 뿐이었다.

하지만 아무리 생각이 없는 가브리엘이라도 자신이 뭔가 실수했다는 걸 모를 리가 없었다.

"황후 폐하, 죄송해요. 가브리엘이 입을 잘못 놀렸죠?"

"아니, 그런 건 없단다. 자, 돌아가렴. 나도 이만 쉬어야겠다."

다정하게 나가라는 명을 내린 황후가 짤막하게 시녀에게 명령했다.

"메리, 가브리엘 양을 잘 배웅해 주도록 하렴."

"예, 폐하."

황후가 자리에서 일어났다.

"당분간 손님을 아무도 받고 싶지 않구나. 용건 없는 자는 모두 황궁 출입을 금지시키렴."

"폐하, 폐하!"

가브리엘이 쫓아가려고 했으나 메리에게 저지당했다.

"이만 나가시죠, 네벨 영애."

메리의 말에 가브리엘이 입술을 깨물었다.

'이건 뭔가 잘못됐어!'

✦ ♛ ✦

메리의 배웅을 받으며 어쩔 수 없이 그레이스 궁을 빠져나가는 가브리엘의 인영을 멀리 창가에서 지켜보며 루드밀라 황후는 깊은 생각에 빠졌다.

"앨버트."
"예, 폐하."
"오늘 가브리엘이 들고 온 태피스트리의 출처를 조사해 오도록 해라."
"예, 알겠습니다."
루드밀라 황후에겐 아펜니노 황가의 일원으로서 네벨 재상이 어떻게 그 태피스트리를 구한 것인지 알아야 할 의무가 있었다.
앨버트가 명령을 수행하러 물러나려던 순간이었다. 황후가 그를 돌아보며 물었다.
"아직 포인세티아 궁과 릴리 궁의 시말서는 도착하지 않았나?"
"네, 그렇습니다."
"내일까지 전부 가져오도록 해."
황후는 갑자기 관심도 없던 시말서가 궁금해졌다.
특히 마담 루시가 이 사건에 관해 무어라 적어 놓았을지가 제일 궁금했다.
"그리고……."
황후의 시선이 정확히 오비에도 저택이 있는 방향을 향했다.
"테르니 아기라 오비에도에게도 시말서를 받아 와."
"……?"
의외의 명령에 앨버트가 놀랐다.
"예, 알겠습니다. 폐하."

✦ ♛ ✦

“엥? 시말서?”

분홍색 마카롱을 집어 먹던 테르니가 그레이스 궁에서 나온 시종의 명령을 듣고 고개를 갸웃했다.

“예. 시말서를 써서 제출하시면 지금 받은 징계를 감형 받을 수도 있을 겁니다.”

“오, 그거 정말 안 끌리는 제안인데.”

한편 테르니의 옆자리에서 머리를 감싸 쥔 에센은 좌절을 느끼고 있었다.

“시말서의 기한이…… 내일이라고?”

“정확히 내일 오후 6시까지 주셔야 합니다.”

“하루 만에 시말서라니, 가능해?”

에센의 반발에도 불구하고 시종의 태도는 태연했다. 테르니가 외쳤다.

“시말서 정도야 하루면 충분하지!”

“……저 도움 안 되는 자식.”

테르니가 화사하게 웃자 에센이 인상을 찡그렸다.

“그래서 쓸 거냐?”

“아니, 안 써.”

테르니는 단단히 화가 나 있었다.

시종이 설득을 해야 하나 고민하고 있을 때, 돌연 날아온 찻잔 하나가 테르니의 머리에 부딪쳤다.

"아아아!"
"호호호, 시말서는 내일까지 제출하면 되겠죠? 황후 폐하께 이런 기회를 주셔서 감사하다고, 너그러움이 하해와 같다고 말씀 좀 전해 주세요."
"예, 그러겠습니다. 후작 부인."
소기의 목적을 달성한 시종은 그대로 감사의 인사를 전했다.
"아야. 내 머리야."
"테르니, 쓸 거지?"
미소 어린 카밀라의 날 선 목소리에 기가 눌린 테르니가 어쩔 수 없이 고개를 끄덕였다.
"으응, 네."
에센은 테르니를 보다가 고개를 절레절레 흔들었다. 마담 루시가 이 광경을 아주 즐겁게 보고 있었다.
'그러고 보니 마담 루시도 같이 시말서행이었지.'
에센은 희망을 가지고 마담 루시에게 말을 걸었다.
"루시, 시말서 썼어?"
"네. 물론이죠. 황궁에 나오기 전에 제출하고 왔는걸요."
"……벌써?"
"오호호, 이런 건 시간을 끌어도 의미가 없는 법이죠."
마담 루시의 말에 에센이 숙연해졌다. 에센은 도대체 뭘 써야 할지 알 수 없어서 며칠째 백지상태였다.
"후, 어쩔 수 없지. 지금이라도 써야겠다."
내일까지 쓰려면 꽤 빠듯할 것 같았다. 그래도 에센은 마음의 위안을 삼았다.

'테르니 녀석도 나와 같은 처지니까.'

에센이 테르니가 쓰는 걸 엿보면서 따라 써야겠다고 막 결심했을 때였다.

"아, 잠깐만 기다려 봐요."

돌아가려는 시종을 붙잡은 테르니가 그대로 종이를 꺼내 왔다.

"……?"

서너 장의 종이를 앞에 둔 테르니가 심호흡을 했다.

"후."

그리고 테르니의 손이 순식간에 서너 장의 종이를 유려한 까만 글씨로 가득 채웠다.

마지막으로 끝에 테르니 아기라 오비에도 서명을 적어 넣은 테르니가 그 종이를 앉은 자리에서 시종에게 넘겼다.

"자, 여기! 시말서입니다."

"확실히 받았습니다."

시종이 시말서를 받아 챙기는 걸 목격한 에센이 입을 다물지 못했다.

저, 저 녀석……!

"응? 에센, 왜 괴로워해?"

"용서 못 해."

"엉?"

에센에게 의문의 공격을 당한 테르니가 괴로워했다.

"으아아! 대체 왜 이러는 건데!"

✦ ♛ ✦

다음 날, 에센은 황궁으로 가면서도 내심 죽을 것 같았다. 아직 시말서를 제대로 쓰지 못했기 때문이었다.

"테르니, 그 망할 자식."

한 대 얻어맞았다고 잔뜩 삐진 테르니가 시말서 쓰는 걸 도와주지 않아서 생긴 일이었다.

"아, 어쩌지."

에센은 글재주가 없었다. 없다 못해 소멸했다.

한 줌의 재능이라도 있었으면 좋겠건만, 에센은 글재주도 말재주도 없었다.

"사람 패는 재능이라면 넘쳐나는데."

에센이 짜증스러워하며 이 위기를 어떻게 넘겨야 할지 고민하고 있을 때였다.

"에센 경!"

멀리서 익숙한 남자가 반가워하며 달려왔다. 이런 인상적인 분홍 머리는 한 사람밖에 없다. 디아노였다.

"오랜만에 봅니다, 에센 경."

"어, 그러네."

디아노를 보자마자 에센은 광명이 찾아오는 것을 느꼈다.

"너 시말서 썼냐?"

"시말서요? 네."

디아노가 큰 한숨을 내쉬었다.

"이걸 쓰느라 머리가 빠개지는 줄 알았습니다. 어제 하루 종일 끙끙대면서 썼죠."

"그렇구나."

디아노가 슬픈 표정으로 자신이 쓴 시말서를 보았다.

"전하께선 절 도와주시지도 않고, 아주 힘들었습니다."

에센의 시선이 디아노 손에 들려 있는 시말서에 고정되어 움직이지 않았다.

혹여 잘못하면 눈앞의 시말서가 날아가 버릴까 봐 에센이 아주 조심스럽게 말했다.

"잠깐 보여 줄 수 있어?"

"제 걸요?"

"응."

"뭐, 네."

디아노가 괜찮다는 듯 자신의 시말서를 에센에게 넘겼다. 시말서를 넘겨받은 에센의 눈이 빛났다.

"고맙다. 이 은혜는 꼭 갚을게."

"네?"

에센이 그대로 달렸다.

"에센 경!"

그대로 시말서를 빼앗겨 버린 디아노가 두 눈을 깜빡였다.

"내 시말서!"

결국 가장 늦게 시말서를 낸 것은 디아노였다.

✦ ♛ ✦

다시 정신을 잃은 아티는 좀처럼 깨어나지 못했다. 그 탓에 오비에도 저택은 비상사태에 접어들었다.

"약을 먹었는데도 열이 안 떨어져?"

"네, 마님."

하녀의 말에 카밀라는 걱정스럽게 아티의 뺨을 쓸었다. 무슨 꿈을 꾸는지 고통스러워 보이는 얼굴에 가슴이 아팠다.

"하소연도 못 하더니 그간 홀로 감내한 마음고생이 꽤나 심했던 모양이구나."

"한시도 긴장을 늦출 수가 없는 일이니까, 이 정도 버텨 준 것만으로도 감사할 일이죠."

아티의 곁을 지키던 마담 루시가 씁쓸하게 웃었다.

황족을 속이는 일이다. 늘 웃고 있어도 그 속이 편했을 리가 없었다.

카밀라는 끙끙 앓는 아티의 이마를 닦아 준 후 침실을 나섰다.

"한 번 더 의원을 불러와야겠다."

"알겠습니다, 마님."

침실 밖을 전전하던 세 남자가 카밀라에게 달려들었다.

"나의 태양. 아티는 어떻소?"

"엄마! 우리 아티 많이 아파?"

"아티는 어떻습니까?"

카밀라는 아티에 대해 이것저것 물어보는 오비에도의 두 남자와 에센을 차례로 번갈아 보았다.

"아직 열이 펄펄 끓어요. 오가는 사람이 많으면 스트레스를 받을 테니 여러분은 자리를 피하는 게 좋을 듯하네요."

"알겠소. 빨리 열이 떨어져야 할 텐데……."

요제프 후작은 카밀라의 말에 금세 수긍했지만 테르니는 아니었다.

"나도 아티 간호할 수 있어!"

"테르니 네가? 그만두렴. 너 때문에 더 아프면 모를까. 마담 루시도 있으니 괜히 나서지 말고 가만히 있으렴."

"아티도 내가 있어야 안심할 거라고!"

테르니가 갖은 떼를 쓰기 시작하자 결국 카밀라는 두 손 두 발을 들었다.

"네 마음대로 하렴. 대신 아티에게 문제가 생기면 바로 말해야 한다?"

카밀라의 허락을 얻어 낸 테르니는 비장하게 고개를 끄덕인 후 침실에 들어섰다. 에센도 은근슬쩍 뒤를 따랐다.

땀을 닦은 지 얼마나 됐다고 아티는 또다시 식은땀을 흘리고 있었다.

"어서 오세요, 공자님들."

"마담 루시는 이만 쉬어. 아티는 우리가 보고 있을게."

"그럼…… 잠깐만 쉬고 올까요?"

아티를 간병하느라 날을 샌 마담 루시가 피로한 몸을 이끌고 사라졌다.

에센은 가만히 서서, 테르니는 아티의 옆에 앉아 자리를 지켰다. 서투르게 이마를 닦아 주기도 했다.

“아티. 얼른 나아. 그래서 우리 어릴 때 같이 놀았던 언덕에 소풍 가자. 응?”

테르니가 또 추억 조작을 하고 있을 무렵, 아티는 꿈을 꾸고 있었다.

아주 어린 시절의 꿈이었다.

✦ ♛ ✦

평화로운 나날이었다. 어머니가 정성스레 가꾼 저택 앞 화원에 나비가 노닐고 남동생이 기르는 강아지가 그 위를 신나게 뛰놀았다.

기껏해야 강아지가 화단을 망치는 게 가장 큰 골치였던 시절.

“라라. 체통 없이 엎드려서 뭐 하고 있니? 곧 선생님 오실 때 다 됐다.”

“으응, 이것만 하고요.”

라라는 기껏 하녀가 만져 준 드레스가 구겨지도록 카펫 위에 엎드려 종이 위에 무언가를 열심히 그렸다.

대체 딸이 무엇을 그리나 살펴본 부인은 풋 웃음을 터트렸다.

커다란 사람, 그 옆에 조금 작은 사람. 그들의 손을 잡고 있는 아주 작은 사람 둘. 마지막으로 강아지 한 마리까지.

"뭐 그리는 거니?"
"엄마랑, 아빠랑…… 나랑 알렌이요!"
라라가 활짝 웃자 부인도 못 말리겠다는 듯 웃었다.
"다 그렸으면 어서 일어나렴. 그 그림은 나중에 아빠한테 보여 주는 게 어떠니?"
"흠. 알았어요!"
라라는 인심 쓴다는 듯 고개를 끄덕였다.
'사실 아빠는 이것보다 키가 작지만…….'
실수로 크게 그린 점이 마음에 들지 않았다.
나중에 몰래 수정해서 아빠에게 보여 줄 생각을 하며 라라는 침실을 나섰다.
깔끔하고 호화로운 복도. 지나가는 사용인들이 모두 라라를 향해 다정하게 인사했다.
"아가씨, 좋은 아침이에요!"
"또 혼나셨어요?"
"나중에 몰래 부엌에 오세요! 아셨죠?"
라라는 뚱한 얼굴로 고개를 끄덕였다.
"으응."
그런 아가씨를 귀엽다는 듯 바라보며 사용인들이 지나쳤다. 선생님이 기다리고 있을 응접실로 향하는 발걸음이 무거웠다.
"에휴우."
가기 싫다. 하지만 자신의 데뷔탕트에 목을 매고 있는 어머니를 생각하면 예법 수업을 빠질 수도 없는 노릇이었다.

그렇게 한 발짝 한 발짝 힘겨운 발걸음을 떼던 라라는 아버지의 집무실 앞을 지나쳤다.

"……무리…… 거절……."

"응?"

살짝 열린 문틈 사이로 아버지의 목소리가 들려왔다.

흥미가 동한 라라는 살그머니 다가가 문가에 귀를 기울였다.

"그들은 장인이기 이전에 함께 일하는 동료와도 같습니다. 그러니 그 제안을 받아들이기 힘듭니다."

라라는 두 눈을 동그랗게 떴다. 아버지의 목소리는 언뜻 화난 것처럼 들렸다.

이렇게 웃음기 싹 빼고 말하는 아버지의 모습은 처음이었다.

"다시 생각해 보게. 이 사업이면 자네 가문도 더 승승장구할지도 모르잖나?"

"가문이 크기를 바라지 않습니다. 이 정도로 만족하고 있습니다."

"후회할 텐데."

심각한 대화가 흘러나왔다. 처음 듣는 목소리의 주인이 라라의 아버지에게 종용 같은 제안을 하는 중이었다.

"자네도 알겠지만, 내 가문과 동업하고자 하는 가문은 무수히 많아. 이런 제안을 주는 것 자체가 쉽지 않다는 것을 염두에 두게."

"제안은 감사드리지만, 거절하겠습니다."

"협상의 여지도 없는 거로군?"
"예."
"만일 자네의 장인들이 제 발로 공방을 나간다면, 그때는 어쩔 셈인가?"
잠깐 침묵이 흘렀다.
"……그것은 어쩔 수 없는 일이겠죠."
"껄껄껄. 그렇군!"
라라는 기분 좋다는 듯 웃는 그 웃음소리가 듣기 싫다는 생각을 했다.
더불어 아버지를 곤란하게 만드는 얼굴 모를 저 작자가 싫었다.
'이크.'
문득 시간을 지체했다는 생각을 한 라라는 서둘러 집무실을 지나쳤다.
한 계단을 내려갔을 때, 뒤에서 아까 그 목소리가 들려왔다. 라라는 저도 모르게 기둥 뒤로 몸을 숨겼다.
"흐음. 이렇게까지 고지식할 줄은 몰랐는데."
"그러게 말입니다. 아무래도 장인에게 직접 접촉하는 게 좋을 듯합니다."
"그래. 다른 공방원은 몰라도 장인 워르겐만큼은 기필코 우리 가문 소속으로 만들어야만 한다."
낯설지 않은 이름에 라라는 고개를 번쩍 들었다.
'장인 워르겐? 헬머 아저씨?'
너무나 잘 아는 이름이었다. 바로 어제 공방에 찾아가 헬머와 놀기까지 했다.

“한창 사교계에서 유명할 때 스카우트하자고.”

“예. 접촉해 보겠습니다.”

심상치 않은 이야기를 들어 버렸다.

아무래도 저 아저씨들이 헬머 아저씨를 데려가려고 하는 것 같았다.

‘빨리 아빠한테 알려 주자.’

마음이 급한 탓에 라라는 실수로 화분을 발로 차고 말았다.

뚜벅, 뚜벅—.

등 뒤로 다가오는 발소리가 들렸다. 그녀는 천천히 뒤를 돌았다.

‘내가 다 들었다는 걸, 들켰을까?’

살짝 고개를 들자 잘 차려입은 옷차림이 보였다.

“안녕? 네가 비올라로구나.”

낯선 사내는 그녀를 향해 인사를 건넸다. 라라는 뜻 모를 거부감에 한 발짝 물러났다.

고개를 든 그녀는 곧장 남자와 두 눈이 마주쳤다.

자신을 바라보는 그 눈빛이 유난히 집요했다. 흡사 독사같이.

‘처음 보는데, 내가 알고 있던 사람 같아.’

그 얼굴은 마치…….

“……허억!”

아티는 숨을 급히 들이마셨다.
한순간에 열기가 몰려와 갈증이 일었지만 물을 마실 생각조차 들지 않았다.
꿈인데도 바로 앞에서 본 것처럼 생생했다.
집요하게 자신을 바라보던 얼굴, 그 얼굴은…….
달리어 라울 네벨.
재상의 얼굴이었다.
지금보다 훨씬 젊어 보이는 얼굴을 자신이 상상해 낼 수 있을 리가 없었다.
"재상을 만난 건, 황후 탄신 무도회에서가 처음이었는데."
그게 아니란 말인가?
혼란스러웠다. 더불어 금방 꾼 꿈조차 아티가 기억하고 있던 과거와 달랐다.
빌바오 자작가는 가난한 가문이었다. 너무 가난해서 드레스 한 벌 사는 것도 힘들었다.
그런데 커다란 저택에다 적지 않은 사용인이라니…….
"대체 뭐가 어떻게 된 거야……?"
일전에도 비슷한 꿈을 꾼 적이 있었다. 사냥 대회 때 마물의 흉건한 피를 본 순간 기절하며 꾸었던 그 꿈.
그때는 너무 피곤해서 그런 꿈을 꾼 거라 그냥 넘어갔지만 이제 알 수 있었다.
"그냥 꿈이 아니야."
자신이 모르는 무언가가 있었다. 그리고 그것에 네벨 재상이 관련되어 있다는 것도.

부모님이 모두 돌아가신 지금, 그 출처 모를 기억의 단서를 쥐고 있는 것은 헬머밖에 없었다.

아티가 충격에 휩싸인 채 거친 숨을 몰아쉬고 있을 때, 문이 열렸다.

"아티! 언제 일어났어? 몸은 좀 괜찮아? 내가 얼마나 걱정했는데!"

한달음에 달려온 테르니가 아티를 끌어안았다. 평소라면 질색했을 품이지만, 어째서인지 마음이 편해졌다.

"지금 우리 가문 난리 났어! 너 안 일어난다고 엄마 아빠가 온갖 좋은 약재 구할 거라고 수소문하고! 에센도 너 줄 거라고 자기 가문에 약 가지러 갔다고!"

"죄송해요."

"죄송할 게 뭐가 있어? 가족이니까 당연한 거지."

테르니가 수선을 피우며 아티를 도로 눕혔다.

머리가 어지러워서 가만히 누워 있는데도 세상이 빙글빙글 도는 것 같았다.

'가족…….'

또다시 꿈속의 기억이 떠올랐다. 너무나도 평화로운 한 나절의 기억.

그게 진짜 기억이라면 되찾고 싶을 정도로 따뜻한 기억이었다.

"아티, 왜 울어? 울지 마! 많이 아파?"

테르니가 안절부절못하며 아티를 달랬다. 아티는 고개를 저으며 눈물을 거칠게 닦아 냈다.

"저 괜찮아요. 안 울어요."

쉽사리 눈물이 멎지 않았지만 이건 모두 꿈의 여운 때문이다. 머릿속으로는 이미 이성을 되찾은 후였다.

내 것이 아니지만 생생한 기억. 그리고 그곳에 존재하는 재상이라는 존재.

해야 할 일은 명확했다.

"테르니 오라버니. 부탁이 있어요."

"응? 뭔데?"

테르니는 두 눈을 동그랗게 떴다.

아직 열이 펄펄 끓어 식은땀을 흘리는 와중에 대체 무슨 부탁이란 말인가.

하지만 정신이 없어 보이는 와중에도 아티의 두 눈빛만은 또렷했다.

"빌바오가에 대해 조사해 주세요."

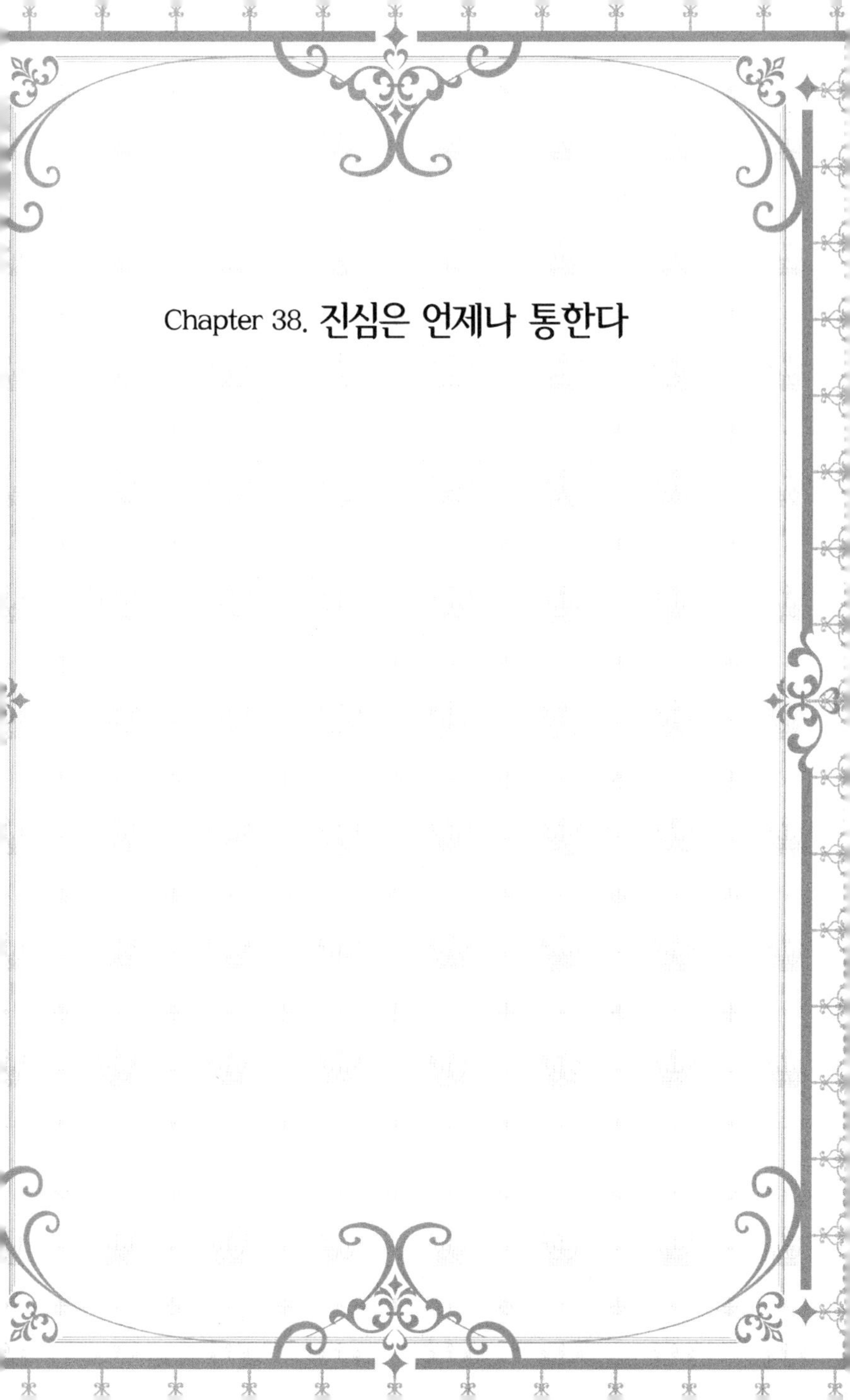

Chapter 38. 진심은 언제나 통한다

Chapter 38. 진심은 언제나 통한다

"그럼 쉬고 있어~!"

평소와 다름없이 웃는 얼굴로 인사를 한 테르니는 아티의 침실을 나섰다.

달칵—. 문이 닫히는 순간, 테르니의 얼굴에 표정이 사라졌다.

"빌바오 가문이라……."

시녀였던 비올라를 황태자의 약혼녀인 아티엔느로 탈바꿈하면서 이미 기본적인 뒷조사는 끝마쳤다.

'그때 분명히 별달리 걸리는 문제는 없었는데.'

빌바오가는 변방의 가난한 자작 가문에 불과했었다.

그때 아티에게 들었던 가문 사정이나 부모의 죽음이 진짜인지 비교해 봤을 때 역시 일치하지 않는 점은 없었다.

아마 재조사하더라도 특별한 점을 찾아내지 못할 것이

다. 테르니는 유능한 정보 수집원이기도 했으니.

거기다 그 가문의 딸이라던 아티가 갑자기 자신의 가문에 대해 알아봐 달라는 점도 상당히 이상했다.

"수상해, 수상해……."

이상한 점은 그뿐만이 아니었다.

밤새 아티를 간호하며 테르니는 아티가 악몽에 시달리는 것을 보았다. 발작처럼 앓는 바람에 얼마나 놀랐는지 모른다.

'가난한 것 빼고는 고난도 없다는 애가 어째서 그렇게 괴로워하는 거지?'

하나하나 떼어 놓고 보면 별것 아닌 문제인데 길게 연결시켜 보면 무언가 알 듯 말 듯 했다.

하지만 아귀가 맞지 않는 연결 고리에 테르니는 다시 빙그레 웃었다. 서재로 향하는 그의 발걸음이 경쾌했다.

"이런 건 또 내 전문이지."

일단은 하나밖에 없는 여동생의 부탁을 들어줄 생각이었다.

'뭐, 파다 보면 뭔가 나오겠지.'

"이게 뭐예요, 대체!"

가브리엘의 높은 음성이 네벨 저택의 식당을 쨍하게 갈랐다. 재상은 진땀을 흘리며 음식을 먹는 척 딸의 눈치를 보았다.

"저 이제 어떡하냐구요!"

"일단 식사부터 하거라, 응?"
"밥이 넘어가게 생겼어요?!"
가브리엘은 신경질적으로 포크를 내던졌다. 도무지 감정을 추스를 수가 없었다.
'아티엔느가 없으니 이제 내 세상이라고 생각했는데.'
하지만 오히려 상황은 더욱 악화되고 말았다.
사사로이 황궁 출입을 금지한다는 명령까지 받은 이상 거역할 수 없었다.
황태자의 약혼녀가 자리를 비운 이 시기를 허무하게 보내야 한다고 생각하니 피가 말랐다.
"이러다가 정말로 황후 폐하가 저를 미워하시면 어떡해요?"
"그럴 리 없다는 것 알지 않니? 너는 누가 뭐래도 황후 폐하께서 가장 아끼는 아이다. 황후 폐하와 우리 가문의 유대는 쉽사리 끊어지는 것이 아니야."
"유대고 뭐고 당장 황후 폐하께서 저를 보기 싫다는데 어떡해요!"
가브리엘은 입바른 소리만 하는 아버지가 원망스러웠다.
"결국 이렇게 된 건 다 아빠 때문이에요. 늘 말로만 제가 황태자비가 될 거라고 하면서 실질적으로 해 준 건 아무것도 없잖아요!"
"가브리엘. 이 아비도 너를 위해서 노력을—."
"노력을 하면 뭐 해? 아무것도 되는 게 없는데!"
결국 가브리엘은 자리를 박차고 식당을 나가 버렸다.
아드리안도, 심지어 황후도 만나지 못하는 상황에 끓어

오르는 화를 주체할 수 없었기 때문이다.

그런 딸의 뒷모습을 보는 재상은 착잡하게 두 눈을 감았다.

'위험 부담이 크니 이런 방법까지는 쓰지 않으려 했건만, 가브리엘을 위해서는 어쩔 수 없지.'

다시 눈을 뜬 재상의 눈빛은 결연했다. 보류해 온 계획을 실현할 때가 온 것이다.

✦ ♛ ✦

황제의 탄신일 당일이 되었다.

여전히 오비에도가의 출입 금지령은 풀리지 않았지만 황제가 특별히 허락했으므로 오비에도가의 일원들은 탄신 파티에 참석하기 위한 준비를 했다.

에센도 준비를 위해 아르벨로아 저택으로 돌아갔다.

"자, 다 되었답니다. 오호호!"

마담 루시의 웃음과 함께 준비가 모두 끝났다.

카밀라는 화장으로도 가려지지 않는 창백한 안색의 아티를 걱정스럽게 바라보았다.

"아티. 괜찮겠니? 아직 몸도 성치 않은데 무리하지 않아도 돼."

"저는 괜찮아요. 제가 빠지면 가문에 해가 되잖아요."

다른 연회도 아니고 황제의 탄신 파티인 데다, 꼭 참여하라는 초대장까지 왔으므로 불참할 수 없었다. 반드시 뒷말이 나올 테니까.

이를 지켜보던 후작도 한마디 거들었다.

"아티, 너를 위해서라면 그 정도는 기꺼이 감수할 수 있단다. 오비에도에게 그 정도의 능력은 있어."

"힘들면 꼭 말씀드릴게요. 걱정 끼쳐 드려 죄송해요."

아티는 가슴이 뭉클했다.

아파서 침대를 벗어나지 못하는 동안 정성껏 간호해 준 것도 모자라 걱정을 끼치고 있다는 생각에 마음이 불편했는데, 여전히 카밀라와 후작의 눈빛은 따뜻했다.

"파티장에 가서도 어디 가지 말고 우리 옆에 꼭 붙어 있으렴. 쓸데없는 말 늘어놓는 사람들일랑 모두 쫓아 줄 테니까."

"나의 태양. 혹시 저번처럼 위협을 하려는 건……."

"어머. 제가 나설 필요가 있나요? 테르니 좀 풀어 두면 될 텐데."

아티는 다정한 후작 부부의 대화를 들으며 마차에 올랐다. 테르니는 모든 준비가 끝나서야 모습을 드러냈다.

"뭐 좀 하느라고 늦었어! 엄마, 아빠. 둘 다 죄송! 아티도 미안!"

허겁지겁 달려온 테르니가 마차에 올랐다. 테르니는 아티를 보자마자 두 눈을 휘둥그레 떴다.

"아니, 옷이 이게 뭐야? 아티는 환자라고!"

"네? 아니요. 저는 괜찮아요."

"괜찮긴 뭐가 괜찮아~! 환자는 무조건 따뜻하게 입어야 한다고. 아빠, 옷 좀 벗어 봐!"

"어, 어……."

테르니의 협박에 요제프는 군말 없이 외투를 벗으려 했다. 아티가 기겁하며 말리지 않았으면 정말로 벗었을 것이다.

"벗으려면 오라버니가 벗지 왜 아버지한테 벗으라고 해요?!"

"난 춥단 말이야~!"

"하……."

너무 어이가 없어서 큰소리를 좀 냈더니 머리가 지끈거렸다.

카밀라는 팔짱을 낀 채 답 없는 아들을 보며 고개를 절레절레 저었다.

"테르니. 도착할 때까지만이라도 입 좀 닫고 있어라."

"왜? 내가 뭘 잘못했는데!"

"너 때문에 아티가 열 받아서 또 쓰러질지도 모르잖니?"

"뭐라고? 아티, 열 받아? 이 귀엽고 멋진 오빠를 보고? 왜? 왜? 어째서?"

아티에게 치근덕거리던 테르니는 결국 카밀라에게 등짝을 한 대 얻어맞고서야 설치는 것을 그만두었다.

머지않아 오비에도가의 마차가 플로렌스 궁 앞에 당도했다.

명문가인 오비에도의 일원이 마차에서 내리자 궁을 배회하던 사람들의 시선이 일제히 몰렸다.

예비 황태자비로서가 아니라 오비에도의 레이디로서 파티에 참석하는 건 처음이라 아티는 약간 긴장했다.

"요제프 피너 오비에도 후작과 카밀라 테아 오비에도 후작 부인, 테르니 아기라 오비에도 공자와 아티엔느 셰빌 라바트 오비에도 양께서 드십니다!"

아티는 테르니의 에스코트를 받으며 입장했다.

홀에 들어서자 화려한 샹들리에의 불빛에 한순간 눈이 부셨다.

"아티. 왜 이렇게 얼어붙었어?"

테르니의 말에 오비에도 후작 내외가 깜짝 놀라 아티를 돌아보았다. 긴장한 탓에 얼굴색이 좋지 않았다.

"아직 황제 폐하께서 입장하지 않으셨으니 일단 구석 자리에 가 있자꾸나."

아티는 그들의 배려로 구석에 비치된 의자에 앉아 있었지만, 어쩐지 흘긋거리는 시선이 신경 쓰였다.

"괜찮아, 허리 펴렴. 아티, 너는 우리가 사랑하는 딸이란다."

"네, 어머니."

아티는 애써 부담감을 떨쳐 내며 환하게 웃었다.

'그래. 어찌 됐든 지금 나는 오비에도 가문의 딸이야.'

비록 입양 딸일지라도 이들이 자신을 딸로서 인정해 준 이상 좀 더 당당해도 괜찮았다.

황후에게 내쳐져 더 이상 아드리안의 약혼녀가 아니더라도.

'아드리안은 아직 안 온 걸까?'

혹시나 아드리안이 도착했나 두리번거렸지만 어디에도 보이지 않았다.

안도가 되면서도 어쩐지 가슴 한구석이 텅 빈 것 같았다.

초조하게 주위를 살피는 아티를 본 테르니가 빙그레 웃었다.

"아드리안은 원래 좀 늦게 입장하는 편이야. 한참 뒤에나 나타날걸?"

"네……?"

"표정에 무슨 생각 하는지 다 써 있단다, 귀여운 동생아."

속마음을 들킨 기분에 아티의 뺨이 달아올랐다. 하지만 그것도 잠시 마음을 굳게 다잡았다.

'절대 동요하지 말자.'

아드리안을 만나도 태연해야 한다며 각오했지만, 그보다 먼저 등장한 사람이 있었다.

"이게 누구신가. 반갑습니다, 오비에도 후작!"

껄껄 웃으며 엄청난 친화력을 드러내며 나타난 사람은 바로 네벨 재상이었다. 바로 옆에는 가브리엘까지 있었다.

"오랜만이라니, 얼마 전에 만나지 않았습니까."

"언제나 반가워서 그렇지요. 오랜만에 뵙습니다, 부인. 여전히 아름다우시군요."

"감사합니다, 재상 각하. 각하께 무슨 좋은 일이 있나 보군요? 표정이 좋아 보이네요."

재상이 사람 좋게 웃었다.

"허허. 티가 납니까? 감춘다고 감추었는데. 아무래도 후작 앞에서 기쁜 티를 내면 안 될 것 같아서 말입니다. 최근 불미스러운 소문도 있고 하니—."

"불미스러운 소문? 그게 무슨 소리입니까?"

"큼. 크흠. 저도 듣고 싶어서 들은 건 아닙니다만……."

재상은 가만히 앉아 있던 아티에게 흘긋 시선을 주었다.

"여러 소문이 돌더군요. 당연히 알고 계실 거라 생각합니다."

카밀라와 요제프는 정색했다. 재상이 무슨 말을 하려는지 곧바로 알아들었다.

순식간에 분위기가 험악해졌음에도 재상은 조금도 동요하지 않았다. 오히려 여유롭게 웃어 보이기까지 했다.

"아무래도 딸자식 관련된 이야기가 부모로서 가장 가슴이 아프지 않겠습니까. 하물며 딸에게 문제가 있어 약혼자에게 내쳐졌다는 소문이라면—."

"말씀이 지나치십니다."

노한 음성으로 요제프 후작이 재상의 말을 끊었다. 인상을 찌푸린 테르니가 아티의 귀를 막았다.

"듣지 마, 아티."

"제 이야기니까 알고 있어야죠."

아티는 테르니의 손을 떼어 냈다. 사람들이 자신에 대해 뭐라고 떠들건 전혀 두렵지 않았다.

'사실 틀린 말도 아니고.'

씁쓸하게 미소 짓는 순간, 아티는 재상의 뒤에 서 있던 가브리엘과 두 눈이 마주쳤다.

재상처럼 자신을 도발할 거라 생각했지만 가브리엘은 고개를 획 돌리고 말 뿐이었다.

'웬일이지?'

그사이 상황은 순조롭게 악화되고 있었다. 카밀라와 재상의 설전이 벌어졌다.

"방금 재상께서 하신 발언은 그냥 넘어가기가 힘들군요."

"의아하군요, 부인. 저는 그저 들리는 소문을 이야기했을 뿐입니다. 왜 그렇게 발끈하시는지요?"

"재상께서 뭇 사람들의 가십거리에 그토록 흥미를 느끼는 분인지 미처 몰랐습니다."

웃는 얼굴로 말하고 있지만 한마디 한마디에 가시가 돋쳐 있었다.

"사실이 아닌 소문을 제 면전에다 읊으실 줄은 몰랐네요. 그런 기본적인 매너도 못 지키시던 분이셨나요?"

평소라면 아내의 행동을 말렸을 요제프도 오늘따라 잠잠했다.

명문가인 오비에도가와 네벨가의 소동에 사람들의 이목이 죄 집중되었다.

"무슨 일이람?"

"듣자 하니 레이디 오비에도 이야기인 것 같은데……."

수군거리는 소리가 늘어날수록 카밀라의 표정은 더욱 살벌해졌다.

"아티는 몸이 약해져 요양하러 오비에도에 온 것입니다. 오해가 있으시네요. 제 딸아이에 대해 이리 관심이 많으신지 몰랐습니다, 재상 각하."

"그건……."

그때였다. 황제와 황후가 플로렌스 홀에 입장했다.

"위대한 아펜니노의 태양……!"

"잠깐."

시종의 입장사를 끊은 황제가 좌중을 둘러보았다. 매서운 눈매에 사람들은 하나같이 고개를 조아렸다.

"무엇이 이리 소란스럽지?"

"……."

침묵이 흘렀다. 황제가 입장하는 와중에도 웅성거리던 분위기는 온데간데없고 고요한 적막만이 남았다.

귀족들은 서로의 눈치만 살폈다.

황제는 좌중의 시선이 오비에도 가문의 일원들에게 힐끔힐끔 향하는 것을 알아챘다.

'오비에도라. 새아가는…… 와 있군.'

황제의 표정이 어두워졌다. 최근 아티의 일로 오비에도 가문과 마찰이 있었기 때문에 상황이 껄끄러웠다.

마찬가지로 황후의 표정도 그리 밝지 않았다.

어쨌든 이목이 집중되어 있는 상황이라 해결을 보지 않을 수는 없는 노릇.

결국 황제는 요제프 후작을 불렀다.

"오비에도 후작. 그대가 짐에게 설명해야겠군."

"아르칸젤로의 축복이 함께하시기를. 아펜니노의 지고한 태양, 황제 폐하를 뵙습니다."

요제프 후작이 앞으로 나섰다. 매양 사람 좋은 미소를 짓고 다니던 그의 표정은 유례없이 굳어 있었다.

카를로만 황제가 하문했다.

"그래. 이 무슨 소란이지?"

"네벨 재상이 제 딸아이를 모욕하셨습니다."

덤덤한 후작의 말에 네벨 재상이 깜짝 놀라 두 눈을 치떴다.
"……그, 그게 무슨!"
"뜬소문으로 제 딸아이를 음해하려 하더군요."
"아닙니다, 폐하!"
황제는 난감한 얼굴로 후작과 재상을 번갈아 보았다. 섣불리 누구 한 명의 편을 들어 줄 수 없는 상황이었다.
"황제 폐하의 탄신을 기념하는 이 기쁜 날, 작은 일로 얼굴을 붉혀서는 안 된다는 것을 충신 된 자로서 누구보다 잘 압니다. 하지만 신하이기 이전에 아이의 아비로서 처신한 것을 용서하여 주시길 바랍니다."
"크흠."
뭐라 할 말이 없어 황제는 헛기침을 하며 고개를 돌렸다.
"진심으로 황제 폐하의 탄신을 경하드립니다."
"고맙네."
"축하드리는 자리에서 이런 말은 송구하오나 제 불민한 자식이 몸이 아파 이만 자리를 떠야 할 듯합니다. 부디 오비에도의 무례를 용서해 주시길 바랍니다."
"!"
거침없는 후작의 말에 황제가 고개를 끄덕이자, 허락이 떨어지기 무섭게 요제프 후작은 식솔들을 모두 데리고 홀을 빠져나갔다.
순식간에 벌어진 일에 모두가 경악했다. 황제의 앞임에도 사람들이 웅성대기 시작했다.
"아무리 그래도 황제 폐하의 앞에서…… 너무 무례한 것 아닐까요?"

"그러게요. 그 대단한 오비에도 가문이라지만……."

사람들은 혹여나 황제가 진노할까 염려했으나, 황제는 그저 착잡해할 뿐 화를 내지 않았다.

'시위를 하는 거로구만.'

오랜만에 본 얼굴이 반갑기 무섭게 가 버리다니, 황제는 혀를 찼다.

'재상의 성격상 먼저 후작을 건드렸겠지. 오비에도 후작이 그렇게 제 감정을 드러내는 사람이 아니니.'

이 정도 무례는 그동안의 정을 봐서 봐줄 수 있었다.

카를로만 황제는 손짓 하나로 소란스러워진 분위기를 진정시켰다.

"모두 폐하께 예를 갖추십시오."

다시 단 위로 돌아간 황제가 웃으며 좌중을 둘러보았다.

"모두들 짐의 탄신을 축하해 주어 고맙군. 기쁜 날이니 불쾌한 이야기는 잊고 오늘 파티를 즐겼으면 좋겠소."

황제의 우회적인 함구령에 모두 오비에도가에 대해 화제를 꺼내지 않았다.

"황후, 표정이 좋지 않소."

"……아닙니다."

고개를 저으면서도 루드밀라 황후의 눈은 오비에도 가문 사람들이 빠져나간 홀의 출입구를 향했다.

줄곧 눈을 내리깔고 있던 아티의 모습이 눈에 밟혔다.

'전에 봤을 때보다 더 마르고 창백해졌던데……'

분노의 감정이야 여전한데 막상 그리 약해진 모습을 보니 마음이 약해졌다.

'원래도 몸이 약한 애라고 들었는데.'

카밀라가 감싸고도는 모습을 보니 눈에 밟힌다.

사람들 또한 입을 다문 채 출입구를 힐끔힐끔 보았다.

다들 이 화제에 대해 떠들고 싶어 입이 간지러웠다.

'내일이면 귀족들 사이로 소문이 쫙 퍼지겠군.'

황제는 그렇게 생각하며 고개를 절레절레 흔들었다.

그때였다.

"위대한 아펜니노의 미래, 아드리안 황태자 전하이십니다!"

아드리안이 홀에 입장했다. 그는 들어서자마자 이상한 기류를 감지했다.

'아티는 어디에 있지?'

분명 황제 탄신 파티이니만큼 가문의 일원이 모두 참석했을 텐데 오비에도 가문의 사람들은 한 명도 보이지 않았다.

어쩌면 오늘 아티를 볼 수 있다는 사실에 들떴던 마음이 차갑게 식었다.

순식간에 서늘해진 황태자의 분위기에 다가오려던 사람들이 흠칫하며 슬금슬금 물러났다.

황제에게 먼저 인사를 올린 후 파티를 즐기는 게 예의지만, 지금 아드리안에게 그딴 건 아무래도 상관없었다.

"아티."

아티가 없다.

"……아티."

아티가 없다고.

표정을 굳힌 채 파티장을 모두 둘러보았으나 역시 아티의 머리칼도 찾을 수 없었다.

오늘이면 아티의 얼굴을 볼 수 있다는 희망으로 버텨 왔는데 어떻게 이럴 수가 있을까.

"내 아티 어디 갔어."

음산하게 중얼거리던 아드리안은 지나가던 영식 한 명을 거칠게 붙들었다.

"뭐, 뭐……. 황태자 전하?!"

"아티, 아니. 레이디 오비에도는 파티에 참석하지 않았나?"

"예? 그것이……."

영식은 주위를 둘러보며 곤란하다는 듯 입을 닫았다. 아드리안의 고운 미간이 찌푸려졌다.

이름 모를 영식의 시선이 닿은 곳은 황제가 앉아 있는 황좌였다.

"황제 폐하께서 함구하라고 하셨습니다……."

"그럼 이것만 대답해. 왔다가 간 건가?"

"예? 예."

왔다가 갔는데 황제가 함구하라고 했다는 사실에 아드리안은 대충 상황을 짐작할 수 있었다.

"재상이지?"

"예? 예."

"그래."

원하는 답을 얻어 낸 아드리안은 미련 없이 뒤돌았다. 기껏 파티 홀까지 온 보람이 없었다.

"……이러다 내가 먼저 죽겠는데."

아티를 보지 못하는 날이 늘어날수록 아드리안은 점점 죽어 갔다. 아티 금단 현상까지 나타날 정도였다.

"테르니라도 불러와야겠군."

아티가 뭘 하고 뭘 먹고 어떻게 자고 얼마나 자는지 정도는 알아야 진정할 수 있을 것 같았다.

이렇게 가만히 시간만 보내고 있다가는 정말로 죽을지도 모른다고 아드리안은 진심으로 생각했다.

✦ ♛ ✦

쾅!

"……빌어먹을 오비에도!"

거칠게 문을 닫은 재상은 씩씩대며 숨을 몰아쉬었다. 잔뜩 흥분한 얼굴이 벌겋게 상기되었다.

쾅! 그러고도 분이 풀리지 않아 테이블을 거칠게 내려쳤다.

"그래. 전부터 마음에 들지 않았지. 요제프 피너 오비에도."

사람 좋은 얼굴로 허허 웃고 다니면서 온갖 청렴한 척은 다 하는 꼴이 가식적이라 여겼다.

그러면서도 결국 챙길 건 다 챙길 것 아닌가.

"어차피 사람은 다 똑같다고."

인간이라면 누구나 제 이익을 추구한다. 그것을 위해서라면 무엇이든 밟고 뭉갤 수 있다.

같은 족속임에도 선인인 양 구는 게 꼴같잖다.

그런 생각을 품어 오던 와중에 이번 사건은 그 감정에 불을 지핀 도화선과 다름없었다.

"크큭……."

의자에 앉은 재상은 손으로 얼굴을 감싸며 웃음을 터트렸다.

"감히 내게 그런 모욕을 주다니. 잘난 오비에도 따위 멸족시켜 주지……."

명문가인 오비에도를 상대하기는 쉽지 않을 테지만 네벨 재상에게도 오랫동안 쌓아 온 부와 명예가 있었다.

제가 가진 모든 것을 동원한다면 승산이 있는 싸움일 터.

"방법이야 슬슬 찾아보면 될 테고."

한 가문을 몰락시키는 데에는 생각보다 많은 노력이 들어가지만, 재상에게는 그리 어려울 일도 아니었다.

방법을 고안하는 재상의 두 눈이 독사처럼 반짝였다.

✦ ♛ ✦

며칠 후, 네벨가의 저택에 손님이 도착했다.

"다짜고짜 나를 끌고 오다니, 이게 대체 무슨 짓이지?"

두 명의 장정에게 붙들린 채 응접실에 들어선 건 다름 아닌 헬머였다.

그를 기다리고 있던 재상이 빙그레 미소를 지었다.

"정중하게 모셔 오라고 했건만, 자네에게는 다소 거칠었나 보군?"

"정중 같은 소리 하고 있네. 개나 주쇼."

헬머는 욕설을 지껄이며 자신을 붙잡은 자들의 손을 거칠게 떨쳐 내었다.

'참으로 지독하군!'

헬머 또한 거구의 사내였음에도 사전 준비를 철저히 했는지 힘으로 당해 낼 수 없는 장정을 동원하여 끌고 왔다.

헬머는 재상을 노려보았다.

"일전의 제안은 거절한 것으로 아는데."

"알지, 알고말고. 그 이야기를 하려고 자네를 부른 것이 아니네."

헬머는 의구심이 가득한 눈으로 재상을 응시했다. 그가 아는 재상은 이렇게 쉽게 포기할 인간이 아니었다.

"그런 눈으로 보지 말게. 오늘 자네를 부른 것은 긴히 부탁할 일이 있어서니까."

"부탁? 내가 왜 당신 부탁을 들어줘야 하지? 그럴 일은 절대 없으니 생각 고쳐먹으시지."

"자네가 나를 좋지 않게 생각한다는 것 정도는 알아. 과거에 엮인 일이 있으니. ……하지만 자네는 재능이 아주 많은 사람이야. 다시 떵떵거리면서 살고 싶지 않나? 내 도와주겠네."

장황한 설득의 말에도 헬머의 표정에는 변화가 없었다.

"어림도 없는 소리."

그 어떤 말로 회유한다 하더라도 헬머 자신은 재상에게

넘어갈 생각이 없었다.

재상은 무려 친우를 죽음에 몰아넣은 장본인이니까.

하지만 그 생각은 머지않아 끊겼다.

"빌바오 가문."

"……!"

"자네도 잘 아는 가문이지?"

허를 찌르는 질문에 헬머는 순간 말문을 잃었다.

정신을 차렸을 때에는 모르는 척 잡아떼야 할 시간을 훌쩍 넘긴 후였다.

"큰일을 해 달라는 건 아니야. 아주 살짝, 작은 도움을 필요로 하는 것뿐이지."

헬머가 침묵하자 허락으로 간주한 네벨 재상이 빙그레 웃었다.

"우리 딸아이가 싫어하는 여자가 한 명 있네."

'……여자?'

헬머가 고개를 들었다.

"오비에도 후작가의 막내딸. 그 영애를 제거하는 데 도움을 준다면 ……뭐, 그래. 빌바오 가문의 일쯤이야 그냥 묻어 주지."

헬머는 다시 두 눈을 내리깔았다. 빌바오 가문.

'……라라.'

재상은 비올라의 존재를 알고 그에게 협박을 하고 있었다.

'그 아이가 황궁에서 시녀로 일하는 것도 당연히 알겠지.'

헬머의 딸과 다름없는 비올라와 이름 모를 높은 귀족의

여식.

그 두 사람을 저울질한다면 단연 비올라를 택할 수밖에 없었다.

"약속은 당연히 지키는 거겠지?"

"물론."

재상이 환하게 웃었다.

"좋아, 내가 해야 할 일이라는 게 뭐지?"

라라가 아티엔느라는 것을 꿈에도 모르는 헬머는 결국 그 제안을 수락하고 말았다.

✦ ♛ ✦

"이래도 괜찮을까요?"

조마조마한 마음으로 아티가 물었지만, 오비에도 후작 내외와 테르니는 태평했다.

"그런 헛소리를 듣고서 가만히 있을 수 있겠니? 우리가 이렇게 박차고 나와야 재상도 좀 모욕을 느끼고 하겠지."

"맞는 말이오."

"암, 맞고말고."

카밀라의 말에 후작과 테르니가 차례대로 고개를 끄덕이며 동의했다.

아티는 여전히 걱정되었으나, 한편으로는 오비에도가의 위상이 얼마나 대단한지 느낄 수 있었다.

하지만 며칠이 지나도록 오비에도가는 평화로웠다.

'평화롭다 못해 거의 시골에 요양 온 병약한 아가씨가 된 느낌이야.'

아티의 몸이 회복되기가 무섭게 가족들은 건강에 좋다는 것은 모두 아티에게 가져다주었다.

"저…… 금방 식사했어요."

"알아, 아는데 이걸 먹으면 감기에 덜 걸린대."

에센마저 아티에게 몸에 좋다는 걸 가져와서는 먹기를 강요하고 있었다.

과하게 반짝이는 눈빛을 못 이겨 아티는 에센이 가져온 약초를 달인 음료를 꿀꺽 삼켰다.

"으, 쓰다……."

"쓴 게 몸에 좋은 거야. 그런데 테르니는 어디 갔어? 요새 통 안 보인다?"

아티가 빌바오 가문에 대한 조사를 부탁한 이후로 테르니는 자료 조사에 착수해 얼굴 보기가 힘들었다.

"음, 글쎄요?"

"또 무슨 헛짓거리 하고 있나 몰라."

그 헛짓거리를 시킨 장본인인 아티는 그저 어색하게 웃었다.

그러면서 슬그머니 한참 남은 음료를 내려놓았지만 에센의 날카로운 눈초리를 피할 수는 없었다.

"아티."

"알았어요……."

아무리 건강하다며 변명해도 들어 주는 이 한 명도 없다.

심지어 몸이 좋지 않은 카밀라까지 싸고도는 탓에 이제 아프지도 않은데 민망했다.

아티는 겨우 쓰디쓴 음료를 다 마신 후 컵을 건네며 에센을 올려다보았다.

"에센 님. 뭐 하나 물어봐도 돼요?"

"뭔데?"

"황제 폐하 탄신 파티 때 말이에요. 오비에도 가문이 그렇게 나간 후에 황제 폐하께서 진노하거나 그러시지 않으셨어요?"

"내가 늦게 가는 바람에 그 자리에 없어서 잘 모르겠지만, 그런 소리는 못 들었어. 뭔가 있었으면 소문이 들려오거나 했겠지."

아무리 그래도 그런 무례를 황가에서 가만히 두고 본다는 게 이상했지만 더 이상 아티가 알아볼 수 있는 방법은 없었다.

아티가 깊은 한숨을 내쉴 때였다.

"아티~! 오라버니 오셨다!"

팔랑팔랑 뛰어온 테르니가 아티의 옆에 꼭 붙어 앉았다. 그 앞에 에센이 앉아 있건 말건 신경도 쓰지 않는 기색이었다.

"난 안 보이냐?"

"어라, 에센. 있었어?"

"하……. 됐다."

"그래? 그럼 말고. 아티, 이거 네가 부탁했던 거야!"

이렇게 빨리? 아티는 깜짝 놀라며 테르니가 건넨 서류를 받았다.

"아직 나도 안 봤어. 같이 보려고 들고 왔지."

아티가 가만히 서류만 내려다보고 있자 흥미가 동한 에센이 고개를 까딱거리며 테르니에게 물었다.

"저게 뭔데?"

"으으음. 아티와 나만의 비밀이야!"

"죽고 싶냐?"

"아니? 정 궁금하면 아티한테 물어봐. 난 말 못 해 줘!"

에센은 눈가를 찌푸리며 아티를 돌아보았다.

'대체 뭔데 표정이 저렇게 안 좋은 거지?'

뭔지는 잘 몰라도 심상치 않은 것이라는 것은 알 수 있었다.

대체 무엇을 테르니에게 부탁했는지 궁금했지만 에센은 묻지 않기로 했다. 별로 좋은 이야기 같지는 않았으니까.

그런 걱정이 무색하게도 아티는 에센에게 곧바로 털어놓았다.

"별거 아니에요. 그냥 빌바오 가문에 대한 조사를 부탁드린 거예요."

"……빌바오? 그건 아티 네 가문 아니야?"

"음, 역시 이상하죠?"

"그건…… 응."

확실히 이상했다. 어떤 누가 자신이 속한 가문의 뒷조사를 한단 말인가.

"이유는 나중에 말씀드릴게요. 테르니 오라버니도요."

"그래."

"알겠어!"

에센과 테르니가 차례로 대답했다. 아티가 서류를 살펴보기 전에 테르니가 설명을 덧붙였다.

"사실 처음엔 네가 네 가문에 대해서 조사해 달라고 하기에 대체 뭘 조사해야 하나 갈팡질팡했거든? 대체 아티네가 뭘 알고 싶은 건지 알 수가 없었으니까."

"네."

아티는 가만히 고개를 주억거렸다. 자신이 테르니였어도 그랬을 것 같았다.

"어차피 네가 아티엔느 하기로 했을 때 이미 싹 조사해서 또 할 것도 없었어. 다시 해 봐야 시간 낭비만 하는 셈이지. 그래서 조사 방향을 좀 바꿔 봤어."

"어떻게요?"

"몰락하기 전에 빌바오령이었던 곳에 사람을 보냈지. 문서로 확인할 수 있는 건 다 확인했으니 직접 확인하는 방법밖에 안 남았거든. 그게 이번에 내가 파견한 조사원이 조사한 내용이야."

아티는 손에 들린 서류를 가만히 내려다보았다.

이 서류 속의 내용이라면 내가 꿨던 기억과 다른 생생한 꿈들이 그저 꿈일 뿐이라는 게 밝혀질까.

아티는 서류를 넘겼다.

'딱히 특별한 건 없는데.'

과거 빌바오령이었던 곳에서 영지민에게 물어 가며 조사

했다는 내용은 아티의 기억 속 빌바오 가문과 다를 바 없었다.

가족 구성원의 이름과 나이, 열악했던 재정 상황 모두 같았다.

그것을 들여다보고 있자니 어릴 때의 기억이 새록새록 떠올랐다.

'역시 의미 없는 꿈이었구나.'

꿈속에 너무 생생한 젊은 시절의 재상이 나와서 과민 반응을 해 버린 것 같았다.

안도의 미소를 지으려던 찰나, 마지막 페이지의 한 문장이 아티의 눈을 사로잡았다.

[빌바오 가문 몰락 직전 저택에서 하인으로 일했다는 자의 증언으로, 맏딸인 비올라 빌바오는 5년 전 사망했다고 함.]

그것은 멀쩡히 살아 있는 자신이 죽었다는 문장 한 줄이었다.

✦ ♛ ✦

루피너스 궁의 분위기는 살얼음판을 걷는 듯 위태로웠다. 주인인 마리에 공주의 심기가 오랫동안 불편했기 때문이었다.

삭막한 분위기 가운데, 최근 마리에의 귀여움을 독차지하고 있는 아카시아가 디아노의 손을 잡고 루피너스 궁에 들어섰다.

"마리에 언니. 저 왔어요!"

"어서 와, 아카시아."

오늘도 역시 마리에의 기분이 좋지 않은 것을 느낀 아카시아가 쭈뼛대며 마리에의 맞은편에 앉았다.

"아카시아에게 마실 것을 내줘."

"네, 공주 전하."

조용한 가운데 차를 준비하는 소리가 유독 요란하게 들렸다.

아카시아는 마리에를 슬쩍 보았다가 비어 있는 찻잔으로 시선을 고정했다.

'아티 언니, 보고 싶다…….'

어째서인지 아티는 오비에도가로 돌아간 이후로 돌아오지 않고 있었다.

그 이후로 마리에가 화가 난 것 같으니 아무래도 아티가 황궁을 떠난 것과 관련이 있다고 아카시아는 생각했다.

'하지만 언니들, 정말로 사이좋았는데.'

나도 꼭 저렇게 사이좋은 친구를 갖고 싶다고 생각할 정도로 두 사람의 관계는 돈독했다.

아카시아는 너무 슬펐다. 언니들이 다시 예전처럼 돌아갈 수 없는 걸까?

마리에는 말없이 차만 연거푸 들이켰다.

눈치를 보며 차를 홀짝홀짝 마시던 아카시아가 조심스레 입을 열었다.

"저기, 마리에 언니……."

"응?"
"아티 언니랑 다투신 거예요……?"
어렵사리 내뱉은 질문에 마리에는 찻잔을 내려놓았다.
모든 사람들이 마리에의 눈치를 보며 아티의 이야기를 금기시했기 때문에, 남의 입에서 이름을 듣는 게 오랜만이었다.
"다툰 게 아니라, 아티가 일방적으로 나를 속인 거지. 그래서 난 엄청난 배신감을 느끼고 있는 거고."
마리에는 자신의 감정을 분명히 자각하고 있었다.
"하지만…… 두 분은 친구잖아요?"
"친구니까 나를 속인 걸 용서할 수 없는 거야! 정말로 나를 믿었다면 뭐든지 다 말했을 테니까!"
지금에 와서야 생각해 보면 아티는 언제나 무언가를 두려워하고 있는 듯했다.
그래서 몇 번이나 아티에게 무엇이든 말해 달라고 이야기했는지 모른다.
하지만 결국 마리에는 아무것도 듣지 못했다.
자신을 속였다는 것보다 마리에를 분노하게 한 건 아티가 그녀를 믿지 못했다는 사실이었다.
다른 사람의 입으로 아티의 비밀을 들어 버린 기분은 처참함이라는 말로도 설명할 수 없었다.
"넌 몰라, 아카시아."
"아카시아도 알아요!"
아카시아가 두 주먹을 불끈 쥐며 말했다.
"아카시아 생각에 아티 언니가 마리에 언니를 일부러 속인 건 아닐 거예요! 아티 언니는 마리에 언니를 좋아하니까!"

말도 안 되는 이유였는데 어째서인지 마리에의 마음은 살짝 풀어졌다.

"아티가 날 좋아한다고?"

"네! 무척 엄청 많이 좋아하잖아요!"

아카시아는 마리에와 아티 사이에 무슨 일이 있었는지 아무것도 몰랐다.

모르는 채로 아티의 편을 드는 것이지만, 어째서인지 사정을 다 아는 듯한 기분이 든다.

"그리고 친구였으니까, 한 번 기회를 줘야 한다고 아카시아는 생각해요!"

"그건……."

"왜 그랬는지 직접 물어보면 화해할 수 있지 않을까요?"

마리에는 차마 말을 잇지 못하고 입술을 깨물었다. 무슨 말이라도 하고 싶은데, 아무 말도 할 수가 없었다.

손가락을 꼼지락거리면서도 자신의 생각을 분명히 밝히는 아카시아의 말에 마리에는 섣불리 대답을 할 수가 없었다.

✦ ♛ ✦

쾅쾅! 문을 두들기는 손길에 헬머는 고개를 쳐들었다.

손에 들려 있던 접시를 바닥에 내팽개치는 손길은 거침없었다.

쨍그랑—!

헬머는 바닥에 무수하게 깔린 파편들을 밟으며 작업실을 나섰다.

'재상의 아랫것들인가.'

해야 할 일을 지시할 때까지 대기하고 있으라는 명령을 남긴 후로 재상은 이렇다 할 움직임이 없었다.

어떻게든 라라에게 연락을 취해서 재상이 수작을 부리기 전에 황궁에서 빼내 오고 싶었지만 쉽지가 않았다.

"누구쇼?"

질문을 하며 문을 연 헬머는 뜻밖의 손님에 조금 놀랐다.

"어이, 헬머! 오랜만이야. 나야, 나. 덩컨! 잘 지냈지?"

"아, 덩컨. 자네구만."

문을 두드린 이는 오랜만에 만나는 옛 친우였다.

한창 활동을 하던 시기에는 매일같이 만나며 술 한잔을 나누었지만 헬머가 잠적한 이후로 얼굴 보는 게 힘들어졌다.

"이 근처에 볼일이 있어서 왔다가 자네 생각나서 들렀지. 히야, 부산하게 사는 건 여전하구만."

"사람 사는 게 다 그렇지, 뭐. 들어와. 술이나 한잔하자고."

"자네 집은 더러워서 싫어. 요 앞 술집에 가서 한잔하자고!"

오랜만에 만난 두 사람은 술집 테이블에 마주 보고 앉아 술통을 땄다. 일단 한 잔 쭉 들이켰다.

"크—! 좋구만!"

"자, 자. 한 잔 더 받아."

그렇게 주거니 받거니 흥이 올랐을 즈음, 덩컨이 문득 생각났다는 듯 입을 열었다.

"아차차. 물어볼 게 있었는데 술에 정신 팔려서 물어보지도 않았네. 헬머, 이번에 활동 재개한 거 축하해!"

"뭐?"

갑자기 이게 무슨 소리인가. 헬머의 표정이 살짝 굳자 덩컨이 그의 어깨를 퍽퍽 쳤다.

"새삼스럽게 왜 이래? 이미 사교계에 소문 쫙 퍼졌다고! 장인 위르겐의 귀환!"

"내가 뭘 한다고?"

헬머는 어이가 없었다. 귀환은 무슨, 오늘만 해도 만든 그릇을 10점은 넘게 깨부쉈다.

염치가 없으니 세상에 작품을 내놓지 않겠다는 맹세는 유효했으니까.

헬머는 천천히 기억을 더듬었다. 생각해 보니 라라가 집에 들렀을 때마다 그릇을 들고 가기는 했다.

아무래도 낌새가 심상치 않았다. 헬머는 술잔을 내려놓고 덩컨 쪽으로 몸을 기울였다.

"덩컨. 자세히 말해 보게."

"뭐? 정말 모르는 일인가? 장인 위르겐의 신작이 황실에 진상되었다고 지금 말들이 엄청나다고!"

"황실……."

시녀인 라라는 현재 황궁에서 지내고 있었다. 그렇다면 역시 위르겐의 신작이 공개된 것은 라라와 관련된 일일 터.

"대체 무슨 짓을 벌이고 다니는 거냐, 라라……."

쿵. 헬머는 깊은 한숨을 내쉬며 테이블에 머리를 박았다.

✦ ♛ ✦

"헬머 아저씨! 저예요!"

쾅쾅! 한참을 두드렸지만 문은 열리지 않았다. 아무래도 헬머 아저씨는 집에 없는 듯했다.

나는 초조하게 발을 굴렀다.

"대체 어딜 가신 거야?"

"어떡할까. 기다릴까?"

에센이 외투를 벗어 내게 둘러 주며 물었다.

"그럼 조금만 기다려도 될까요? 그리고 외투 고마워요, 에센 님."

작게 웃으며 감사를 표하자 멀뚱히 서 있던 테르니가 화들짝 놀랐다.

"……?"

"뭐야, 아티! 추웠어? 말을 했어야지!"

테르니는 내가 말만 하면 바지까지 벗을 기세로 격렬하게 외투를 벗더니 에센의 외투 위로 자신의 외투를 덮어 주었다.

무거웠다. 어깨가 빠질 것만 같았다.

"어떠냐. 이 오라버니의 사랑이!"

"무거워요……."

"암. 자고로 사랑이란 무거운 법!"

갑자기 집에 가고 싶어졌다. 괜히 벗었다가 테르니가 난리를 칠까 봐 그냥 무거운 채로 하염없이 헬머 아저씨가 오기만을 기다렸다.

하지만 헬머 아저씨는 나타나지 않았다.

어쩐지 마음이 심란했다. 분명 헬머 아저씨야 또 만나러 오면 되는데 왜 이렇게 초조한 걸까.

이건 전적으로 테르니가 건네준 서류에 적혀 있던 말도 안 되는 정보 때문이다.

아버지의 친우이자 나의 또 다른 양육자인 헬머 아저씨만이 나의 의문을 풀어 줄 수 있었다.

나는 한숨을 내쉬며 두 사람을 올려다보았다.

"아무래도 다음에 다시 와야 할 것 같아요. 저 때문에 두 분 다 시간 뺏어서 죄송해요."

"무슨 소리야, 아티. 너를 지키는 게 내 일인걸."

에센의 상냥한 말에 마음이 사르르 녹으려던 찰나—.

"맞아, 내 시간은 비싸다고! 그러니까 조만간 아티 네 시간을 빼앗아 가겠다!"

"하아아……."

테르니가 다시 얼려 버리고 말았다.

결국 나는 아무런 소득도 없이 오비에도 저택으로 향할 수밖에 없었다.

'삶이 이렇게까지나 의미 없고 허무한 거였나…….'

마리에의 두 눈이 느리게 감겼다가 뜨였다.

온갖 놀 거리들이 테이블 위 한가득이었지만 그 무엇도 마리에에게 감흥을 주지 못했다.

무엇보다 재미가 없었다.

늘 하던 대로 종종 어울리곤 했던 영애들을 초대해 티타임 겸 사교 모임을 가졌다가 지루해서 죽는 줄 알았다.

'원래 이렇게 살아왔는데.'

도저히 견디기 힘들 정도로 지루해서 미칠 것만 같았다.

분명 이전까지 이러고 살았는데 지금은 대체 어떻게 이런 단조로운 삶을 살아왔는지 이해가 되지 않을 정도였다.

마리에는 괜히 가득 쌓인 책을 뒤적거렸다. 정말 놀랍게도 로맨스 소설 읽는 것도 재미가 없었다. 남들이 들었다가는 혹시 미쳤냐는 소리를 들을 정도였다.

"어? 이건……. 아티가 읽던 건데……."

읽던 부분에 책갈피가 꽂혀 있었다. 같이 황궁 외출을 나갔다가 커플로 샀던 책갈피였다.

한 번 아티의 생각을 하니 걷잡을 수가 없어졌다. 여기저기 아티와 했던 것들 천지였다.

"아티……."

처음 대화를 했던 순간부터 같이 놀러 가던 기억, 마지막으로 황후의 앞에서 무릎을 꿇은 채 서럽게 눈물을 뚝뚝 흘리던 모습까지 연달아 떠올랐다.

아티가 울던 장면을 떠올리자마자 가슴이 꽉 조여드는 것만 같았다.

'그만 생각하자.'

마리에는 아직 아티에게 화가 풀리지 않았다. 분노나 배신감을 넘어서서 이제는 서운했다.

'그래, 나는 진짜 친구가 될 수 없단 거지.'

하지만 아무리 다른 생각을 하려고 해도 계속 아티 생각만 났다. 결국 마리에는 자리를 박차고 일어났다.

마리에가 향한 곳은 포인세티아 궁이었다.

"대체 왜 이렇게 잠잠한 건지 궁금하네."

아티 없다고 질질 짜고 있는 건 아닐까. 하지만 마리에는 아드리안의 얼굴도 보지 못하고 축객령을 전하는 디아노만 만났다.

"전하께서 '꺼져.'라고 전해 달라 하셨습니다."

"넌 그걸 전하란다고 그대로 전해?"

"하지만 섣불리 다른 어휘로 대체하는 건 혹시나 제가 전하의 말 속에 숨겨진 뜻을 곡해할까 우려되—."

"아. 됐어."

마리에는 아드리안의 얼굴도 보지 못하고 내쫓겼다.

"처음부터 이럴 줄 알았으니까."

마리에는 아드리안과 썩 사이가 좋은 남매는 아니었다.

성격이 맞지 않으니까! 저런 인간이 아티와 결혼한다는 것도 믿기지 않았던 때가 엊그제 같았다.

'아, 짜증 나.'

따지고 보면 아드리안이 이 모든 상황의 원인 아닌가?

마리에의 시선이 디아노를 향했다. 아드리안에게 어떻게

해서든 엿을 먹이고 싶었다.

"디아노, 내가 돌아가는 동안 날 호위해."

"예?"

"날 호위하라고."

"저…… 제가 왜 가야 합니까?"

"심심하니까."

"예에……."

루피너스 궁으로 돌아온 마리에는 디아노가 돌아가지 못하게 끌어당기고는 문을 쾅, 닫아 버렸다.

"저, 전하?"

"넌 알고 있었지?"

"무엇을…… 말입니까?"

"아티 말이야. 아티가 가짜 약혼녀라는 거! 어쩜 그렇게 감쪽같이 나를 속였어?"

그냥 참고 넘어가기에는 쌓인 게 많았다.

이 중대한 비밀을 누구에게도 털어놓을 수 없는 데다가 아드리안까지 문을 걸어 잠그고 대화를 거절하니 마리에로선 혼자 삭이는 수밖에 없었다.

마리에의 말에 디아노가 머리를 긁적이며 난감한 표정을 지었다.

"아니, 그건 전하의 명령이니까……."

"아무리 명령이라도 그렇지 그렇게 감쪽같이 속이냐고! 우리가 그렇게 삭막한 사이야?!"

"……? 예."

콰광—. 마리에는 엄청난 충격을 받고 말았다.

삭막한 사이라고? 그럼 그동안 자주 만나면서 했던 대화들은 다 뭐란 말인가.

'게다가 사냥 대회 때 검 장식까지 줬으면서…….'

어째서 디아노에게 놀아난 기분이 드는 건지 마리에는 이해할 수가 없었다. 그냥 엄청 충격적이었다.

"너, 너……. 날 어떻게 생각하고 있었던 거야?"

마리에의 질문에 잠깐 고민하던 디아노가 천천히 입을 열었다.

"……공주…… 전하?"

"그것뿐이야?"

"예……."

왜일까. 왜 이렇게 화가 나는 걸까. 마리에는 이를 악물고 디아노를 노려보았다.

분명히 자신이 공주인 것도 맞고, 디아노가 상관의 명령을 충실히 이행한 것도 당연했다. 하지만 화가 치밀었다.

신경질적으로 소파에 앉은 마리에는 팔짱을 낀 채 디아노를 노려보았다. 그러자 그가 흠칫 시선을 피했다.

"물 떠 와!"

"예? 예."

디아노가 물을 떠 왔다. 그가 컵을 내려놓기 무섭게 마리에는 다음 명령을 했다.

"책 가지고 와. 저기 쌓여 있는 거 전부."

"예. 알겠습니다."

그 후로도 마리에는 디아노에게 온갖 심부름을 시켜 댔다.

자신의 아랫사람이 아니니 싫다고 해도 어쩔 수 없는 상황이었는데 디아노는 묵묵히 그걸 해냈다.

'이제 그만할까…….'

괴롭히는 것도 이제 재미가 없었다. 반응도 없고. 그만 디아노에게 돌아가라고 하려던 때였다.

쾅—! 마리에의 옆에 대기하고 있던 디아노가 갑자기 큰 소리를 내며 앞으로 쓰러졌다.

"디아노!"

깜짝 놀란 마리에는 손에 들고 있던 것도 냅다 집어 던지고 디아노 옆에 웅크리고 앉았다.

"뭐야. 갑자기 왜 이래?!"

디아노의 뺨을 찰싹찰싹 때렸지만 그는 미동도 하지 않았다.

마리에는 안절부절못하며 디아노의 멱살을 잡고 흔들었다.

"야! 일어나! 장난치지 말고!"

하지만 디아노는 깨어나지 않았다. 마리에는 덜컥 겁을 먹었다.

'설마 내가 너무 이것저것 많이 시켜 먹어서 힘들어서 쓰러진 거야? 아니, 그래도 기사잖아……!'

기사의 체력이 고작 이 정도일 리가 없었다.

마리에가 충격에 빠져 있을 때, 인상을 찌푸리며 디아노가 눈을 떴다.

"디아노!"

“아, 마리에 전하.”

“너, 너…… 대체 뭐야?”

“아, 어제…… 아카시아 때문에 잠을 못 자서…… 졸렸나 봅니다.”

걱정이 무색할 만큼 어이없는 이유였다. 마리에는 순간 자신을 탓한 게 너무 후회가 되었다.

그러면서도 무사히 깨어나니까 또 안심도 되고 그래서…….

“저, 전하?”

“놀랐잖아……!”

양손에 얼굴을 파묻고 그만 울고 말았다.

잠깐 졸았다 깨어난 디아노는 순식간에 벌어진 상황에 어쩔 줄 몰라 했다.

“바보 멍청아! 흐어어엉……!”

마리에는 하염없이 엉엉 울었다. 온몸의 수분을 다 빼낼 기세로.

“아, 저, 그…….”

“뭐 하는 거야. 안 안아 주고!”

“예, 예?”

마리에의 다그침에 머쓱하게 뒷머리를 긁던 디아노는 얼떨결에 그녀를 품에 안았다.

‘왜 안아 줘야 하는 거지……?’

이유는 알 수 없지만 일단 하라니까 시키는 대로 할 수밖에.

✦ ♛ ✦

그날 이후로 디아노는 매일같이 루피너스 궁으로 불려 갔다.

아드리안은 제 방에 틀어박혀 칩거하는 중이라 디아노가 어딜 가든 신경 쓰지 않았다.

오늘도 마찬가지로 마리에를 만나러 가려던 디아노는 집무실 서랍에 들어 있는 상자를 꺼냈다.

"흠. 이걸 어쩐다."

아티가 황궁에서 내쫓기며 미처 챙겨 가지 못한 물건을 디아노가 대신 맡고 있었다.

마리에의 생일 선물로 아티가 미리 준비해 둔 것인데, 상황이 이렇게 꼬여 버렸다.

아드리안에게 물어보았지만 '줘 버리든가.'라는 대답만 들었을 뿐이다.

아무리 눈치가 없는 디아노라지만 마리에의 감정 기복이 오락가락하는 이유가 아티 때문이라는 건 알았다.

그래서 자신에게 화풀이하는 것도 잘 알고 있었다.

"그렇게라도 스트레스가 풀린다면 다행이지만."

디아노는 결국 상자를 챙긴 채 루피너스 궁으로 향했다. 노크를 했지만 침실 안에서 반응이 없었다.

한 번 더 노크를 하자 그제야 대답이 들려왔다.

"들어와."

침실에 들어간 디아노는 소파 위에 시체처럼 늘어져 있는 마리에를 발견하고 흠칫했다.

마리에는 초점도 없는 눈으로 허공 어딘가를 응시하고 있었다.

“저 왔습니다, 마리에 전하.”

“어어…….”

“시키실 일이라도…….”

“구석에 앉아 있어…….”

마리에는 극히 우울해 보였다. 디아노는 그 모습을 가만히 지켜보다 깊은 한숨을 내쉬었다.

우울한 마리에를 상대하는 건 몸은 편하지만 마음은 불편했다.

차라리 평소처럼 웃으면서 자신을 때리는 게 더 좋다고 생각될 정도로.

디아노는 고민 끝에 입을 열었다.

“마리에 전하.”

“왜.”

“드릴 게 있습니다.”

“뭔데?”

“이거…….”

마리에는 부스스 몸을 일으키며 디아노가 건넨 상자를 받았다. 빨간색 리본으로 장식된 상자였다.

“뭔데?”

“열어 보시면 아실 겁니다.”

뭔데 저렇게 의미심장하게 말하는 걸까. 마리에는 고개를 갸웃하며 상자의 포장을 풀었다.

'저 투박한 손으로 이렇게 섬세한 포장을 했을 리는 없을 텐데.'

의심 가득한 마음으로 상자를 연 마리에는 두 눈을 휘둥그레 떴다.

"이건……."

마리에가 제일 좋아하는 소설 〈에스티나의 일곱 명의 수호 기사〉의 5권 초판 양장본이었다. 무려 작가 사인까지 되어 있는.

"이걸 어떻게 구했어?"

마리에도 백방으로 돌아다녔지만 결국 구할 수 없었다. 그래서 그냥 포기하고 나중에 재판본이 나오면 사려고 했었는데…….

멍한 얼굴로 책을 빠르게 넘기던 마리에는 책 사이에 꽂힌 편지를 발견했다.

"……아티?"

"아티 님께서 마리에 전하께 드리려고 전부터 준비하셨던 선물입니다. 미처 가져가지 못하신 듯하여……."

마리에의 손끝이 파르르 떨렸다.

그녀는 겨우 편지를 펼쳤다. 정갈한 글씨체가 눈에 들어왔다.

[내가 가장 사랑하는 친구 마리에에게.]

첫 문장을 본 마리에는 한 손으로 입을 틀어막았다.

편지 속 내용은 아티 그대로였다. 상냥하고 다정한 말들.

그리고 사실 나는 너의 시녀였노라 고백하는 문장. 살짝 흔들린 글씨체에 동요했던 아티의 마음이 묻어났다.

아티는 처음부터 마리에에게 말하려고 했었던 것이다.

얼어붙어 있던 마리에의 마음이 사르륵 녹았다.

"왜……. 왜 이걸 지금 준 거야……."

도무지 주체할 수 없이 눈물이 쏟아졌다.

마리에는 편지에 얼굴을 묻고 하염없이 울었다. 편지가 눈물에 얼룩졌다.

"난 그런 줄도 모르고……. 난……."

자신에게 울며 매달리던 아티를 차갑게 쳐 냈던 그때가 떠올라 도무지 울음을 멈출 수가 없었다.

디아노는 아무런 말도 하지 않고 묵묵히 눈물을 쏟아 내는 마리에의 곁을 지켰다.

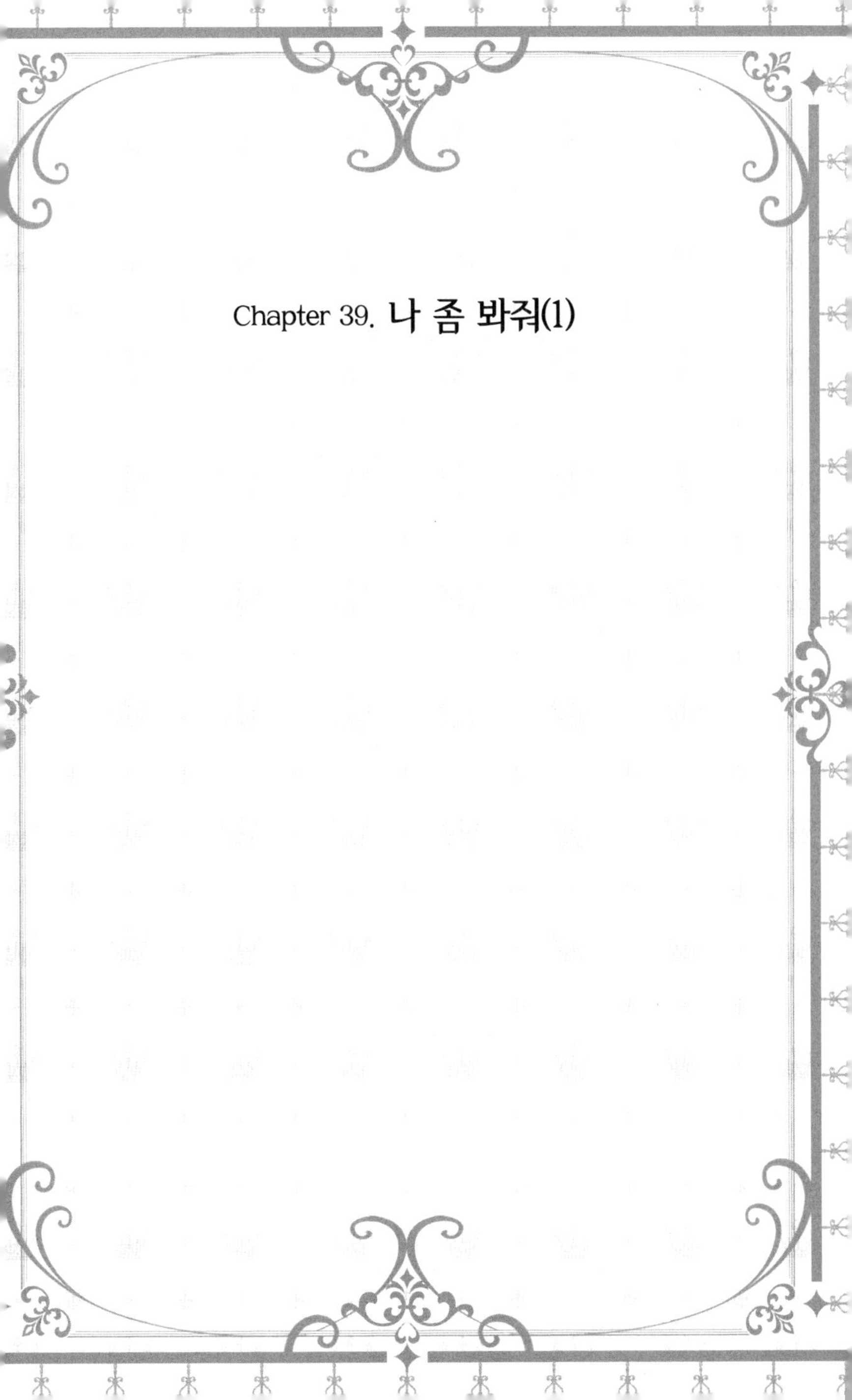

Chapter 39. 나 좀 봐줘(1)

Chapter 39. 나 좀 봐줘(1)

카를로만 황제는 가만히 턱을 괴었다.

"아무리 생각해도 말이지……."

느닷없는 황제의 말에 주변에 있던 시종 모두가 긴장했다.

"요즘 좀 쓸쓸하단 말이야. 황궁이 이렇게 조용했나 싶을 정도이네. 그렇지 않나, 앨버트?"

그레이스 궁의 시종장인 앨버트가 고개를 숙였다.

"고합니다, 폐하. 황후 폐하께서도 마리에 공주 전하께서도, 아드리안 황태자 전하께서도 조용하셔서 그런 듯합니다."

"그렇지, 다들 조용하지. 황후는 원래 사람을 좋아하니 하루가 멀다 하고 떠들썩하게 연회와 파티를 여는 걸 좋아했는데 그것도 그만뒀고, 마리에는 외출을 하고 싶다며 들락날락거렸는데 그것도 뚝 끊겼고, 아드리안은……."

하나하나 짚어 보던 카를로만 황제가 인상을 찡그렸다.
“그러고 보니, 아드리안이 문안 인사를 왔던가?”
“생략하셨습니다.”
“이런 몹쓸 놈.”
못마땅하게 혀를 차던 카를로만 황제가 의자의 팔걸이를 툭툭 쳤다.
“황후에게도 생략하는 건가?”
“예. 그렇습니다.”
“허허. 모자간의 골이 점점 더 깊어지는군…….”
쯧쯧쯧.
혀를 차던 카를로만 황제가 고개를 가로저었다.
“황태자 전하께서 칩거하신 지 오래되셨습니다. 수호 기사인 디아노 경을 제외하고는 누구와도 만나지 않는다더군요.”
“제 나름의 시위겠지.”
카를로만 황제는 아드리안이 저러는 게 그렇게 심각한 문제라고는 생각지 않았다. 문제는 황후였다.
“황후는 어떻게 지내고 있는가?”
“평소대로이십니다.”
“그래?”
“그런데, 고민이 많아 보이셨습니다.”
“그렇겠지.”
아드리안이 저렇게 구는 건 생전 처음이니까.
“무척 심기가 불편하십니다.”

"그래, 그래서 나도 눈치를 보고 있지 않은가?"

아무래도 하루 이틀 가지고는 풀릴 만한 분노가 아니었다.

아드리안과 황후에 대해서 생각해 보다가 카를로만 황제가 고개를 가로저었다.

카를로만 황제는 이 상황이 어떻게 끝나든 그저 쓸쓸할 뿐이었다.

적적한 황궁에 나 홀로라니.

"그 귀여운 며늘아기를 딱 불러다 놓고 말을 시키는 재미가 있었는데 말이야."

어찌나 귀여운지 마리에 밑으로 딸을 하나 더 갖고 싶을 정도였다.

"아무튼 알았으니 돌아가 보아라."

황제가 앨버트에게 나가 보라는 손짓을 하자 앨버트가 예를 취했다.

"아펜니노의 태양께 축복과 광명을."

✦ ♛ ✦

황제를 알현하고 돌아온 앨버트는 쥐 죽은 듯 조용한 그레이스 궁을 보면서 남다른 감회를 느꼈다.

'이 궁이 이렇게 조용한 적이 있었던가?'

선대 황태후는 사람을 그리 좋아하지 않는 사람이어서 자신이 총애하는 선택받은 몇 명을 제외하고 대부분 출입을 금했었다.

반면 루드밀라 황후는 다정한 성격에 사람을 좋아하는 성정 덕분에 황궁에 새로운 활기가 피어났었다.

"아, 시종장님."

"메리."

황후의 측근 시녀인 메리가 반가워하며 앨버트를 맞이했다.

"황후 폐하께서 찾으세요."

"그래?"

알려 줘서 고맙다는 인사를 한 뒤, 앨버트가 메리에게 물었다.

"폐하의 심기는 어떠시지?"

"여전히 불편하세요. 말 한마디도 조심하세요, 시종장님."

"알겠다."

앨버트가 고개를 끄덕이고 그대로 루드밀라 황후가 좋아하는 후원으로 향했다.

언제고 성대하게 티 파티를 열었던 장소에서 오늘 루드밀라 황후는 홀로 티 파티를 열었다.

"폐하, 앨버트입니다."

가까이 다가가 인기척을 낸 앨버트는 표정 변화 없이 여전히 심각한 생각에 빠져 있는 황후를 확인하고 시선을 내렸다.

루드밀라 황후는 며칠 전부터 계속 이런 상태였다.

'정확히 시말서를 보고 난 다음부터 이러고 계시지…….'

도대체 어떤 심경 변화가 있으신지 감히 상상할 수 없었으나 앨버트는 이게 루드밀라 황후에게도 드문 일이라는 걸 알았다.

"앨버트."

"예, 폐하."

"앨버트, 네가 보기엔 지금 이 상황이 어떠하지?"

"예?"

루드밀라 황후의 느닷없는 질문에 앨버트가 당황했다.

"이 상황에 대한 네 의견은 어떠냐고 물었다."

앨버트는 숨을 멈추었다가 천천히 내쉬었다. 루드밀라 황후가 자신에게 의견을 물을 줄은 몰랐다.

'이런 적은 이전에 단 한 번뿐.'

앨버트를 자신의 심복으로 여기느냐 여기지 않느냐의 시험을 내리셨던 그때뿐이었다.

앨버트는 긴장을 풀고 솔직하게 답했다.

"아티엔느 양은 언제나 황후 폐하를 기쁘게 하려고 많은 노력을 기울였습니다. ……이전은 아니었죠."

"그랬던가? 하긴 이전엔 내 초대를 번번이 아프다는 핑계로 피하긴 했었지."

새삼 묻혀 있던 기억들이 왜 생각나는지 모르겠다.

루드밀라 황후는 한숨을 내쉬며 찻잔을 들어 올렸다. 우아한 향이 퍼지며 심신이 안정된다.

"오늘따라 황궁이 더 적막하구나."

하필 마시던 차도 아티와 함께 마셨던 적이 있던 차였다.

"폐하, 이 향이 무척이나 좋네요."

"어머나, 그럼 챙겨 줄까?"
"그래도 될까요? 그래 주시면 감사히 마시겠습니다."
"오호호, 당연히 되지. 내어 줄 테니 받아 가렴."

유난히 황궁이 조용해서일까, 아니면 전보다 더 적적한 기분이 들어서일까. 루드밀라 황후는 저도 모르게 떠오른 단편적인 기억에 입매를 늘어뜨렸다.

처음 이 황궁에 입궁했을 때 루드밀라 황후도 순진한 레이디였다.

수많은 가식과 허례에 얼마나 눈물을 흘렸던가.

"이런 나도, 사람의 진심을 보는 법을 어느새 잊고 살았네."

자신을 향해 반짝이던 푸른 눈동자는 언제나 진심뿐이었다.

여전히 자신을 속인 건 괘씸하고 아드리안이 저지른 짓은 용서할 수 없었으나 시간이 지나갈수록 허전함이 더 커졌다.

"모두들 감싸지 못해 안달이 나 있군."

마담 루시의 시말서와, 테르니, 디아노, 에센에 이르기까지 그들의 말은 아티가 잘못될까 하는 걱정뿐이었다.

그 까다로운 사람들을 모두 자신의 편으로 만들다니, 대단한 재능이었다.

"내가 너무 심했던 걸까?"

처음엔 분노로 눈앞이 까매져 어찌할 바를 몰랐으나 점

점 쓸쓸해졌다.

황실의 모든 사람이 미소를 잃었다.

잠깐 잊고 있었지만 황궁이란 이런 곳이었다. 이렇게 차갑고 외롭고 쓸쓸한 곳.

그래도 아티와 함께 있었을 땐 참 즐거웠지. 아티는 다정하고 상냥한 아이였다. 마리에도 그래서 더 좋아했던 걸 테고.

"마리에랑 잘 놀아 주는 것도 좋았는데."

마리에가 외로움을 타서 걱정스러웠는데 아티와 놀고 나서는 이전보다 더 밝아져서 황후는 내심 흐뭇했다.

매번 황궁 분위기를 싸하게 만들었던 아드리안이 많이 부드러워진 것도 아티의 공이었다.

"이렇게 빈 사람의 자리가 컸던가?"

생각하지 않으려고 해도 자꾸 떠오른다.

매번 찾아와서 인사하고 말동무도 해 주던 아티가 생각나니 루드밀라 황후는 더더욱 외로워졌다.

"그런 싹싹한 며느리는 또 없었지……."

불쾌한 기억은 없고 괜찮았던 기억만 떠오르니 황후는 더 심란해졌다.

문제는 아드리안이었다. 아티가 죽으면 살려서라도 자신의 황후로 만들겠다던 아드리안.

처음엔 괘씸했지만 이제는 아드리안이 망가지는 걸 멈추기 위해서라도 못 이기는 척 말을 들어줘야 하지 않을까 하는 마음이 들었다.

"차라리 나쁜 아이였으면 고민도 없으련만."
황후가 한숨을 내쉴 때였다.
"황후."
언제 온 것인지 카를로만 황제가 모습을 드러냈다.
"아니, 폐하. 언제 오셨습니까?"
"황후가 보고 싶어서 왔소. 기분은 어떠시오?"
"뭐, 그럭저럭 괜찮습니다."
일어난 황후를 자리에 앉힌 황제가 두어 번 헛기침을 했다.
"왜인지 황궁이 쓸쓸해서 와 보았소. 황후도 쓸쓸해 보이는구려."
"뭐, 그렇죠. 요즘 궁이 많이 조용하네요."
황제가 황후의 눈치를 보며 슬그머니 입을 열었다.
"그 아이가 있을 땐 이렇진 않았는데……. 요즘 좀 많이 적적하구려."
황후의 손이 잠시 움찔했으나 별다른 반응은 보이지 않았다. 황제가 헛기침을 했다.
"비록 죄가 있다 해도 아드리안이 저지른 게 더 크지 않소?"
조심스럽게 말을 잇던 황제가 내친김에 나머지 말도 끝냈다.
"그러니까 결국 이번 사태는 아드리안 그놈을 그렇게 키운 우리의 잘못도 좀 있는 듯한데……."
"역시 아티를 데려오라고 해야겠어요."
황후의 답변에 황제가 두 눈을 깜빡였다.

"오오, 그, 그렇지! 데려오라고 해야지!"

"데려와서……. 그 아이의 말을 듣고 생각해야겠어요. 아드리안을 저렇게 둘 순 없으니까."

울면서 빌던 얼굴이 뒤늦게 마음에 걸렸다. 그땐 그렇게 아무렇지도 않았는데.

황후의 심경 변화에 황제가 빠르게 시종들을 향해 손짓했다. 눈치껏 알아서 빨리 데려오라는 의미였다.

"그래, 한번 데려와서 이야기를 들어 보는 것도 나쁘지 않은 생각이오, 황후."

"반성을 하고 있으면 적당한 벌만 주고 끝내려고 생각 중이에요."

"그것도 아주 훌륭한 생각이오, 황후."

"그 아이가 다시 돌아올지는 모르겠지만……."

"무슨 소리를 하는 것이오, 황후. 당연히 올 것이오!"

"그랬으면 좋겠네요."

황후가 웃으며 시종에게 손짓했다.

"그런데, 황후. 일단 오비에도에 내려진 출입 금지 명령부터 푸는 건 어떻겠소? 요제프 후작이 없으니 내가 좀 심심해서 그러는데……."

"그러도록 하죠. 오늘 이 시각 이후로는 오비에도가의 사람의 출입을 허가한다고 전하렴."

"예, 명을 받듭니다. 폐하."

"그리고 지금 당장 오비에도가를 다녀오너라."

"예, 폐하."

앨버트가 사라지고 황제의 표정이 환하게 밝아졌다.

'드디어! 드디어 다시 며늘아기가 돌아오는 것인가!'

아티가 오면 황후 혼자 맞이했다가 또 분위기가 삭막해지면 안 되니까 황제는 자신도 자리를 지켜야겠다고 생각했다.

그리고 한참의 시간이 지난 후, 앨버트가 돌아왔다. 하지만 그의 뒤엔 있어야 할 아티가 보이지 않았다.

루드밀라 황후가 이것이 어떻게 된 일인지 물어보려고 했을 때였다.

먼저 한쪽 무릎을 꿇은 앨버트가 오비에도의 문장이 찍힌 씰로 봉인된 서신을 올렸다.

"폐하, 오비에도가에서 보낸 서신입니다."

불길한 마음을 억누르고 황후가 봉인된 편지를 풀었다.

그리고…….

"불민한 자식이 황가에 더 이상 폐를 끼칠 수 없어 이 혼담을 파기할까 합니다……?!"

루드밀라 황후의 눈이 그보다 더할 수 없이 커졌다.

옆에 있던 황제도 놀라서 굳어 버렸다.

✦ ♛ ✦

빛 한 점 들어오지 않는 칙칙한 침실. 침대 위에 걸터앉은 인영은 미동이 없었다.

"하."

며칠이 지났던가. 아드리안은 한숨을 내쉬며 머리칼을 쓸어 올렸다. 어쩐지 머리가 아픈 것도 같았다.

'아티는 잘 지내고 있겠지.'

현재 아드리안의 머릿속을 가득 채우고 있는 것은 오로지 아티에 대한 생각뿐이었다.

헤어지던 그때의 기억이 마지막이라 도무지 웃는 얼굴이 떠오르지 않았다.

서글프게 눈물만 뚝뚝 떨어트리던 아티의 얼굴을 생각하다 아드리안은 절로 얼굴을 일그러뜨렸다.

아티가 보고 싶었다.

테르니가 아티는 잘 지내고 있으니 걱정하지 말라고 말했지만 어떻게 걱정하지 않을 수 있단 말인가.

"……대체 얼마나 더 기다려야 하는 거지?"

그렇게 지옥 같은 시간을 견디고 있는 아드리안에게 디아노가 찾아왔다.

"전하."

"꺼져."

"아—."

"아티? 무슨 일인데?"

"……."

디아노가 입을 닫고 가만히 아드리안을 주시했다. 아드리안은 미간을 찌푸렸다.

디아노의 표정이 심상치 않았다. 정말로 무슨 일이 터진 모양이었다.

아드리안은 천천히 침대에서 일어나 디아노의 앞에 섰다.

"무슨 일인지 빨리 말해."

"일단 진정하시는 것이 좋겠습니다."

아드리안의 표정이 더욱 싸늘하게 굳었다. 디아노가 이렇게 구는 경우는 거의 없었다. 아티에게 무슨 일이 벌어진 게 분명했다.

"매우 이성적인 상태니까, 어서 말해."

"그……."

디아노는 선불리 용건을 말하지 못하고 아드리안의 눈치를 살폈다.

그럴수록 아드리안의 표정은 굳어만 갔다.

"오비에도 가문에서 공식 서한을 보내왔습니다."

"서한?"

"예. 전하와의 약혼을 파혼하겠다는 내용의 공식 서한입니다."

"……파혼?"

들어선 안 되는 말을 들은 것만 같았다. 아드리안은 제 귀를 의심했다.

'잘못 들은 거겠지.'

그렇게 생각했지만, 디아노는 그럴 줄 알았다는 듯 부러 한 번 더 말했다.

"예. 파혼."

"헛소리."

아드리안은 일단 부정하고 보았다. 파혼이라니. 그딴 건 상상도 해 본 적 없었다.

아티가 제발 놓아 달라고 울며 애원한다 해도 들어줄 생각 없었다.

더 이상 아티가 없는 삶을 상상할 수 없으니.

그런데, 뭐? 파혼?

"웃기지도 않는 소리군."

싸늘하게 뇌까린 아드리안은 디아노를 밀쳐 내었다. 놀란 디아노가 만류하려 했지만 소용없었다.

"비켜!"

"전하, 일단 진정하시고—."

"꺼지라고 했다."

결국 아드리안은 디아노를 떼어 내고 포인세티아 궁을 빠져나왔다. 한 발짝 한 발짝에 엄청난 분노가 서려 있었다.

이 파혼이 아티의 결정인지, 혹은 다른 의견이 개입된 것인지 직접 들어야만 했다.

설령 아티의 결정이라고 한다 해도…….

"그래도 못 놔줘."

절대로.

✦ ♛ ✦

말을 타고 단숨에 달려 오비에도 저택에 도착한 아드리안은 자신을 가로막는 후작가의 경비병들을 맞닥뜨렸다.

"멈추십시오."

"비켜라."
"아무도 들이지 말라는 명령이 있었습니다."
아드리안은 살벌하게 경비병을 노려보았다.
"내가 누구인지 알고 그딴 소리를 지껄이는 건가?"
"……황태자 전하십니다."
"알면서도 나를 막아선다고?"
"제 주군은 후작이시기에 그분의 명령에 우선합니다. 그러니 멈추십시오."
아드리안의 두 눈에 불꽃이 튀었다.
그는 말에 올라탄 채로 허리춤에 손을 올렸다. 여차하면 검이라도 뽑을 생각이었다.
"이러지 마십시오, 전하!"
"그러길 원한다면 비켜. 나는 들어가야겠으니까. 끝까지 막아선다면 무력이라도 불사하겠다!"
낮게 끓는 음성으로 외치는 아드리안은 이미 제정신이 아니었다. 살벌한 기세에 경비병들이 일순 주춤했다.
아드리안은 그때를 틈타 안으로 돌진하려 했다. 그리고 그때.
"멈추십시오, 전하."
들려오는 정중한 음성에 아드리안은 말을 멈춰 세웠다.
우왕좌왕하는 경비병들 사이로 모습을 드러낸 것은 요제프 후작이었다. 아드리안은 차가운 시선으로 그를 주시했다.
"돌아가십시오, 전하. 지금 상황에서 이리 막무가내로 밀어붙이시면 오히려 상황만 악화될 뿐입니다."

"파혼이라는 서한을 보낸 것 이상으로 악화될 게 남았습니까?"

"어쩔 수 없는 결정이었습니다. 아티를 보호하려면 이것이 최선이니까요."

아드리안은 싸늘하게 비웃었다.

"어떤 근거로 파혼을 최선의 카드로 꺼내셨습니까? 나를 한번 설득해 보십시오."

"전하."

다분히 호전적인 아드리안의 태도에 후작은 난색을 내비쳤다.

공식 서한을 보낼 때부터 가만히 있지 않을 거라는 예상은 했지만 곧바로 달려올 줄은 몰랐다.

'근신 중이시라 들었는데. 무작정 나오신 거로군.'

후작은 아드리안을 아티와 만나게 하고 싶지 않았다. 한참을 앓다가 이제야 겨우 일상생활을 시작한 아이였다.

아드리안의 인내심은 점점 바닥나기 시작했다. 미처 주체하지 못한 분노가 질질 새어 나올 정도였다.

요제프 후작 혼자 아드리안을 막기에는 벅찼다.

그렇게 소득 없는 대치가 이루어지고 있을 때, 우아한 음성이 사이를 갈랐다.

"황태자 전하를 뵙습니다. 아르칸젤로의 축복이 함께하시길."

카밀라는 유유히 나타나 아무 일도 없다는 양 우아하게 웃으며 인사를 건넸다. 아드리안의 입매가 굳었다.

"여기까지는 어쩐 일로 오셨습니까? 제법 소란스러워서 저택 안까지 시끄러울 정도였습니다."

소란을 지적하는 말에 아드리안의 눈매가 날카롭게 치켜 올라갔다.

"모르셔서 묻는 겁니까?"

"모르겠네요."

아드리안은 이를 갈았다. 일부러 자신을 화나게 하려는 속셈이라면 성공했다.

겨우 이성을 붙들고 있었으니까.

"아티와 파혼할 생각 추호도 없습니다. 철회하십시오."

"어째서 그 명령을 받아들여야 하는지 모르겠군요. 거절하겠습니다, 전하."

"……."

"지금 전하께서 하셔야 할 일은 아티를 찾아오는 게 아닐 텐데요. 황후 폐하와 황제 폐하는 설득하신 건가요?"

아드리안은 입을 닫았다. 설득은커녕 언쟁으로 서로 기분만 상하고 궁에 칩거한 상태였다.

"아티를 가짜 약혼녀로 만들 생각이었다면 이런 일이 벌어질 거라는 것도 예측하셨어야죠. 아티를 상처 준 것은 전하이십니다. 그러고서 이렇게 찾아오시다니……."

구구절절 맞는 말이라 아드리안은 반박도 하지 못하고 이를 악물었다.

아티를 붙잡아야 한다는 생각에만 매몰되어 있어서 혹시나 들키면 어떡할까에 대한 대비는 거의 하지 않았다.

'당장 이렇게 들킬 줄은 몰랐으니까.'

카밀라가 한숨을 내쉬며 아드리안을 응시했다.

"이런 식으로 늘 제 딸을 막무가내로 몰아붙이셨나 보군요?"

"아티는 후작 부인의 딸이 아닙니다."

"전하께서 제 딸로 만들었으니 제 딸입니다."

카밀라의 음성에는 한 치의 흔들림이 없었다. 아드리안은 제법 큰 충격을 받았다.

자신의 계획에 있어 조력자라고 여겼던 오비에도 후작가가 이런 식으로 뒤통수를 칠 줄은 상상도 못 했으니까.

"모후와 부황의 설득 같은 건 필요 없습니다. 내가 아티를 원합니다. 비키십시오."

아무리 황후가 반대한다 하더라도 어차피 차기 황제는 자신이지 않나.

카밀라는 그런 아드리안의 발언이 제법 오만하다고 생각했다. 아드리안은 가장 중요한 것을 빠트리고 있었다.

"하지만 아티는 그렇게 생각하지 않는 것 같더군요."

"……예?"

"정녕 이 파혼이 이이와 저의 독단적 결정이라 생각하십니까? 아티도 이 파혼에 동의했습니다."

"……!"

그것만은 아닐 거라고 여겼던 아드리안의 표정이 처절하게 일그러졌다.

"거짓말."

거짓말이다.
"아티가…… 그럴 리 없어."
그렇게 믿고 싶었다. 그렇지 않으면 금방이라도 부서져 버릴 것 같으니까.
무심한 눈으로 아드리안을 응시하던 카밀라는 매정하게 뒤돌았다.
"부디 조심히 돌아가시길."
끼익―.
저택의 출입문이 굳게 닫혔다.

✦ ♛ ✦

멀거니 선 아드리안은 아티가 있을 저택을 하염없이 응시했다.
시간이 얼마나 지났는지도 모른다. 저택의 경비병들이 아드리안의 눈치를 보며 수군거렸다.
"……아티."
보고 싶은 건 자신뿐이었던 건가. 허망하고 허탈했다.
쏴아아―.
비가 쏟아졌다. 아드리안은 빗속에서 아티를 떠올렸다.
겁에 질렸던 아티의 얼굴이 수줍게 웃는 미소로 바뀌기까지의 온갖 기억들이 그를 스쳐 지나갔다.
'어쩌면 나를 좋아한다고 생각했는데.'
모두 자신의 착각이었던 건가.

빗발이 강해져 앞이 제대로 보이지 않을 지경에 이르렀을 때, 아드리안은 말 머리를 돌렸다.

경비병들은 드디어 아드리안이 포기하고 돌아가는 것이라고 생각했지만 그 반대였다.

빗물에 젖어 축 가라앉은 머리칼 사이로 붉은 눈동자가 형형하게 빛났다.

아드리안은 조소하며 싸늘하게 뇌까렸다.

"헛소리들 지껄이고 있네."

역시 직접 아티를 만나야겠다.

—4권에서 계속

황태자의 약혼녀 3

초판 인쇄 2022년 11월 8일
초판 발행 2022년 12월 15일

지은이 윤슬, 이휜
펴낸이 신현호
편집장 예숙영
편집 최은지
편집디자인 한방울
영업 김민원
물류 이순우 박찬수

펴낸곳 ㈜디앤씨미디어
출판등록 2002년 5월 1일 제117-90-51792호
주소 서울시 구로구 디지털로 26길 111 JnK디지털타워 503호
대표전화 (02)333-2513 팩스 (02)333-2514
전자우편 dncbooks@dncmedia.co.kr
디앤씨북스 블로그 http://blog.naver.com/dncbooks

ISBN 979-11-264-6265-0 (04810)
ISBN 979-11-264-6262-9 (세트)